Oscar classici

G000090011

Antonio Fogazzaro

PICCOLO MONDO ANTICO

Introduzione, cronologia, antologia critica
e bibliografia a cura di Anna Maria Moroni

Con uno scritto di Riccardo Bacchelli

OSCAR MONDADORI

© 1931 Arnoldo Mondadori Editore S.p.A., Milano

I edizione Romanzi febbraio 1931
I edizione B.M.M. gennaio 1952
I edizione Il Ponte gennaio 1959
12 edizioni Oscar Mondadori
I edizione Oscar classici febbraio 1986

ISBN 88-04-49287-2

Questo volume è stato stampato
presso Mondadori Printing S.p.A.
Stabilimento NSM - Cles (TN)
Stampato in Italia. Printed in Italy

Ristampe:

27   28   29   30   31   32   33   34

2002   2003   2004   2005   2006

Sommario

Introduzione
Cronologia
Antologia critica
Bibliografia

Introduzione

Di tutta l'opera narrativa del Fogazzaro, *Piccolo mondo antico* è il solo romanzo a cui sia toccato non il successo di una stagione o di una particolare moda del gusto, ma la fama di un autentico, piccolo capolavoro dell'Ottocento: per i piú entusiastici estimatori della personalità del Fogazzaro, un libro da porre subito dopo *I promessi sposi*. In realtà il richiamo al Manzoni, piú giustificato per questo che non per gli altri romanzi del Fogazzaro, può servire a mettere in evidenza proprio il suo valore di ·prodotto ritardato di una tradizione narrativa ormai esausta. Basterà aver occhio a certe date: *Piccolo mondo antico* esce nel 1895, quindici anni circa dopo *I Malavoglia* (1881) e sei dopo il *Piacere* (1889), libri che, pure in maniera diversa, segnano l'apertura di un nuovo corso della narrativa italiana; e anche un *Demetrio Pianelli*, del 1890, che fa ascrivere il suo autore alla stessa corrente naturalistica in chiave borghese, sembra al confronto piú segretamente vicino, nei suoi morbidi grigiori, a una sensibilità moderna, come ne sono riprova l'attenzione e l'interesse verso il De Marchi di certa critica piú sensibilmente novecentesca, mentre il Fogazzaro, nonostante le inquietudini spirituali del suo cattolicesimo, non sembra ottenere dal pubblico d'oggi un successo di ritorno.

Il libro però, visto non nell'impossibile accostamento a *I promessi sposi* ma nella sua giusta prospettiva, indicata già dal titolo di un fine sapore antiquario, rappresenta senza dubbio il momento di maggiore equilibrio nella vicenda artistica e spirituale del Fogazzaro, tra le prove del primo periodo (*Malombra* del 1881, *Daniele Cortis* del 1884, *Il mistero del poeta* del 1888) intricati in difficili casi di patologie psichiche e di positivistici interessi per i misteri dell'occultismo, e i romanzi degli anni piú tardi, discesi da *Piccolo mondo antico* a formarne una sorta di continuazione (*Piccolo mondo moderno*, 1901; *Il Santo*, 1906; *Leila*, 1911), in cui piú tormentosi e artisticamente irrisolti prevalgono i problemi di una coscienza cattolica insidiata dal mondo e dove i contrasti che in *Piccolo mondo antico* sono riferiti al separato comportamento di due nature e due educazioni diverse sono riportati invece all'interno del solo protagonista. Questa situazione di equilibrio che sembra nascere da una poetica disposizione di rimpianto, non senza il controllo di una minuta osservazione umoristica, di una società e di un'epoca gelosamente depositate nella memoria, si riflette nella pacata compostezza della pagina, piuttosto insolita in uno scrittore cosí inquieto, spesso incapace di chiudere nel giusto disegno della frase le ambagie della sua torbida e tormentata coscienza: una compostezza che, come è stato osservato da Giacomo Devoto, è raggiunta proprio nella misura in cui lo scrittore si adagia nell'alveo sicuro di una tradizione stilistica già largamente collaudata e il cui maggior esempio sono appunto *I promessi sposi*.

Il confronto con il Manzoni, stabilito impropriamente da altri sulla base di una generica affinità spirituale, ma condotto dallo stesso Devoto sul piano di una sottile analisi dello stile, ha permesso di rilevare il carattere particolaristico di *Piccolo mondo antico*, dove tutti gli elementi del paesaggio rimangono elementi di una geografia determinatissima entro cui si svolge una determinatissima storia che non si allarga mai a significati piú vasti che la trascendano. « Il paesaggio dei *Promessi sposi* ha subito intera la traduzione linguistica... Il racconto non fa appello a nessuna emozione, a nessun ricordo che non derivi dal testo stesso; i riferimenti topografici sono assenti. L'inizio del *Piccolo mondo antico* (anziché la descrizione del lago di Como che si ammette sconosciuto al lettore) presuppone la conoscenza del lago di Lugano nei particolari del suo vento caratteristico, della montagna che lo domina, dei gruppi di case che si affacciano in riva. » E ancora: « non si ha mai una nebbia, una luminosità un vento generici, ma nebbia luci venti sono in relazione con esseri animati, inconfondibili, il Doi il Bisgnago il Boglia, che noi dobbiamo conoscere a priori... Non è una bizzarria dell'autore. Ai suoi occhi, i luoghi non sono "traducibili" in termini linguistici, come la descrizione piú attenta di una persona non sostituisce quello che alle persone piú vicine dice il semplice nome... Il contrasto fra i due procedimenti appare nei due addii, di Lucia e di Franco. L'addio ai "monti sorgenti dall'acque" del lago di Lecco è portato immediatamente su un piano collettivo... L'addio di Lucia non è un addio alla sua terra, ma un addio universale. L'addio di Franco è invece tutto particolare, suo e dei luoghi. Ma l'orizzonte dei monti è in questo caso ancora troppo vasto di fronte allo spezzarsi di tanti vincoli che legavano Franco alla casa e alla terra. Non ai monti perciò si dirige il suo addio piú segreto, perché si confonderebbe con l'addio di qualsiasi altro valsoldese; ma agli angolini del suo giardino, alle piante, cariche di un significato, che lui solo (e nemmeno sua moglie) sa comprendere ».

Il valore piú genuino del romanzo suole pertanto venire indicato dalla critica piú che nella ricchezza nel dramma delle passioni di Franco e Luisa, nella minuta descrizione di un mondo popolato di figure minori, ciascuna con il suo colorito rilievo, come in una sorta di pittura fiamminga: un mondo che le grandi passioni non arrivano a sconvolgere ma soltanto a sommuovere. « Questa tenerezza e delicatezza di sentimenti » scrive il Croce « questa penetrazione psicologica, questo spirito d'osservazione della vita quotidiana nei suoi lati comici e umoristici, tutti gli elementi di un'anima artistica, sparsamente disseminati, si congiungono, si rassettano, trovano il loro posto nel *Piccolo mondo antico* ch'è senza dubbio il miglior libro del Fogazzaro. »

La vicenda

Franco Maironi è un cattolico fervente. Cresciuto a Cressogno in Valsolda, nella villa della nonna, la marchesa Orsola, ama i fiori, la musica e la poesia. Contro la volontà della vecchia marchesa che lo vorrebbe sposato a una nobile a lei gradita, si unisce segretamente in matrimonio con Luisa Rigey, figlia di borghesi, che vive a Oria insieme alla madre Teresa.

Luisa ama Franco, ma la sua natura è sostanzialmente di-

11

versa da quella del marito: essa non crede nella religione ma nella giustizia. Il romanzo si svolge intorno al contrasto tra la natura contemplativa di Franco e quella attiva, fiera e appassionata di Luisa.

Dopo le nozze la marchesa disereda il nipote che va a vivere nella casa della moglie. Teresa Rigey, la madre esemplare di Luisa, muore e i due sposi trovano aiuto economico e sostegno morale nello zio Piero Ribera che la marchesa odia profondamente. Dall'unione di Franco e Luisa nasce la piccola Maria, chiamata dallo zio Ombretta. Tra la bambina e il vecchio si stabilisce un rapporto di profonda simpatia.

Ma la felicità della famigliola non dura a lungo: la marchesa autoritaria e crudele riesce, con l'appoggio del governo austriaco, a far destituire l'ingegner Ribera dal suo impiego. Franco, per poter sostenere la famiglia privata dell'aiuto economico dello zio, è costretto a partire. Il dissidio fra i due coniugi si acuisce. Ambedue sono a conoscenza che il professor Gilardoni, loro amico, ha una copia del testamento sottratto dalla marchesa a proprio vantaggio, che nomina Franco erede dei beni paterni. Mentre il marito non vuole servirsene, per non disonorare la famiglia, Luisa, cui non importa la ricchezza ma la giustizia, si ribella a Franco che, amareggiato, sentendola sempre più lontana da sé, parte alla volta di Torino. Qui si guadagna la vita come redattore, frequenta i patrioti che attendono con ansia la liberazione del Lombardo-Veneto dall'oppressione austriaca. Per sostenere la famiglia lontana soffre persino la fame.

A Oria, Luisa che nutre propositi di vendetta verso la marchesa, un giorno decide di andare ad affrontarla; in sua assenza la piccola Ombretta cade nel lago e annega. In seguito alla tragedia Luisa, spirito forte e combattivo, perde ogni desiderio di vita e trova rifugio in pratiche spiritistiche che la illudono di comunicare con la figlia morta.

Franco invece, rientrato momentaneamente in Valsolda, trova nella fede l'aiuto necessario a sopportare il dolore.

Trascorrono tre anni: siamo alla vigilia della campagna del 1859. Anche Franco si arruola. Prima di partire vorrebbe salutare la moglie. Luisa non desidera abbandonare, sia pur

12

per breve tempo, la tomba della sua bambina, teme l'incontro col marito, esita a decidersi. Lo zio Piero interviene. Con parole di buon senso la riconduce alla realtà e la convince a incontrare l'uomo che ha amato. All'Isola Bella, Franco, Luisa e lo zio si riabbracciano. Essi avvertono che potrebbe essere il loro ultimo incontro. Anche Luisa è vinta dalla commozione. Al mattino Franco parte, lo zio Piero, da tempo ammalato, muore. Luisa è sola, ma sente che nel suo grembo « spunta un germe vitale preparato alle future battaglie dell'era nascente ».

Accanto ai personaggi maggiori *Piccolo mondo antico* dà vita a una ricca serie di figure minori, tutte « disegnate » come dice il Croce « con finezza: zio Piero, la signora Teresa Pasotti, la signora Barborin, il signor Giacomo Puttini, il professor Gilardoni, vari tipi rustici di preti, la deliziosa piccola Maria, "Ombretta Pipì", figliola di Franco e di Luisa. Noi riconosciamo subito ciascuno di essi dai movimenti, dall'intercalare, quasi dalle inflessioni. La mescolanza di alto e di umile, di tenero e di comico, è qui tutto riuscita: anche il dialetto non infastidisce né stona, come negli altri romanzi piú passionalmente intonati e pretenziosi, ma si presenta affatto naturale. È il linguaggio della vita calma e sonnolenta di quella generazione, di quella gente campagnola, che passava buona parte del suo tempo a giocare a tarocchi e a pescar con l'amo ».

Genesi e fortuna dell'opera

I primi appunti di *Piccolo mondo antico* risalgono all'agosto del 1884: il contrasto tra i due protagonisti è qui intenzionalmente basato, piú conformemente alla tematica del primo Fogazzaro, sulla gelosia. Solo con il 1889 i riferimenti al nuovo libro si fanno piú precisi e frequenti. In una lettera del 10 settembre il Fogazzaro scrive di aver forse trovato l'avvio che cercava: « Avrei trovato questo, far vedere la norma direttiva della vita dei miei personaggi e le sue conseguenze. Chi vive per godere di questo mondo *disprezzando* l'altro; chi vive per fare il bene in questo mondo non mirando all'altro; chi vive mirando all'altro ma piú con la fede, colla preghiera, che colle opere, chi vive *mirando all'altro attraverso questo*, che mi pare la regola migliore. Effetti del *dolore* su questa gente. Ecco il mio concetto ancora molto nebuloso del resto ». Neppure un mese dopo (lettera del 5 ottobre) il concetto gli si va precisando: « *Lei* vive per questo mondo non nel senso di goderlo, nel senso di una pietà e di una giustizia che si esercita *qui* senza preoccuparsi dell'altra vita (malgrado apparenti pratiche religiose). *Lui* in teoria vive per l'altro mondo, in pratica per questo, non per goderlo male ma per goderlo onestamente. Il loro screzio si paleserà in forma gravissima di fronte a un gravissimo fatto che esige una decisione. Lei sarà per una decisione suggerita dalla giustizia e lui sarà per un'altra decisione suggerita non dalla pietà umana, ma da una carità superiore, religiosa: perché anche lui sarà richiamato con violenza da quell'avvenimento alla logica dei suoi princípi. Da questo punto non vedo piú che nebbia ».

Ma pur muovendo da questo impianto, che sembra impostare una problematica astratta, il Fogazzaro trovava modo di chiamare a raccolta i ricchissimi ricordi della sua vita in Valsolda, e di mettere a profitto le storie avidamente ascoltate dalla bocca di Luisa Campioni Venini. La signora, che, come la Luisa del romanzo, aveva perduto una figlia, in quegli anni in cui nasceva *Piccolo mondo antico*, ricordava al Fogazzaro la sua avida attenzione per i propri racconti: « Dopo di te e dei miei figli, ebbi un'uditrice appassionata, insaziabile, nella povera Gemma... dopo non raccontai piú storie a nessuno e le scordai ».

Tutto il libro è sottilmente intessuto di ricordi autobiografici: il personaggio di Ombretta, come risulta dal diario tenuto dal Fogazzaro in collaborazione con la moglie, è ispirato ai suoi figli e cosí gli altri personaggi se non tutti in gran parte (come confessa il 23 novembre 1895 lo stesso Fogazzaro all'amico Alfonso Garovaglio) sono presi « tali e quali dal vero ». « Inutile » precisa nella stessa lettera « parlare di quelli che sono presentati con il loro proprio nome, fra i quali metto pure lo *zio Piero* benché il cognome Barrera sia stato da me leggermente modificato, e metto anche l'avvocato V. di Varenna ch'è come nominato. *D. Giuseppe Costabarbieri*, il curato *Introini*, il signor *Giacomo Puttini* e qualche altro appena nominato, come *Toni Gall*, il *Cüstant*, il *Paolin* e il *Paolon*, ecc., appartengono a questa prima categoria. Franco Maironi è mio padre, Luisa Maironi Rigey ha qualche tocco d'immaginazione ma deve somigliare spesso alla Luisa Venini. La signora Teresa Rigey, madre di Luisa Maironi, è mia madre, i coniugi Pasotti sono i Casati. La marchesa Maironi è d'immaginazione, in parte; e in parte somiglia a una signora non conosciuta da te. Lo stesso è per il professor Gilardoni. Ester è donna Paolina Negrotto Brusati, figlia del povero marchese Brusati. Pedraglio sai chi è. Quel Sartorio che comparisce un momento a Lugano, è storico anche nel nome. Cosí la *Cia*, governante dello zio Piero. Il marchese Bianchi è il marchese Brusati. I preti designati col nome delle loro parrocchie sono appunto quelli che le tenevano all'epoca del mio racconto. I fatti che costituiscono la tela del romanzo sono tutti di pura immaginazione. »

Altrettanto osservato dal vero è naturalmente il paesaggio della Valsolda, sulla sponda lombarda del lago di Lugano, dove era la casa materna del Fogazzaro e dove egli aveva la consuetudine di soggiornare fin da ragazzo, una casa che sorge sulla riva del lago, circondata da un giardino ricco di vegetazione che il padre dell'autore coltivava con amorosa cura e con competenza scientifica come il protagonista di *Piccolo mondo antico*.

Il lavoro di stesura doveva occupare il Fogazzaro per quasi tre anni. Da un'indicazione a margine dell'autografo sappiamo che il 5 maggio del 1892 rifaceva il principio del capitolo successivo alla perquisizione; una primizia delle prime pagine dell'opera usciva lo stesso anno nel numero di Natale del « Corriere di Napoli ». Dopo il 1893 si propone di rimettersi all'opera senza piú interrompersi e incide nel fondo del cassetto del suo studio, a Seghe di Velo: « Scrivo con i brividi la scena della Calcinera, il 22 luglio 1894 ». Gli appunti per l'ultimo capitolo sono del 21 ottobre successivo e dopo la parola "fine" l'autore appunta nell'autografo data e ora: « 31.12.94 ore sei pom. ». Nei primi mesi del 1895 copia, non senza modifiche, l'intero romanzo, « finito di trascrivere » vi si legge « nel mio studio di Velo l'11 agosto 1895 alle ore 15,45 ».

Piccolo mondo antico uscí nell'attesa generale a Milano verso la metà di novembre del 1895 presso la casa editrice Galli. Il successo fu immediato e concorde, ma non mancarono neppure per questo romanzo le discussioni che si accenderanno tanto piú violente intorno ai libri dell'ultimo Fogazzaro. A un recensore il dissidio fra Luisa e Franco appare « moralmente e religiosamente sconfortante »; anche per il cardinale Capecelatro che il 20 marzo 1896 scrive al Fogazzaro parole di lode, « Franco, che è certo un ardente cattolico, è fiacco di animo e non sa rispondere mai una parola alta e vera alle obiezioni assai ben fatte della moglie Luisa, la quale, sebbene incredula, è una bellissima e nobilissima figura di donna. La nonna di Franco è assai un brutto tipo di cattolica, e gli altri, anche i preti, valgono poco o nulla ». Giudizi che forse dovettero dispiacere all'autore, che, non avendo la coscienza « del tutto tranquilla circa almeno due dei *suoi* romanzi precedenti », confessava a monsignor Bonomelli (lettera a Vicenza del 19 novembre 1895) di aver desiderato di scriverne uno da potervi riposar sopra in pace, da potervi pensar con soddisfazione all'ultima *sua* ora » quando gli fosse apparsa « tutta intera la vanità della fama ».

Presto tradotto in francese da André Gladès, in polacco da Costanza Morawska, *Piccolo mondo antico*, nel primo decennio del 1900, comparve anche nelle altre lingue europee.

Cronologia

1842-1859 1842. Nasce a Vicenza il 25 marzo da Mariano e da Teresa Barrera. Il padre, esule a Torino dal 1859, deputato al Parlamento del nuovo regno d'Italia, era amico di Gino Capponi, di Ricasoli e di Peruzzi. Nel 1848, durante l'assedio di Vicenza, è a Rovigo con la madre e la sorella Ina; in estate è in Valsolda, a Oria. Lo zio Giuseppe, sacerdote, ha fin d'ora notevole influenza sulla sua formazione. A lui Antonio Fogazzaro manda in visione i suoi primi componimenti poetici. Nel 1856 entra al liceo di Vicenza sotto la guida di un altro sacerdote, Giacomo Zanella. Consegue la maturità classica nel 1858 e si iscrive alla facoltà di legge dell'università di Padova. La salute malferma lo costringe in Valsolda, dove matura l'inclinazione alle lettere, osteggiata dal padre che ha scarsa fiducia nelle sue capacità letterarie.

1860-1869 Nel 1860 si trasferisce con la famiglia a Torino dove compie gli studi di legge, laureandosi nel 1864; fa pratica in studi legali della città. Passa a Milano nel 1865, dove entra nello studio dell'avvocato Castelli. Conosce Margherita dei conti di Valmarana che sposa l'anno seguente. Nel 1868 dà gli esami di avvocato. Nell'estate è a San Bernardino, dove tornerà per altre villeggiature. A Milano frequenta e diviene amico di Arrigo Boito. Si stabilisce a Vicenza nel 1869, dove gli nasce la prima figlia, Teresa.

1870-1879 Nel 1870 inizia un diario che terrà fino al 1882 dove, insieme alla moglie, registra le impressioni sulla vita dei figli. Nel 1872 pubblica il discorso *Dell'avvenire del romanzo in Italia* tenuto all'Accademia olimpica di Vicenza. 1873: termina *Miranda*. L'opera convince il padre, deputato a Roma, ad appoggiarlo nella carriera letteraria. Nell'autunno ritorna alla fede che aveva perduto durante gli anni universitari. 1875: gli nasce il figlio Mariano. Pubblica nel 1876 la prima raccolta di versi *Valsolda*.

1880-1889 1881: gli nasce la figlia Maria. Pubblica, ai primi di maggio, *Malombra* presso l'editore Brigola di Milano. Nel 1883 incontra Giuseppe Giacosa. Soggiorna a Lanzo d'Intelvi dove conosce Ellen Starbuck, un'americana a cui si ispira per la Violet del *Mistero del poeta.* Nel 1884 è a Bordighera, Sanremo, Nizza e Montecarlo. Termina *Daniele Cortis.* Muore in agosto lo zio Piero Barrera (lo "zio Piero" di *Piccolo mondo antico*) dal quale, nei primi anni di matrimonio, deciso contro la volontà del padre, aveva avuto aiuto economico e morale. Nel 1885 pubblica *Daniele Cortis*, presso Casanova di Torino. Viaggia in Germania. Inizia il romanzo *Il mistero del poeta.* Nell'aprile 1887 muore il padre. In estate a San Bernardino incontra Jole Moschini Biaggini, ispiratrice del personaggio di Jeanne Dassalle di *Piccolo mondo moderno.* 1888: è in relazione con monsignor Bonomelli. Esce in volume *Il mistero del poeta*, presso Galli di Milano, già apparso nella « Nuova Antologia ».

1890-1899 Gli muore la madre nel 1891. Nel numero di Natale 1892 del « Corriere di Napoli » escono le prime pagine di *Piccolo mondo antico*. A Napoli, nel 1893, in occasione del suo discorso *L'origine dell'uomo e il sentimento religioso,* stringe amicizia con Matilde Serao. Incontra a Capua il cardinale Capecelatro. Nel 1894 pubblica sul supplemento del « Mattino » di Napoli *I cavalieri dello Spirito*. In seguito a tale articolo Matilde Serao lo invita a farsi capo e guida a « un senso più alto e più nobile della vita interiore ». Incontra Milano Émile Zola. Nel 1895 gli muore di tifo il figlio Mariano. In novembre esce *Piccolo mondo antico* presso l'editore Galli di Milano. Nel 1896 è nominato senatore. 1898: primo soggiorno a Parigi. 1899: viaggia in Belgio. Entra in relazione col cardinale Mathieu. Pubblica un frammento di *Piccolo mondo moderno* nel numero di Natale del « Bene » di Milano. In volume escono i versi di *Sonatine bizzarre,* presso Gianotta di Catania.

1900-1911 1901: prima edizione di *Piccolo mondo moderno*, Milano, Hoepli. Nel dicembre dell'anno precedente il romanzo era apparso sulla « Nuova Antologia ». Ristampa i *Racconti brevi* facendoli precedere dagli *Idillii spezzati,* Milano, presso Baldini & Castoldi, la casa editrice presso cui usciranno anche i suoi volumi successivi. Muore in agosto lo zio don Giuseppe che aveva avuto molta influenza sulla sua educazione. In settembre perde anche l'amata sorella Ina. Nel 1902 viene rappre-

sentata al teatro Manzoni di Milano la sua commedia *Garofolo rosso*.
Nel 1903 pubblica *Scene*. Lavora al *Santo* che esce il 5 novembre 1905.
Nel 1906 condanna del *Santo* all'Indice, con decreto del 5 aprile. Fo-
gazzaro si piega alla condanna imponendosi il silenzio. Muore l'amico
Giuseppe Giacosa; nel 1908, seconda edizione di *Minime* e prima di
Poesie. Il 12 novembre 1910 esce *Leila*. Il 26 febbraio 1911 entra al-
l'ospedale di Vicenza per essere operato. Muore il 7 marzo.

Piccolo mondo antico nacque, assai piú degli altri romanzi di Fogazzaro, libero dall'impegno di sollevare alla temperatura e al livello di un manifesto (astratto, ideale) una od altra intima e sempre irrisolta difficoltà autobiografica, passionale. Come queste non ebbero storia, non conobbero veri svolgimenti, progressi, ma rimasero in uno stato indistinto di perenne crisi, d'aspirazioni risorgenti, cosí anche in *Piccolo mondo antico* l'autore non si portò a piú complesso o staccato riesame e giudizio di esperienze precedenti, non ne inaugurò di tali che rispetto alle antiche potessero apparirgli nuove, e che possiamo noi giudicar tali. Ma, piuttosto, mutò la propria disposizione consueta nel rappresentare disagi spirituali, e aspirazioni: non ne cristallizzò in invenzioni astratte lo schema, né in personaggi ideali, come negli altri romanzi, ma cercò d'armonizzarle in un tessuto piú staccato dalla propria autobiografia, d'allontanarle dall'urgenza di un'ansia passionale, accontentandosi di definirle e esprimerle come sentimenti, affetti, cioè con una parziale rinuncia sul piano ideologico, per lasciar parlare le memorie e la natura propria, semplicemente, nella natura dei luoghi, pur carichi di memorie: e con uno studio piú articolato per l'intreccio minuto dei casi, che, in complesso, riesce a un piú distinto e rilevato interesse per il fatto letterario, artistico, rispetto alla premura di dar forma a paradigmi passionali, a esperienze spirituali d'eccezione. *Piccolo mondo antico* nacque in un tempo piú disteso, svincolato da suggestioni imminenti e particolari: lavorava al romanzo circa dieci anni prima della sua comparsa, nell'85: e in quest'anno gli premeva già di avvertire che si trattava di un'opera di carattere diverso dalle altre: e cercava di sottolinearlo nel titolo prima progettato: *Storia quieta*. S'intende che uno schema teorico dovesse riuscirgli necessario ancora: ma il sentimento, l'ordine stesso dei fatti non si identificava piú con le impalcature ideologiche: queste eran supporti e sostegni ma non piú s'identificavano né risolvevano nella propria astrattezza protagonisti e intrecci; senza arrivare a una rottura nei confronti dei libri precedenti, esperimentò in questo romanzo un divergere di direzioni, e in quest'apertura per quanto limitata è il carattere piú artisticamente libero o concreto o, per cosí dire, il vantaggio di questo sugli altri romanzi. E s'intende che magari la tesi o le tesi siano piú irte e complicate proprio qui. Ma la disposizione dell'animo era mutata: egli mirava a inquadrarle e assoggettarle a un fatto che le pacificasse e stringesse almeno relativamente in unità: e questo doveva essere un sentimento da lasciar parlare nei fatti stessi, non piú una tesi che, invece, parlasse direttamente con le parole dei personaggi. Gli anni, i luoghi in cui è circoscritto il romanzo risuscitano l'infanzia e la prima giovinezza dell'autore. Figurine di una cronaca paesana della Valsolda tra il 1852 e il 1859: un progetto che si colloca tra le nostalgie del racconto « storico », e le curiosità cronachistiche e vernacole della Scapigliatura, in un tempo in cui forme del genere erano ormai abbandonate del tutto. E infatti Fogazzaro vi tornava dalla esperienza di una delle forme di crisi del verismo: lo spiritualismo, l'ansia d'esperienze spirituali d'eccezione che sembrava trovar voce nel romanzo degli ultimi anni del secolo, pur su piano europeo. E fu infatti, letterariamente, quanto un posar piú sul concreto, però anche un tornar indietro. *Piccolo mondo antico* segna pur sotto tale riguardo un'esperienza di diversa complessità nella carriera letteraria del Fogazzaro.

Aldo Borlenghi
dalla nota introduttiva a *Piccolo mondo antico*
in *Narratori dell'Ottocento e del primo Novecento*, tomo IV,
R. Ricciardi, Milano-Napoli 1966.

Quando si sono riconosciute le differenze essenziali fra i due « mondi » [del Manzoni e del Fogazzaro], e insieme i tratti caratteristici dello scrittore che persistono in alcuni particolari, si è solo al principio dell'indagine che deve dare, del *Piccolo mondo antico*, una definizione positiva. È "all'interno" del racconto tradizionale che occorre indagare con quali criterî si possano classificare gli elementi caratteristici, introdurre o r d i n e.

La prima occasione viene offerta dai paesaggi. Il paesaggio dei *Promessi sposi* ha subito intiera la traduzione linguistica. Il paesaggio su cui sorge il castello dell'Innominato è inteso in tutti i suoi particolari da chiunque conosca la lingua italiana abbastanza a fondo. Il racconto non fa appello a nessuna emozione, a nessun ricordo che non derivi dal testo stesso; i riferimenti topografici sono assenti.

L'inizio del *Piccolo mondo antico* (anziché la descrizione del lago di Como che si ammette sconosciuto al lettore) presuppone la conoscenza del lago di Lugano nei particolari del suo vento caratteristico, della montagna che lo domina, dei gruppi di case che gli si affacciano in riva.

(Parte I, Cap. I) Soffiava sul lago una *breva* fredda, infuriata di voler cacciar le nubi grigie... Infatti, quando..., scendendo da *Albogasio superiore*, arrivarono a *Casarico* non pioveva ancora. Le onde... mostrarono qua e là, sino all'opposta sponda austera del *Doi*, un lingueggiar di spume bianche.

(Parte II, Cap. IV) Possibile che il Signore volesse far soffrire un uomo tale? « No, no, no! » esclamò Franco, che in un altro momento non avrebbe osato, forse, ammonire Iddio a questo modo. Un soffio del Boglia calò per la gola di Muzài, agitò le frondi alte dei noci. A Luisa quello stormire pareva legarsi con le ultime parole di Franco: le parve che il vento e i grandi alberi sapessero qualche cosa del futuro e ne bisbigliassero insieme.

(Parte II, Cap. V) Era un'ora di tanta bellezza, di tanta pace da stringere il cuore. Non una foglia che si muovesse; purissima, cristallina l'aria da ponente; sfumanti a levante, dentro lievi vapori, le montagne fra Ostèno e Porlezza... ma i grisantemi del giardinetto, gli ulivi, gli allori... le aeree montagne del lago di Como... accordantisi malinconicamente a dire che la cara stagione moriva...

(Parte II, Cap. VIII) L'aria era mite, il picco di Cressogno saliva senza neve... mentre dall'altra parte del lago scendevano sino all'acqua... i grandi padiglioni bianchi della Galbiga nevosa e del Bisgnago...

(ib.) Addio, addio! Passavano il Camposanto, la « Zocca de Mainé », la stradicciuola fatta tante volte con Maria, il Tavorell. Franco non guardò piú.

(Parte II, Cap. XI) Il cielo imbiancava sopra la Galbiga e le montagne del lago di Como; veniva giorno. Dal nero Boglia imminente soffiavano le tramontane fredde.

(Parte III, Cap. II) Tutto il lago d'oriente fra la Rotta, l'ultima casa di S. Mamette a sinistra, e il golfo del Doi a destra,

22

pareva un mare immenso, bianco. La Ca Rotta traspariva appena come un fantasma. Al golfo del Doi cominciava...

Nei momenti solenni di addii, in quelli lucidi in cui il paesaggio è non solo sfondo ma punto di riferimento, non si ha mai una nebbia, una luminosità, un vento generici, ma nebbia luci venti sono in relazione con esseri animati, inconfondibili, il Doi il Bisgnago il Boglia, che noi dobbiamo conoscere a priori. Solo per eccezione si trova una volta un chiarimento, che spiega però non il particolare topografico, ma il suo significato simbolico con efficacia espressiva degna di un'epigrafe:

(Parte I, Cap. III) « ho caro, io non ho piú niente a vedere. Non ho che a vedervi voi altri due uniti e benedetti dal Signore. Quando i tedeschi saranno andati via, verrete a dirmelo a Looch ».
Portano il nome di Looch i praticelli ombrati di grandi noci dove sta il piccolo camposanto di Castello.

Non è una bizzaria dell'autore. Ai suoi occhi, i luoghi non sono « traducibili » in termini linguistici, come la descrizione piú attenta di una persona non sostituisce quello che alle persone piú vicine dice il semplice nome. Fogazzaro appoggia il suo racconto essenzialmente sulla personalità dei luoghi, sulla capacità di evocazione che emana da essi. Si distacca dalla decrizione generica come si distacca dal racconto continuato quando introduce, col discorso diretto, una seconda dimensione.
Il contrasto fra i due procedimenti appare nei due addii, di Lucia e di Franco. L'addio ai « monti sorgenti dall'acque » del lago di Lecco è portato immediatamente su un piano collettivo. Chiunque parte, si stacca con dolore da « cime inuguali, note a chi è cresciuto tra esse », da « torrenti de' quali distingue lo scroscio come il suono delle voci domestiche », da « ville sparse ». V'è chi, partendo volontariamente, « tratto dalla speranza di fare altrove fortuna », al momento del distacco si sente mancare il coraggio; si sente poi straniero alle città tumultuose; affretta il momento del ritorno, quando potrà comprare la « casuccia a cui ha già messo gli occhi addosso ». V'è invece chi parte per colpa di una forza straniera e ostile e non può coltivare speranze. L'addio di Lucia non è un addio alla sua terra, ma un addio universale.

L'addio di Franco è invece tutto particolare, suo e dei luoghi. Ma l'orizzonte dei monti è in questo caso ancora troppo vasto di fronte allo spezzarsi di tanti vincoli che legavano Franco alla casa e alla terra. Non ai monti si dirige perciò il suo addio piú segreto, perché si confonderebbe con l'addio di qualsiasi altro valsoldese; ma agli angolini del suo giardino, alle piante, cariche di un significato, che lui solo (e nemmeno sua moglie) sa comprendere.

Il « pellegrinaggio » nei luoghi fogazzariani è tanto legato con l'interpretazione e l'intelligenza del testo, quanto vacue e irrilevanti sono le disquisizioni topografico-ricostruttive intorno ai *Promessi sposi*.

La stessa differenza si presenta nel dialogo; nel quale l'impiego di tradizioni linguistiche molteplici fornisce agevolmente mezzi di evasione.

Il dialogo dei *Promessi sposi* è una delle meraviglie del testo per il risultato, a prima vista impossibile e contraddittorio, che tutti i personaggi parlano la stessa lingua e la uniformità linguistica non appanna la personalità di ciascuno. I dialoghi di don Abbondio con il cardinal Federico da una parte, con gli sposi e i famigliari al momento del matrimonio dall'altra, sono dialoghi di personaggi che per temperamento e legami con tradizioni linguistiche particolari potrebbero riapparire nel *Piccolo mondo antico*.

Ma quest'ultimo non individua i personaggi con la loro « costrizione » in una tradizione linguistica assolutamente uniforme, come i *Promessi sposi*. L'evasione dalla tradizione avviene non soltanto con l'impiego occasionale di forme integralmente dialettali, ma in modo molto piú complesso. Non si tratta di un sior Zacomo integralmente veneto, né di un illetterato contadino integralmente valsoldese, ma di sfumature, intarsi, regionalismi, creolismi, che permettono di fissare le gradazioni di quella semicultura borghese, con un procedimento che in apparenza è ancora linguistico, ma in realtà è pittorico. Soltanto, le « illustrazioni » che accompagnano il testo non sono fotografie, ma provengono da una specie di discoteca dialettale e paradialettale. Il bisogno di evasione appare anche in questi casi evidente.

(Parte I, Cap. I) « Oh curatone! » esclamò Pasotti « ...viene a Cressogno con noi? » « Se mi *toglie* » rispose il curato di Puria.

(ib.) «*Nient del tutt!* Le dico che una *bolgira* compagna non la mi è mai piú toccata in vita mia.»
(Parte I, Cap. V) «Posso fare un poco di *sporgimento*? Quattro delle mie ciliege? Magara con un *tochello* di pane? Maria, *tajee giò un poo de pan*».
(Parte II, Cap. IV) Franco voleva replicare. «Citto, Lei, con quella lingua lunga *quatter brazza!*» fece il Ricevitore, burbero.

Perfetta è poi la misura con cui venature dialettali sono appena inserite nel discorso di addio dello zio Piero, alla vigilia della partenza di Franco:

(Parte II, Cap. VIII) «Testamento... non ne ho fatto e non ne faccio. Il poco che ho è di Luisa; non occorre testamento. Vi raccomando la Cia... Per i funerali bastano tre preti che mi cantino un requiem di cuore... c'è mica bisogno di farne cantare cinque o sei per amor del *candirott e del vin bianch*...»
Giacomo Devoto
Studi di stilistica, Le Monnier, Firenze 1950.

Questa tenerezza e delicatezza di sentimenti, questa penetrazione psicologica, questo spirito d'osservazione della vita quotidiana nei suoi lati comici ed umoristici, tutti gli elementi di un'anima artistica, sparsamente disseminati, e talvolta stridenti, nelle opere precedenti, si congiungono, si rassettano, trovano il loro posto nel *Piccolo mondo antico* (1896), ch'è senza dubbio il miglior libro del Fogazzaro, quello in cui egli ha indovinato sé stesso e che solo dà completa la misura del suo ingegno. L'argomento è anche qui una lotta d'anime. È il contrasto intimo tra due sposi, Luisa e Franco: la donna, di alta forza morale e con alto sentimento di giustizia, ma priva di fede religiosa: l'uomo, religioso, ma sognatore, impressionabile, piuttosto fiacco. Contrasto che, tra quei due perseguitati dalla sfortuna e dall'iniquità, si fa sempre piú evidente, pur serbando il carattere elevato che non può non avere in due anime di tempra nobilissima. Essi soffrono della stessa loro finezza e squisitezza di spirito. Intorno a questa lotta altre minori si combattono, e lo sfondo è dato dai costumi, dai personaggi, dai sentimenti del Lombardo-Veneto, negli ultimi anni della dominazione austriaca, nella preparazione della guerra d'indipendenza, spirando aura di libertà e d'italianità dal Piemonte. Si sente che nell'autore hanno lavorato le prime impressioni e i ricordi della fanciullezza e dell'adolescenza, rischiarati dall'esperienza che solo l'età matura apporta dei segreti delle anime e dei travagli interiori, religiosi e morali. Tutte le figure secondarie sono disegnate con finezza: zio Pietro, la signora Teresa Pasotti, la signora Barborin, il signor Giacomo Puttini, il professor Gilardoni, varî tipi rustici di preti, la deliziosa piccola Maria, « Ombretta Pipí », figliuola di Franco e di Luisa. Noi riconosciamo subito ciascuno di essi dai movimenti, dall'intercalare, quasi dalle inflessioni. La mescolanza di alto e di umile, di tenero e di comico, è qui del tutto riuscita: anche il dialetto non infastidisce né stona, come negli altri romanzi piú passionalmente intonati e pretensiosi, ma si presenta affatto naturale. È il linguaggio della vita calma e sonnolenta di quella generazione, di quella gente campagnola, che passava buona parte del suo tempo a giocare a tarocchi e a pescar con l'amo.

La piccola Maria muore, affogata nel lago. A questo avvenimento la madre, Luisa, la forte, perde ogni vigore di carattere, si smarrisce, resta inchiodata in un'idea, quasi demente; ma Franco spiega una forza prima non sospettata. Il Fogazzaro ci ha istruiti, in una sua lettera a un amico, dell'intenzione da lui messa nel racconto. « Feci (egli scrive) di Luisa una "natura nobilissima e veramente superiore", sí; ma fin dalla prima parte appare in lei il lato inferiore, il lato debole, e lo feci apparire a disegno. A proposito del testamento e in tutte le sue relazioni colla vecchia marchesa Luisa manca, rispetto a suo marito, di carità. È un vizio della sua natura, ed è anche un effetto della sua fredda, scarsa, superficiale religione. Ella sente la giustizia, ma non sente la carità, e questo è il germe, "storicamente e psicologicamente", della sua rovina spirituale futura. Franco è invece inferiore a lei nella volontà, nell'azione. Molti sono i credenti che somigliano a Franco... È la vera essenza del cristianesimo ciò che opera in lui, piú tardi, è l'amore, è la croce, ciò che vi ha di piú vitale nella religione... L'opposizione di Luisa a Franco non è legittima se non in quanto riguarda il difetto di opere. Franco a suo tempo riconosce questo difetto di opere e si emenda. » Ma, grazie al cielo, di tutte queste teologiche intenzioni nulla, o quasi, è passato nel romanzo; e nel corso di esso l'autore non parteggia né per Franco né per Luisa. La decadenza intellettuale e fisica di costei si spiega, nel romanzo, in modo affatto naturale per lo strazio della perdita della figlioletta; il nuovo vigore di Franco gli viene dall'essere stato trascinato e sollevato dalla foga patriottica di quel periodo. Il Fogazzaro ha escogitato la « moralizzazione » a cose fatte, e perciò non è riuscito a guastare il suo libro. Nel quale, per una volta almeno, la realtà s'è impadronita interamente nel suo spirito e ha ravvivato e coordinato le sue migliori forze artistiche.

Io non so se sia stato notato che la materia di questo romanzo ha stretta affinità con quella dei *Promessi sposi*. È il medesimo contrasto dello spirito di giustizia e di ribellione con lo spirito di perdono. Il don Rodrigo del romanzo è la vecchia marchesa Maironi, come i conti Attilî e gli Azzeccagarbugli sono i personaggi che prestano il loro braccio alla marchesa. E c'è padre Cristoforo: solo che il suo fiero spirito di giustizia è migrato nel corpo di una donna, di Luisa, e il suo spirito di perdono si è ammorbidito, è diventato piú cavalleresco ma meno morale, passando nel corpo di don Franco Maironi. Come nei *Promessi sposi* la peste, cosí qui la disgrazia nel lago viene a mutare le situazioni e gli animi: la peccatrice marchesa ha persino un quissimile del sogno di don Rodrigo. E come nei *Promessi sposi*, l'intonazione è familiare, e rende non duro e discordante il passaggio per tutte le gradazioni della realtà, dalla sublimità e dal pianto al comico e al sorriso. Ma questo libro del Fogazzaro, se ripiglia le situazioni e continua genialmente l'indirizzo artistico di quel romanzo, è assai diverso nel sentimento che tutto lo compenetra. È di un Manzoni che si è fuso, direi, col Tommaseo, con quel Tommaseo che suscitava ripugnanza o scandalo nello scrupoloso e ritroso lombardo; e del Tommaseo stesso ha lasciato cadere il tormentoso senso del peccato e il vigore etico; e, con tutto ciò, è cosa assai originale e poetica.

Benedetto Croce
La letteratura della nuova Italia, vol. IV, Laterza, Bari 1924[4].

Piccolo mondo antico piace per qualche cosa di piú universale che non sia lo stesso amor di patria. Piace perché dei romanzi fogazzariani è il piú vero, il piú vario, il piú nostro. Qui il solito idillio d'amore è sostituito da un amore effettivo, che, se non ha la poesia di un primo insoddisfatto amore, ha un'assai maggiore intensità drammatica, una assai più profonda contenenza umana. Qui non ci sono patemi di passioni represse e di megalomanie deluse; ma sofferenze comuni di uomini e di donne, che combattono giorno per giorno, per il pane e per la dignità. Qui non è la fittizia vita mondana delle alte classi; ma la vita degli umili, ma la miseria decente delle classi medie. *Piccolo mondo antico* ha la forza placida di suggestione dei pochi libri veramente grandi: cioè dei libri profondamente buoni. Perciò parve il romanzo più sano apparso in Italia dopo i *Promessi sposi*: e, dopo e in tanto imperversare di letteratura fucata, insincera, cattiva e patologica, fu accolto con la gioia, onde si accoglie un onesto galantuomo, in un circolo di persone, che da molte ore erano costrette a mentire l'una in faccia all'altra, e a mascherare coi sorrisi e le adulazioni la reciproca disistima. *Piccolo mondo antico* è un libro onesto: cosa non frequente; onesto, anche artisticamente. Non trovi in esso i momenti di stanchezza e gli arresti, che ti dicono che l'autore vuole scrivere ed arrivare ad ogni costo. La rappresentazione è rapida. I capitoli si snodano più agili, più brevi del consueto. Si sente un autore che ha molto da dire, molto di interessante, e quindi non si indugia a svolgere più del necessario un motivo, una scena, una descrizione. Questa rapidità, questa vivacità si portano via il lettore, e non gli lasciano scorgere i difetti di insieme del libro. Cosí l'azione – comprendente, contro il solito del Fogazzaro, e contro la tradizione di un'arte aristocratica, più anni – è interrotta da troppe lacune; e la prima parte di essa è un antefatto, che un romanziere più sobrio avrebbe costretto in breve, o riassunto nel corpo del racconto. Cosí, anche qui ci ha da essere il solito idillio d'amore, sia pur tendente al grottesco, nell'episodio degli amori e del matrimonio del vecchio Gilardoni e della giovane Ester: episodio assolutamente soverchiante. Ma sono peccati di eccesso: di quelli che hanno molta apparenza e molta, anche, sostanza di virtú: di quelli che abbondano negli scritti più spontanei e più ricchi.

Eugenio Donadoni
Antonio Fogazzaro, Laterza, Bari 1939.

Bibliografia

OPERE

Le opere del Fogazzaro, in 13 volumi, a cura di P. Nardi, sono edite da Mondadori, Milano.

PER LA BIOGRAFIA:

T. Gallarati Scotti, *La vita di Antonio Fogazzaro*, Milano 1920. (Nuova edizione riveduta, Milano 1934)

P. Nardi, *Antonio Fogazzaro*, Vicenza 1929 (2ª edizione, Milano 1938)

SULL'OPERA NARRATIVA DEL FOGAZZARO:

B. Croce, *Antonio Fogazzaro*, in "La Critica", 20 marzo 1903 (poi in *La letteratura della Nuova Italia*, IV, Bari 1947[5])

E. Donadoni, *Antonio Fogazzaro*, Napoli 1913 (2ª edizione, Bari 1939)

G. Gentile, *Il modernismo e i rapporti fra religione e filosofia*, Bari 1921

L. Russo, *I narratori (1850-1950)*, Firenze 1923 (nuova edizione integrata e ampliata, Milano-Messina 1951)

U. Ojetti, *Cose viste*, VI, Milano 1934

B. Croce, *L'ultimo Fogazzaro*, in "La Critica", 20 maggio 1935 (poi in *La letteratura della Nuova Italia*, IV, Bari 1950[3])

G. Trombatore, *Fogazzaro*, Messina 1938

R. Bacchelli, *A. Fogazzaro nel centenario della nascita*, in "Nuova Antologia", 1º aprile 1942 (ora in *Saggi critici*, Milano 1962)

A. Piromalli, *Fogazzaro e la critica*, Firenze 1952

L. Russo, *Maestri e seguaci di Antonio Fogazzaro; L'arte narrativa del Fogazzaro; Il Fogazzaro nella storia*, in "Belfagor", 30 novembre 1955, 31 gennaio e 31 luglio 1956

29

A. Piromalli, *Fogazzaro*, Palermo 1959

O. Morra, *Antonio Fogazzaro nel suo piccolo mondo*, Bologna 1960

A. Borlenghi, *Narratori dell'Ottocento e del primo Novecento*, IV, Milano-Napoli 1966.

P. Giudici, *I romanzi di Antonio Fogazzaro e altri saggi*, Roma 1969

L. e D. Piccioni, *Antonio Fogazzaro*, Torino 1970

A. Sisca, *Cultura e letteratura. Rapporti tra cultura regionale e nazionale: Manzoni, Verga, Fogazzaro*, Ravenna 1970

A. Piromalli, *Miti e arte in Antonio Fogazzaro*, Firenze 1972

G. Cavallini, *La dinamica della narrativa di Fogazzaro*, Roma 1978

Piccolo mondo antico

A Luisa Venini Campioni

A Lei, carissima Luisa, che tante persone e cose del piccolo mondo valsoldese ebbe familiari; a Lei, devota e fedele amica di due care anime che ci aspettano nell'eternità, offro nel nome loro e nel nome di un altro morto a Lei diletto il libro che queste sacre memorie, e non queste sole, segretamente richiama.

Antonio Fogazzaro

Piccolo mondo antico

A Luisa Venini Campioni

Antonio Fogazzaro

I. *Risotto e tartufi*

Soffiava sul lago una *breva* fredda, infuriata di voler cacciar le nubi grigie, pesanti sui cocuzzoli scuri delle montagne. Infatti, quando i Pasotti, scendendo da Albogasio Superiore, arrivarono a Casarico, non pioveva ancora. Le onde stramazzavano tuonando sulla riva, sconquassavan le barche incatenate, mostravano qua e là, sino all'opposta sponda austera del Doi, un lingueggiar di spume bianche. Ma giú a ponente, in fondo al lago, si vedeva un chiaro, un principio di calma, una stanchezza della *breva*; e dietro al cupo monte di Caprino usciva il primo fumo di pioggia. Pasotti, in soprabito nero di cerimonia, col cappello a staio in testa e la grossa mazza di bambú in mano, camminava nervoso per la riva, guardava di qui, guardava di là, si fermava a picchiar forte la mazza a terra, chiamando quell'asino di barcaiuolo che non compariva.

Il piccolo battello nero con i cuscini rossi, la tenda bianca e rossa, il sedile posticcio di parata piantato a traverso, i remi pronti e incrociati a poppa, si dibatteva, percosso dalle onde, fra due barconi carichi di carbone che oscillavano appena.

« Pin! » gridava Pasotti sempre piú arrabbiato. « Pin! »

Non rispondeva che l'eguale, assiduo tuonar delle onde sulla riva, il cozzar delle barche fra loro. Non c'era, si sarebbe detto, un cane vivo in tutto Casarico. Solo una vecchia voce flebile, una voce velata da ventriloquo, gemeva dalle tenebre del portico:

« Andiamo a piedi! Andiamo a piedi! »

Finalmente il Pin comparve dalla parte di San Mamette.

« Oh là! » gli fece Pasotti alzando le braccia. Quegli si mise a correre.

« Animale! » urlò Pasotti. « T'han posto un nome di cane per qualche cosa! »

« Andiamo a piedi, Pasotti » gemeva la voce flebile. « Andiamo a piedi! »

Pasotti tempestò ancora col barcaiuolo che staccava in fretta la catena del suo battello da un anello infisso nella riva. Poi si voltò con una faccia imperiosa verso il portico e accennò a qualcuno, piegando il mento, di venire.

« Andiamo a piedi, Pasotti! » gemette ancora la voce.

Egli si strinse nelle spalle, fece con la mano un brusco atto di comando, e discese verso il battello.

Allora comparve ad un'arcata del portico una vecchia signora, stretta la magra persona in uno scialle d'India, sotto al quale usciva la gonna di seta nera, chiusa la testa in un cappellino di città, sperticatamente alto, guernito di rosette gialle e di pizzi neri. Due ricci neri le incorniciavano il viso rugoso dove s'aprivano due grandi occhi dolci, annebbiati, una gran bocca ombreggiata di leggeri baffi.

« Oh, Pin » diss'ella giungendo i guanti canarini e fermandosi sulla riva a guardar pietosamente il barcaiuolo. « Dobbiamo proprio andare con un lago di questa sorte? »

Suo marito le fece un altro gesto piú imperioso, un'altra faccia piú brusca della prima. La povera donna sdrucciolò giú in silenzio al battello e vi fu fatta salire, tutta tremante.

« Mi raccomando alla Madonna della Caravina, caro il mio Pin » diss'ella. « Un lago cosí brutto! »

Il barcaiuolo negò del capo, sorridendo.

« A proposito » esclamò Pasotti, « hai la vela? »

« Ce l'ho su in casa » rispose Pin. « Debbo andare a

prenderla? La signora qui avrà paura, forse. E poi, ecco là che vien l'acqua! »

« Va! » fece Pasotti.

La signora, sorda come un battaglio di campana, non udí verbo di questo colloquio, si meravigliò molto di veder Pin correr via e chiese a suo marito dove andasse.

« La vela! » le gridò Pasotti sul viso.

Colei stava lí tutta china, a bocca spalancata, per raccogliere un po' di voce, ma inutilmente.

« La vela! » ripeté l'altro, piú forte, con le mani accostate al viso.

Ella sospettò d'aver capito, trasalí di spavento, fece in aria col dito un geroglifico interrogativo. Pasotti rispose tracciando pure in aria un arco immaginario e soffiandovi dentro; poi affermò del capo, in silenzio. Sua moglie, convulsa, si alzò per uscire.

« Vado fuori! » diss'ella angosciosamente. « Vado fuori! Vado a piedi! »

Suo marito l'afferrò per un braccio, la trasse a sedere, le piantò addosso due occhi di fuoco.

Intanto il barcaiuolo ritornò con la vela. La povera signora si contorceva, sospirava, aveva le lagrime agli occhi, gittava alla riva delle occhiate pietose, ma taceva. L'albero fu rizzato, i due capi inferiori della vela furono legati, e la barca stava per prender il largo, quando un vocione mugghiò dal portico:

« To' to', il signor Controllore! » e ne sbucò un pretone rubicondo, con una pancia gloriosa, un gran cappello di paglia nera, il sigaro in bocca e l'ombrello sotto il braccio.

« Oh, curatone! » esclamò Pasotti. « Bravo! È di pranzo? Viene a Cressogno con noi? »

« Se mi toglie! » rispose il curato di Puria, scendendo verso il battello. « To' to' che c'è anche la signora Barborin! »

Il faccione diventò amabile amabile, il vocione dolce dolce.

« Ha in corpo una paura d'inferno, povera diavola » ghignò Pasotti, mentre il curato faceva degli inchinetti e dei sorrisetti alla signora, cui quel minacciato soprappiú di peso metteva un nuovo terrore. Ella si mise a gesticolare in silenzio come se gli altri fossero stati sordi peggio di lei. Additava il lago, la vela, la mole del curato enorme, alzava gli occhi al cielo, si metteva le mani sul cuore, se ne copriva il viso.

« Peso mica tanto » disse il curato, ridendo. « Tâs giò, ti » soggiunse rivolto a Pin, che aveva sussurrato irriverentemente: « Ona bella tenca ».

« Sapete » esclamò Pasotti « cosa faremo perché le passi la paura? Pin, hai un tavolino e un mazzo di tarocchi? »

« Magari un po' unti » rispose Pin « ma li ho. »

Ci volle del buono per far capire alla signora Barbara, detta comunemente Barborin, di che si trattasse adesso. Non lo voleva intendere, neanche quando suo marito le cacciò in mano, per forza, un mazzo di carte schifose.

Ma per ora non era possibile, giuocare. La barca avanzava faticosamente, a forza di remi, verso la foce del fiume di S. Mamette, dove si sarebbe potuto alzar la vela, e i cavalloni sbattuti indietro dalle rive si azzuffavano con i sopravvegnenti, facevano ballare il battello fra un bollimento di creste spumose. La signora piangeva. Pasotti imprecava a Pin che non s'era tenuto bastantemente al largo. Allora il curatone, afferrati due remi, ben piantata la gran persona in mezzo al battello, si mise a lavorar di schiena, tanto che in quattro colpi si uscí dal cattivo passo. La vela fu alzata, e il battello scivolò via liscio, a seconda, con un sommesso gorgoglío sotto la chiglia, con un ondular lento e blando. Il prete sedette allora sorridente accanto alla signora Barborin che chiudeva gli occhi e mormorava giaculatorie. Ma Pasotti batteva impaziente il mazzo dei tarocchi sul tavolino e bisognò giuocare.

Intanto la pioggia grigia veniva avanti adagio adagio, velando le montagne, soffocando la *breva*. La signora andava ripigliando fiato a misura che ne perdeva il vento, giuocava rassegnata, pigliandosi in pace gli spropositi propri e le sfuriate di suo marito. Quando la pioggia incominciò a mormorar sulla tenda del battello e sull'onda morta che andava tutt'ora, quasi senz'aria, agli scogli del Tentiòn; quando il barcaiuolo pensò di calar la vela e di riprendere i remi, la signora Barborin respirò del tutto. « Caro il mio Pin! » diss'ella teneramente; e si mise a giuocar a tarocchi con uno zelo, con un brio, con una beatitudine in viso, che non si turbavano né di spropositi né di strapazzate.

Molti giorni di *breva* e di pioggia, di sole e di tempeste sorsero e tramontarono sul lago di Lugano, sui monti della Valsolda, dopo quella partita a tarocchi giuocata dalla signora Pasotti, da suo marito, controllore delle dogane a riposo, e dal curatone di Puria, nel battello che costeggiava lento, in mezzo ad una nebbiolina di pioggia, le scogliere fra S. Mamette e Cressogno. Quando rivedo nella memoria qualche casupola nera che ora specchia nel lago le sue gale di zotica arricchita, qualche gaia palazzina elegante che ora decade in un silenzioso disordine; il vecchio gelso di Oria, il vecchio faggio della Madonnina, caduti con le generazioni che li veneravano; tante figure umane piene di rancori che si credevano eterni, di arguzie che parevano inesauribili, fedeli ad abitudini di cui si sarebbe detto che solo un cataclisma universale potesse interromperle, figure non meno familiari di quegli alberi alle generazioni passate, e scomparse con essi, quel tempo mi pare lontano da noi molto piú del vero, come al barcaiuolo Pin, se si voltava a guardar il ponente, parevano lontani piú del vero, dietro la pioggia, il San Salvatore e i monti di Carona.

Era un tempo bigio e sonnolento proprio come l'aspetto del cielo e del lago, caduta la *breva* che aveva fatto tanta paura alla signora Pasotti. La *gran breva* del 1848, dopo aver dato poche ore di sole e lottato un pezzo con le nuvole pesanti, spenta da tre anni, lasciava piovere e piovere i giorni quieti, foschi, silenziosi dove cammina questa mia umile storia.

I re e le regine di tarocchi, il Mondo, il Matto e il Bagatto erano in quel tempo e in quel paese personaggi d'importanza, minute potenze tollerate benevolmente nel seno del grande tacito impero d'Austria, dove le loro inimicizie, le loro alleanze, le loro guerre erano il solo argomento politico di cui si potesse liberamente discutere. Anche Pin, remando, ficcava avidamente sopra le carte della signora Barborin il suo adunco naso curioso, e lo ritraeva a malincuore. Una volta restò dal remare per tenervelo su e vedere come la povera donna se la sarebbe cavata da un passo difficile, cosa avrebbe fatto di una certa carta pericolosa a giuocare e pericolosa a tenere. Suo marito picchiava impaziente sul tavolino, il curatone palpava con un sorriso beato le proprie carte, e lei si stringeva le sue al petto, ridendo e gemendo, sbirciando ora l'uno ora l'altro de' suoi compagni.

« Ha il Matto in mano » sussurrò il curato.

« Fa sempre cosí, lei, quando ha il Matto » disse Pasotti, e gridò, picchiando:

« Giú questo Matto! »

« Io lo butto nel lago » diss'ella. Gittò un'occhiata a prora e trovò lo scampo di osservare che si toccava Cressogno, ch'era tempo di smettere.

Suo marito sbuffò alquanto, ma poi si rassegnò a infilare i guanti.

« Trota, oggi, curato » diss'egli mentre l'umile sposa glieli abbottonava. « Tartufi bianchi, francolini e vin di Ghemme. »

« Lo sa, lo sa, lo sa? » esclamò il curato. « Lo so anch'io. Me l'ha detto il cuoco, ieri, a Lugano. Che miracoli, eh, la signora marchesa! »

« Ma, miracoli? Pranzo di Sant'Orsola, intanto; e poi invito di signore: le Carabelli madre e figlia; quelle Carabelli di Loveno, sa? »

« Ah sí? » fece il curato. « E ci sarebbe qualche progetto...? Ecco là don Franco in barca. Ehi, che bandiera, il giovinotto! Non gliel'ho mai vista. »

Pasotti alzò la tenda del battello, per vedere. Poco discosta una barca dalla bandiera bianca e azzurra si cullava in un comune moto di saliscendi, in una comune stanchezza con l'onda. A poppa, sotto la bandiera, v'era seduto don Franco Maironi, l'abiatico della vecchia marchesa Orsola che dava il pranzo.

Pasotti lo vide alzarsi, dar di piglio ai remi e allontanarsi, remando adagio, verso l'alto lago, verso il golfo selvaggio del Doi; la bandiera bianca e azzurra si spiegava tutta, sventolava sulla scia.

« Dove va, quell'originale? » diss'egli. E brontolò fra i denti, con una forzata raucedine da *barabba* milanese:

« Antipatico! »

« Dicono ch'è cosí di talento! » osservò il prete.

« Testa pessima » sentenziò l'altro. « Molta boria, poco sapere, nessuna civiltà. »

« È mezzo marcio » soggiunse. « Se fossi io quella signorina... »

« Quale? » chiese il curato.

« La Carabelli. »

« Tenga a mente, signor Controllore. Se i francolini e i tartufi bianchi sono per la "popòla" Carabelli, son buttati via. »

« Sa qualche cosa, Lei? » disse piano Pasotti con una vampa di curiosità negli occhi.

Il prete non rispose perché in quel punto la prora strisciò sulla rena, toccò all'approdo. Egli uscí il primo; quindi Pasotti diede a sua moglie, con una rapida mimica imperiosa, non so quali istruzioni, e uscí anche lui. La povera donna venne fuori per l'ultima, tutta infagottata nel suo scialle d'India, tutta curva sotto il cappellone nero dalle rosette gialle, barcollando, mettendo avanti le grosse mani dai guanti canarini. I due ricci pendenti a lato della sua mansueta bruttezza avevano un particolare accento di rassegnazione sotto l'ombrello del marito, proprietario, ispettore e geloso custode di tante eleganze.

I tre salirono al portico col quale la villetta Maironi cavalca, da ponente, la via dall'approdo alla chiesa parrocchiale di Cressogno. Il curato e Pasotti fiutavano, tra un sospiro di dolcezza e l'altro, certo indistinto odore caldo che vaporava dal vestibolo aperto della villa.

« Ehi, risotto, risotto » sussurrò il prete con un lume di cupidigia in faccia.

Pasotti, naso fine, scosse il capo aggrottando le ciglia, con manifesto disprezzo di quell'altro naso.

« Risotto no » diss'egli.

« Come, risotto no? » esclamò il prete, piccato. « Risotto sí. Risotto ai tartufi; non sente? »

Si fermarono ambedue a mezzo il vestibolo, fiutando l'aria come bracchi, rumorosamente.

« Lei, caro il mio curato, mi faccia il piacere di parlare di *posciandra* » disse Pasotti dopo una lunga pausa, alludendo a certa rozza pietanza paesana di cavoli e salsicce. « Tartufi sí, risotto no. »

« *Posciandra, posciandra* » borbottò l'altro, un poco offeso. « Quanto a quello... »

La povera mansueta signora capí che litigavano, si spaventò e si mise a cacciar puntate al soffitto coll'indice destro, per significare che lassú potevano udire. Suo marito le afferrò la mano in aria, le accennò di fiutare e poi le soffiò nella bocca spalancata: « Risotto! ».

Lei esitava, non avendo udito bene. Pasotti si strinse nelle spalle. « Non capisce un accidente » diss'egli: « il tempo cambia »; e salí la scala seguito da sua moglie. Il grosso curato volle dare un'altra occhiata alla barca di don Franco. "Altro che Carabelli!" pensò; e fu richiamato subito dalla signora Barborin che gli raccomandò di metterlesi vicino a tavolo. Aveva tanta soggezione, povera creatura!

I fumi delle casseruole empivano anche la scala di tepide fragranze. « Risotto no » disse piano l'avanguardia. « Risotto sí » rispose sullo stesso tono la retroguardia. E cosí continuarono, sempre piú piano, « risotto sí », « risotto no » fino a che Pasotti spinse l'uscio della sala rossa, abituale soggiorno della padrona di casa.

Un brutto cagnolino smilzo trottò abbaiando incontro alla signora Barborin che cercava di sorridere mentre Pasotti metteva la sua faccia piú ossequiosa e il curato, entrando ultimo con un faccione dolce dolce, mandava in cuor suo all'inferno la maledetta bestia.

« Friend! Qua! Friend » disse placidamente la vecchia marchesa. « Cara signora, caro Controllore, curato. »

La grossa voce nasale parlava con la stessa flemma, con lo stesso tono agli ospiti e al cane. S'era alzata per la signora Barborin ma senza fare un passo dal canapè, e stava lí in piedi, una tozza figura dagli occhi spenti e tardi sotto la fronte marmorea e la parrucca nera che le si arrotondava in due grossi lumaconi sulle tempie. Il viso doveva essere stato bello un tempo e serbava, nel suo pallore giallastro di marmo antico, certa maestà fredda che non mutava mai, come lo sguardo, come la voce, per qualsiasi moto dell'animo. Il curatone le fece due o tre inchini a scatto, stando alla larga, ma Pasotti le baciò la mano, e la signora Barborin, sentendosi gelare sotto quello sguardo morto, non sapeva come muoversi né che dire. Un'altra signora si era alzata dal canapè all'alzarsi della marchesa e stava guardando con sussiego la Pasotti, quel povero mucchietto di roba vecchia rinfagottato di roba nuova. « La signora Pasotti e suo marito » disse la marchesa. « Donna Eugenia Carabelli. »

Donna Eugenia piegò appena il capo. Sua figlia, donna Carolina, stava in piedi presso la finestra discorrendo con una favorita della marchesa, nipote del suo fattore.

La marchesa non stimò necessario d'incomodarla per presentarle i nuovi venuti e, fattili sedere, riprese una pacata conversazione con donna Eugenia sulle loro comuni conoscenze milanesi, mentre Friend faceva, fiutando e starnutendo, il giro dello scialle canforato della Pasotti, si strofinava sui polpacci del curato e guardava Pasotti con i suoi occhietti umidi e afflitti, senza toccarlo, come se intendesse che il padrone dello scialle indiano, malgrado la sua faccia amabile, gli avrebbe torto il collo volentieri.

La marchesa Orsola teneva in moto la sua solita grossa voce sonnolenta e la Carabelli si studiava, rispondendo, di rendere amabile la sua grossa voce imperiosa, ma non sfuggí agli occhi penetranti e al maligno ingegno di Pasotti che le due vecchie dame dissimulavano, la Maironi piú e la Carabelli meno, un comune malcontento. Ciascuna volta che l'uscio si apriva, gli occhi spenti dell'una e gli occhi foschi dell'altra si volgevano là. Una volta entrò il prefetto del Santuario della Caravina col piccolo signor Paolo Sala detto « el Paolin » e col grosso signor Paolo Pozzi detto « el Paolon », compagni indivisibili. Un'altra volta entrò il marchese Bianchi, di Oria, antico ufficiale del regno d'Italia, con la sua figliola, una nobile figura di vecchio cavalleresco soldato accanto a una seducente figura di fanciulla briosa.

Sí la prima che la seconda volta un'ombra di corruccio passò sul viso della Carabelli. Anche la figlia di costei girava pronta gli occhi all'uscio quando si apriva, ma poi chiacchierava e rideva piú di prima.

« E don Franco, marchesa? Come sta don Franco? » disse il maligno Pasotti, con voce melliflua, porgendo alla marchesa la tabacchiera aperta.

« Grazie tante » rispose la marchesa piegandosi un poco e ficcando due grosse dita nel tabacco: « Franco? a dirle la verità sono un poco in angustia. Stamattina non si sentiva bene e adesso non lo vedo. Non vorrei... ».

« Don Franco? » disse il marchese. « È in barca. L'abbiamo visto un momento fa che remava come un barcaiuolo. »

Donna Eugenia spiegò il ventaglio.

« Bravo! » diss'ella facendosi vento in fretta e in furia. « È un bellissimo divertimento. »

Chiuse il ventaglio d'un colpo e si mise a mordicchiarlo con le labbra.

« Avrà avuto bisogno di prender aria » osservò la marchesa nel suo naso imperturbabile.

« Avrà avuto bisogno di prender acqua » mormorò il prefetto della Caravina con gli occhi scintillanti di malizia. « Piove! »

« Don Franco viene adesso, signora marchesa » disse la nipote del fattore dopo aver dato un'occhiata al lago.

« Va bene » rispose il naso sonnacchioso. « Spero che stia meglio, altrimenti non dirà due parole. Un ragazzo sanissimo ma apprensivo. Senta, Controllore; e il signor Giacomo? Perché non si vede? »

« El sior Zacomo » incominciò Pasotti canzonando il signor Giacomo Puttini, un vecchio celibatario veneto che dimorava da trent'anni in Albogasio Superiore, presso la villa Pasotti. « El sior Zacomo... »

« Adagio » lo interruppe la dama. « Non le permetto di burlarsi dei veneti, e poi non è vero che nel Veneto si dica *Zacomo*. »

Ella era nata a Padova, e benché abitasse a Brescia da quasi mezzo secolo, il suo dire lombardo era ancora infetto da certe croniche patavinità. Mentre Pasotti protestava, con cerimonioso orrore, di aver solamente inteso imitar la voce dell'ottimo suo vicino ed amico, l'uscio si aperse una terza volta. Donna Eugenia, sapendo bene chi entrava, non degnò voltarsi a guardare, ma gli occhi spenti della marchesa si posarono con tutta flemma su don Franco.

Don Franco, unico erede del nome Maironi, era figlio di un figlio della marchesa, morto a ventott'anni. Aveva perduto la madre nascendo ed era sempre vissuto nella potestà della nonna Maironi. Alto e smilzo, portava una zazzera di capelli fulvi, irti, che l'aveva fatto soprannominare *el scovin d'i nivol*, lo scopanuvoli. Aveva occhi parlanti, d'un ceruleo chiarissimo, una scarna faccia simpatica, mobile, pronta a colorarsi e a scolorarsi. Quella faccia accigliata diceva ora molto chiaramente: "Son qui, ma mi seccate assai".

« Come stai, Franco? » gli chiese la nonna, e soggiunse tosto senz'aspettare risposta: « Guarda che donna Carolina desidera udire quel pezzo di Kalkbrenner ».

« Oh no, sa » disse la signorina volgendosi al giovine con aria svogliata. « L'ho detto, sí, ma poi non mi piace, Kalkbrenner. Preferisco chiacchierare con le signorine. »

Franco parve soddisfatto dell'accoglienza ricevuta e andò senza aspettar altro a discorrere col curatone d'un buon quadro antico che dovevano vedere insieme nella chiesa di Dasio. Donna Eugenia Carabelli fremeva.

Ell'era venuta con la figliuola da Loveno dopo un'arcana azione diplomatica cui avevano preso parte altre potenze. Se questa visita si dovesse fare o no, se il decoro della famiglia Carabelli lo permettesse, se vi fosse quella probabilità di successo che donna Eugenia richiedeva, erano state le ultime questioni definite dalla diplomazia; perché malgrado la vecchia relazione della mamma Carabelli e della nonna Maironi i giovani non s'erano veduti che un paio di volte alla sfuggita ed erano i loro involucri di ricchezza e di nobiltà, di parentele e di amicizie, che si attraevano come si attraggono una goccia d'acqua marina e una goccia d'acqua dolce, benché le creature minuscole che vivono nell'una e nell'altra sieno condannate, se le due gocce si uniscono, a morirne. La marchesa aveva vinto il suo punto; apparentemente in grazia dell'età, sostanzialmente in grazia dei denari, era stato accettato che l'intervista seguisse a Cressogno, perché se Franco non aveva di proprio che la magra dote della madre, diciotto o ventimila lire austriache, la nonna sedeva, con quella sua flemmatica dignità, su qualche milione. Ora donna Eugenia, vedendo il contegno del giovine, fremeva contro la marchesa, contro chi aveva esposto lei e la sua ragazza a una umiliazione simile. Se avesse potuto soffiar via d'un colpo la vecchia, suo nipote, la casa tetra e la compagnia uggiosa, lo avrebbe fatto con gioia; ma conveniva dissimulare, parer indifferente, inghiottir lo smacco e il pranzo.

La marchesa serbava la sua esterna placidità marmorea benché avesse il cuore pieno di dispetto e di maltalento contro suo nipote. Egli aveva osato chiederle, due anni prima, il permesso di sposare una signorina della Valsolda, civile, ma non ricca né nobile. Il reciso rifiuto della nonna aveva reso impossibile il matrimonio e persuasa la madre della ragazza a non piú ricevere in casa don Franco; ma la marchesa tenne per fermo che quella gente non avesse levato l'occhio da' suoi milioni. Era quindi venuta nel proposito di dar moglie a Franco assai presto per toglierlo dal pericolo; e aveva cercato una ragazza ricca ma non troppo, nobile ma non troppo, intelligente ma non troppo. Trovatane una di questo stampo, la propose a Franco che si sdegnò fieramente e protestò di non voler prender moglie. La risposta era ben sospetta ed ella vigilò allora piú che mai sui passi del nipote e di quella « madama Trappola », poiché chiamava graziosamente cosí la signorina Luisa Rigey.

La famiglia Rigey, composta di due sole signore, Luisa e sua madre, abitava in Valsolda, a Castello: non era difficile sorvegliarla. Pure la marchesa non poté venir a capo di nulla. Ma Pasotti le riferí una sera con molta ipocrisia d'esitazioni e d'inorriditi commenti che il prefetto della Caravina, stando a crocchio nella farmacia di S. Mamette con lui Pasotti, col signor Giacomo Puttini, col Paolin e col Paolon, aveva tenuto questo bel discorso: «don Franco fa il morto da burla fino a che la vecchia lo farà sul serio». Udita questa fine arguzia, la marchesa rispose nel suo pacifico naso «grazie tante» e cambiò discorso. Seppe quindi che la signora Rigey, sempre infermiccia, si trovava a mal partito per una ipertrofia di cuore e le parve che l'umore di Franco se ne risentisse. Proprio allora le fu proposta la Carabelli. La Carabelli non era forse interamente di suo gusto, ma di fronte all'altro pericolo non c'era da esitare. Parlò a Franco. Stavolta Franco non si sdegnò, ascoltò distratto e disse che ci avrebbe pensato. Fu la sola ipocrisia, forse, della sua vita. La marchesa giuocò audacemente una carta grossa, fece venire la Carabelli.

Ora lo vedeva bene, il giuoco era perduto. Don Franco non s'era trovato all'arrivo delle signore e aveva poi fatto una sola apparizione di pochi minuti. I suoi modi, durante quei pochi minuti, erano stati cortesi, ma la sua faccia no; la sua faccia aveva parlato, secondo il solito, talmente chiaro, che la marchesa, affibbiandogli, come subito fece, una indisposizione, non poté ingannar nessuno. Però la vecchia dama non si persuase d'aver giuocato male. Già dall'età dei primi giudizi in poi, ella si era messa al punto di non riconoscersi mai un solo difetto né un solo torto, di non ferirsi mai, volontariamente, nel suo nobile e prediletto sé. Ora le piacque di supporre che dopo il suo sermone matrimoniale al nipote, gli fosse pervenuta nel mistero una parolina di miele, di vischio e di veleno. Se il suo disinganno aveva qualche lieve conforto era nel contegno della signorina Carabelli che mal celava la vivacità del proprio risentimento. Ciò non piaceva alla marchesa. Il prefetto della Caravina non aveva torto se non forse un poco nella forma quando diceva sottovoce di lei: «L'è on'Aüstria p...». Come la vecchia Austria di quel tempo, la vecchia marchesa non amava nel suo impero gli spiriti vivaci. La sua volontà di ferro non ne tollerava altre vicino a sé. Le era già di troppo un indocile Lombardo-

Veneto come il signor Franco, e la ragazza Carabelli, che aveva l'aria di sentire e volere per conto proprio, sarebbe probabilmente riuscita in casa Maironi una suddita incomoda, una torbida Ungheria.

Si annunciò il pranzo. Nella faccia rasa e nell'abito grigio, mal tagliato, del domestico si riflettevano le idee aristocratiche della marchesa, temperate di abitudini econome.

« E questo signor Giacomo, Controllore? » diss'ella, senza muoversi.

« Temo, marchesa » rispose Pasotti. « L'ho incontrato stamattina e gli ho detto: – Dunque, signor Giacomo, ci vediamo a pranzo? – È parso che gli mettessi una biscia in corpo. Ha cominciato a contorcersi e a soffiare: – Sí, credo, no so, forse, no digo, apff, ecco, propramente, Controllore gentilissimo, no so, insomma, e apff! – Non ne ho cavato altro. »

La marchesa chiamò a sé il domestico e gli disse qualche cosa sottovoce. Quegli fece un inchino e si ritirò. Il curato di Puria si dondolava in su e in giú accarezzandosi le ginocchia nel desiderio del risotto, ma la marchesa pareva petrificata sul canapè e perciò si petrificò anche lui. Gli altri si guardavano, muti.

La povera signora Barborin, avendo visto il domestico, meravigliata di quella immobilità, di quelle facce sbalordite, inarcò le sopracciglia, interrogò con gli occhi ora suo marito, ora il Puria, ora il prefetto, sino a che una fulminea occhiata di Pasotti petrificò lei pure. "Se fosse bruciato il pranzo!" pensava componendosi un viso indifferente. "Se ci mandassero a casa! Che fortuna!" Dopo due minuti il domestico ritornò e fece un inchino.

« Andiamo » disse la marchesa, alzandosi.

La comitiva trovò in sala da pranzo un personaggio nuovo, un vecchietto piccolo, curvo, con due occhietti buoni e un lungo naso spiovente sul mento.

« Veramente, signora marchesa » disse costui tutto timido e umile, « io avrei già pranzato. »

47

« Si accomodi, signor Viscontini » rispose la marchesa che sapeva praticare l'arte insolente della sordità come tutti coloro che assolutamente vogliono un mondo secondo il proprio comodo e il proprio gusto.

L'ometto non osò replicare, ma neanche osava sedere.

« Coraggio, signor Viscontini! » gli disse il Paolin che gli era vicino. « Cosa fa? »

« Fa il quattordici di coppe » mormorò il prefetto. Infatti l'ottimo signor Viscontini, accordatore di pianoforti, venuto la mattina da Lugano per accordare il piano dei signori Zelbi di Cima e quello di don Franco, aveva pranzato al tocco a casa Zelbi, era quindi venuto a casa Maironi, e ora gli toccava di sostituire il signor Giacomo perché altrimenti i commensali sarebbero stati tredici.

Un liquido bruno fumava nella zuppiera d'argento.

« Risotto no » sussurrò Pasotti al Puria passandogli dietro. Il faccione dolce non diede segno di avere udito.

I pranzi di casa Maironi erano sempre lugubri e questo accennava ad esserlo anche piú del solito. Per compenso era pure molto piú fino. Pasotti e il Puria si guardavano spesso, mangiando, per esprimere ammirazione e quasi per congratularsi a vicenda del godimento squisito, e se mai qualche occhiata di Pasotti sfuggiva al Puria, la signora Barborin, vicina di quest'ultimo, lo avvertiva con un timido tocco del gomito.

Le voci che piú si udivano erano quelle del marchese e di donna Eugenia. Il grande naso aristocratico del Bianchi, il suo fine sorriso di galante cavaliere si volgevano spesso alla bellezza, languente ma non ancora spenta, della dama. Milanesi ambedue del miglior sangue, si sentivano uniti in una certa superiorità non solamente rispetto ai piccoli borghesi della mensa, ma rispetto altresí ai padroni di casa, nobili provinciali. Il marchese era l'affabilità stessa e avrebbe conversato amabilmente anche col commensale piú modesto; ma donna Eugenia, nell'amarezza dell'animo suo, nel suo disgusto del luogo e delle persone, s'attaccò a lui come al solo degno, marcatamente, anche per far dispetto agli altri. Ella lo imbarazzò dicendogli forte che non capiva com'egli potesse essersi innamorato dell'orrida Valsolda. Il marchese che vi si era ritirato da molti anni a vita quieta e vi aveva veduto nascere la sua unica figliuola, donna Ester, rimase sulle prime un poco sconcertato da quel discorso insolente verso parecchi dei convitati, ma poi fece una briosa difesa del paese. La marchesa non mostrò turbarsi; il Paolin, il Paolon e il prefetto, valsoldesi, tacevano con tanto di muso.

Pasotti recitò solennemente un ampolloso elogio del « Niscioree », la villa Bianchi, presso Oria. Il Bianchi, leale uomo, che in passato non aveva avuto troppo a lodarsi del Pasotti, non parve gradir l'elogio. Egli invitò la Carabelli al Niscioree. « A piedi no, tu, Eugenia » disse la marchesa, sapendo che l'amica sua era tribolata dallo spavento d'ingrassare. « Bisogna vedere com'è stretta la strada, dalla Ricevitoria al Niscioree! Tu non ci passi di sicuro. » Donna Eugenia protestò con sdegno. « L'è minga el Cors de Porta Renza » disse il marchese « ma l'è pœu nanca, disgraziatamente, *le chemin du Paradis*! »

« Quell no! Propi no! ghe l'assicuri mi! » esclamò il Viscontini riscaldato, per disgrazia, da troppi bicchieri di Ghemme. Tutti gli occhi si volsero a lui e il Paolin gli disse qualche cosa sottovoce. « Se son matto? » rispose l'ometto acceso in faccia. « Nient del tütt! Le dico che ona bolgira compagna non la mi è mai piú toccata in vita mia. » E qui raccontò che la mattina, venendo da Lugano e avendo preso un po' di freddo in barca, era disceso al Niscioree per proseguire il viaggio a piedi; che tra quei due muri, dove non si potrebbe voltare un asino, aveva incontrato le guardie di finanza, le quali lo avevano insultato perché non era disceso allo sbarco della Ricevitoria; che l'avevano condotto alla maledetta Ricevitoria; che portava in mano un rotolo di musica manoscritta e che l'animale del Ricevitore, pigliando le crome e le biscrome per corrispondenze politiche segrete, gliel'aveva trattenuto.

Silenzio profondo. Dopo qualche momento la marchesa sentenziò che il signor Viscontini aveva torto marcio. Non doveva sbarcare al Niscioree, ciò era proibito. Quanto al signor Ricevitore egli era una persona rispettabilissima. Pasotti confermò, con una faccia severa. « Ottimo funzionario » diss'egli. « Ottima canaglia » mormorò il prefetto fra i denti. Franco, che sulle prime pareva pensare a tutt'altro, si scosse e lanciò a Pasotti un'occhiata sprezzante.

« Dopo tutto » disse la marchesa, « trovo che col pretesto della musica manoscritta si potrebbe benissimo... »

« Certo! » disse il Paolin, austriacante per paura, mentre la padrona di casa lo era per convinzione.

Il marchese, che nel 1815 aveva spezzata la spada per non servire gli Austriaci, sorrise e disse solo:

« Là! C'est un peu fort! »

« Ma se tutti sanno ch'è una bestia, quel Ricevitore! » esclamò Franco.

« Scusi, don Franco... » fece Pasotti.

« Ma che scusi! » interruppe l'altro. « È un bestione! »

« È un uomo coscienzioso » disse la marchesa, « un impiegato che fa il proprio dovere. »

« Allora le bestie saranno i suoi padroni! » ribatté Franco.

« Caro Franco » replicò la voce flemmatica, « questi discorsi in casa mia non si fanno. Grazie a Dio non siamo mica in Piemonte, qui. » Pasotti fece una sghignazzata d'approvazione. Allora Franco, preso furiosamente il proprio piatto a due mani, lo spezzò d'un colpo sulla tavola. « Jesümaria! » esclamò il Viscontini, e il Paolon, interrotto nelle sue laboriose operazioni di mangiatore sdentato: « Euh! ». « Sí, sí » disse Franco alzandosi con la faccia stravolta « è meglio che me ne vada! » E uscí dal salotto. Subito donna Eugenia si sentí male, bisognò accompagnarla fuori. Tutte le signore, meno la Pasotti, le andaron dietro da una parte mentre il domestico entrava dall'altra portando un pasticcio di risotto. Il Puria guardò Pasotti con un riso trionfante, ma Pasotti finse di non avvedersene. Tutti erano in piedi. Il Viscontini, reo apparente, continuava a dire: « Mi capissi nagott, mi capissi nagott » e il Paolin, seccatissimo del pranzo guastato, gli brontolò: « Cossa l'ha mai de capí Lü? ». Il marchese, molto scuro, taceva. Finalmente il Pasotti, reo di fatto, presa un'aria d'affettuosa tristezza, disse come tra sé: « Peccato! Povero don Franco! Un cuor d'oro, una buona testa, e un temperamento cosí! Proprio peccato! ».

« Ma! » fece il Paolin. E il Puria, tutto contrito: « Sono gran dispiaceri! ».

Aspetta e aspetta, le signore non ritornavano. Allora qualcuno cominciò a muoversi. Il Paolin e il Puria si accostarono lentamente, con le mani dietro la schiena, alla credenza, contemplarono il pasticcio di risotto. Il Puria chiamò dolcemente Pasotti, ma Pasotti non si mosse. « Volevo solo dirle » fece il curatone, coprendo il suo trionfo in modo da lasciarlo e non lasciarlo vedere « che ci sono i tartufi bianchi. »

« Direi che qui non mancano neppure i tartufi neri » osservò il marchese pigiando un poco sulle due ultime parole.

II. *Sulla soglia d'un'altra vita*

« Canaglia! » fremeva don Franco salendo la scala che conduceva alla sua camera. « Pezzo d'asino d'un austriaco! » Si vendicava su Pasotti di non potere insultare la nonna e le stesse consonanti della parola *austriaco* gli servivano tanto bene per stritolarsi fra i denti la propria collera e spremerne, gustarne il sapore. Quando fu in camera la collera gli svampò.

Si gittò in una poltrona, in faccia alla finestra spalancata, guardando il lago triste nel pomeriggio nebbioso, e, al di là del lago, i monti deserti. Mise un gran respiro. Ah come stava bene lí, solo, ah che pace, ah che aria diversa da quella del salotto, che aria cara, piena de' suoi pensieri e de' suoi amori! Aveva un gran bisogno di abbandonarsi ad essi ed essi lo ripresero subito, gli cacciaron di mente le Carabelli, il Pasotti, la nonna, il bestione del Ricevitore. Essi? No, era un pensiero solo, un pensiero fatto di amore e di ragione, di ansia e di gioia, di tanti dolci ricordi e insieme di trepida aspettazione, perché qualche cosa di solenne si avvicinava e sarebbe giunto nelle ombre della notte. Franco guardò l'orologio. Erano le quattro meno un quarto. Ancora sette ore. Si alzò, si buttò a braccia conserte sul davanzale della finestra.

Ancora sette ore e comincerebbe per lui un'altra vita. Fuori delle pochissime persone che dovevano prender parte all'avvenimento, nemmanco l'aria sapeva che quella sera stessa, verso le undici, don Franco Maironi avrebbe sposato la signorina Luisa Rigey.

La signora Teresa Rigey, madre di Luisa, aveva un tempo lealmente pregato Franco di piegare al volere della nonna, di astenersi dal visitar la sua casa, di non pensare piú a Luisa, la quale, dal canto suo, era stata contenta che per la dignità della famiglia, per il decoro di sua madre, si troncassero le relazioni ufficiali, ma non dubitava della fede di Franco né d'essergli già legata per sempre. Egli studiava ora leggi, privatamente, all'insaputa della nonna, per dedicarsi a una professione e aver modo di bastare a sé. Ma la signora Teresa contrasse da tante agitazioni una malattia di cuore che nel 1851, in fine d'agosto, si aggravò subitamente. Franco le scrisse chiedendole almeno il permesso di vederla poiché non poteva compiere « il suo dovere d'assisterla ». La signora non credette di consentire e il giovine se ne disperò, le fece intendere che considerava Luisa come sua fidanzata davanti a Dio e che sarebbe morto prima di abbandonarla. Allora la povera donna, sentendosi mancar la vita ogni giorno, accorandosi di veder la sua cara figliuola in uno stato cosí incerto e considerando la ferma volontà del giovine, concepí il desiderio intenso che le nozze, poiché dovevan seguire, seguissero al piú presto. Tutto fu combinato frettolosamente con l'aiuto del curato di Castello e del fratello della signora Rigey, l'ingegnere Ribera di Oria, addetto all'Imperiale R. Ufficio delle Pubbliche Costruzioni in Como. Le intelligenze furono queste. Le nozze si farebbero segretamente; Franco resterebbe presso la nonna e Luisa presso la madre, sino a che venisse il momento opportuno di confessar tutto alla marchesa. Franco sperava nell'appoggio di monsignor Benaglia, vescovo di Lodi, vecchio amico della famiglia, ma occorreva il fatto compiuto. Se il cuore della marchesa si indurisse, com'era probabile, gli sposi e la signora Teresa prenderebbero stanza nella casa che l'ingegnere Ribera possedeva in Oria. Il Ribera, celibe, manteneva ora del proprio la famiglia di sua sorella; terrebbe poi anche Franco in luogo di figliuolo.

Fra sette ore, dunque.
La finestra guardava sulla lista di giardino che fronteggia la villa verso il lago, e sulla riva di approdo. Nei primi tempi del suo amore Franco stava lí a spiar il venire e l'approdare d'una certa barca, l'uscirne d'una personcina snella, leggera come l'aria, che mai mai non guardava su alla finestra. Ma poi un giorno egli era disceso ad incontrarla ed ella aveva aspettato un momento ad uscire per accettare l'aiuto, ben inutile, della sua mano. Lí sotto, nel giardino, egli le aveva dato per la prima volta un fiore, un profumato fiore di *mandevilia suaveolens*. Lí sotto si era un'altra volta ferito con un temperino, abbastanza seriamente, tagliando per lei un ramoscello di rosaio, ed ella gli aveva dato col suo

53

turbamento un delizioso segno del suo amore. Quante gite con lei e altri amici, prima che la nonna sapesse, alle rive solitarie del monte Bisgnago là in faccia, quante colazioni e merende a quella cantina del Doi! Con quanta dolcezza viva nel cuore di sguardi incontrati Franco tornava a casa e si chiudeva nella sua stanza a richiamarseli, a esaltarsene nella memoria! Queste prime emozioni dell'amore gli ritornavano adesso in mente, non ad una ad una ma tutte insieme, dalle acque e dalle rive tristi dove gli occhi suoi fisi parevano smarrirsi piuttosto nelle ombre del passato che nelle nebbie del presente. Vicino alla mèta, egli pensava i primi passi della lunga via, le vicende inattese, l'aspetto della sospirata unione cosí diverso nel vero da quel ch'era apparso nei sogni, al tempo della mandevilia e delle rose, delle gite sul lago e sui monti. Non sospettava certo, allora, di dovervi arrivare, cosí, di nascosto, fra tante difficoltà, fra tante angustie. Pure, pensava adesso, se il matrimonio si fosse fatto pubblicamente, pacificamente, col solito proemio di cerimonie ufficiali, di contratti, di congratulazioni, di visite, di pranzi, tanto tedio sarebbe riuscito piú ripugnante all'amore che questi contrasti.

Lo scosse la voce del prefetto che lo chiamava dal giardino per annunciargli la partenza delle Carabelli. Franco pensò che se scendeva avrebbe dovuto fare delle scuse e preferí non lasciarsi vedere. « Doveva romperglielo sulla faccia il piatto! » gli stridette su il prefetto tra le mani accostate alle guance. « Doveva romperglielo sulla faccia! »

Poi se n'andò e Franco vide il barcaiuolo delle Carabelli scendere ad apparecchiar la barca. Lasciò allora la finestra e seguendo i pensieri di prima, aperse il cassettone, stette lí a contemplare, come distratto, uno sparato di camicia ricamata, dove lucevano già certi bottoncini di brillanti che suo padre aveva portati alle nozze proprie. Gli dispiaceva andar all'altare senza un segno di festa, ma questo segno, si capisce bene, non doveva essere facilmente visibile.

Nel cassettone profumato d'ireos tutto era disposto con la particolare eleganza dell'ordine fatto da uno spirito intelligente; e nessuno vi metteva le mani tranne lui. Invece le sedie, lo scrittoio, il piano erano tanto disordinatamente ingombri che pareva esser passato per le due finestre della camera un uragano di libri e di carte. Certi volumi di giurisprudenza dormivano sotto un dito di polvere, e non una foglia della piccola gardenia in vaso, sul davanzale della finestra di levante, ne aveva un atomo solo. Questi eran già sufficienti indizi, là dentro, del bizzarro governo d'un poeta. Un'occhiata ai libri e alle carte ne avrebbe fornite le prove.

Franco aveva la passione della poesia ed era poeta vero nelle squisite delicatezze del cuore; come scrittore di versi non poteva dirsi che un buon dilettante senza originalità. I suoi modelli prediletti erano il Foscolo e il Giusti; li adorava veramente e li saccheggiava entrambi, perché l'ingegno suo, entusiasta e satirico a un tempo, non era capace di crearsi una forma propria, aveva bisogno d'imitare. Conviene anche dire, per giustizia, che a quel tempo i giovani possedevano comunemente una cultura classica fattasi rara di poi; e che dagli stessi classici venivano educati a onorare l'imitazione come una pratica virtuosa e lodevole. Frugando fra le sue carte per cercarvi non so cosa, gli vennero alle mani i seguenti versi dedicati a un tale di sua conoscenza e nostra conoscenza, che rilesse con piacere e ch'io riferisco per saggio del suo stile satirico:

> Falso occhio mobile,
> Mento pelato,
> Lingua di vipera
> Cor di castrato,
>
> Brache policrome,
> Bisunto saio,

Maiuscolissimo
Cappello a staio.

Ecco l'immagine
Del vil Tartufo
Che l'uman genere
E il cielo ha stufo.

Il Giusti e la passione d'imitarlo erano quasi soli in
colpa di tanta bile, perché davvero Franco non ne aveva nel fegato una cosí gran dose. Aveva collere pronte,
impetuose, fugaci; non sapeva odiare e nemmanco risentirsi a lungo contro alcuno. Un saggio dell'altra sua
maniera poetica stava sul leggío del piano, in un foglietto tutto sgorbi e cancellature:

A Luisa

Ove l'aëreo tuo pensile nido
Una balza ventosa incoronando
Ride alla luna ed ai cadenti clivi
Ch'educan uve a la tua mensa e rose
Al capo tuo, purpurei ciclami
A me, sogni e fragranze, o mia Luisa,
Da l'orror di quest'ombre ti figura
L'amoroso mio cor. Tacita siedi
E da l'alto balcon già non rimiri
Le bianche plaghe d'occidente, i chiari
Monti ed il lago vitrëo, sereno,
Riscintillante a l'astro; ma quest'una
Tenebra esplori, l'aura interrogando
Vocal che va tra i mobili oleandri
De la terrazza e freme il nome mio.

Forse piaceva a Franco d'improvvisar sul piano con
questi suoi versi davanti agli occhi. Appassionato per
la musica piú ancora che per la poesia, se l'era comperato lui, quel piano, per centocinquanta svanziche, dal-

l'organista di Loggio, perché il mediocre piano viennese della nonna, intabarrato e rispettato come un gottoso di famiglia, non gli poteva servire. Lo strumento dell'organista, corso e pesto da due generazioni di zampe incallite sulla marra, non mandava piú che una comica vocina nasale sopra un tintinnío sottile come d'infiniti bicchierini minuti e fitti. Ciò era quasi indifferente, per Franco; egli aveva appena posato le mani sullo strumento che la sua immaginazione si accendeva, l'estro del compositore passava in lui e nel calore della passione creatrice gli bastava un fil di suono per veder l'idea musicale e inebbriarsene. Un Erard gli avrebbe dato soggezione, gli avrebbe lasciato minor campo alla fantasia, gli sarebbe stato men caro, insomma, della sua spinetta.

Franco aveva troppe diverse attitudini e inclinazioni, troppa foga, troppo poca vanità e forse anche troppo poca energia di volere per sobbarcarsi a quel noioso metodico lavoro manuale che si richiede a diventar pianisti. Però il Viscontini era entusiasta del suo modo di suonare; Luisa, la sua fidanzata, non divideva interamente il gusto classico di lui ma ne ammirava, senza fanatismi, il tocco; quando, pregato, egli faceva mugghiare e gemere classicamente l'organo di Cressogno, il buon popolo, intontito dalla musica e dall'onore, lo guardava come avrebbe guardato un predicatore incomprensibile, con la bocca aperta e gli occhi riverenti. Malgrado tutto questo, Franco non avrebbe potuto cimentarsi, nei salotti cittadini, con tanti piccoli dilettanti incapaci d'intendere e di amare la musica. Tutti o quasi tutti lo avrebbero vinto di agilità e di precisione, avrebbero ottenuto maggiori applausi, quand'anche non fosse riuscito ad alcuni di far cantare il piano, come lo faceva cantar lui, sopra tutto negli adagi di Bellini e di Beethoven, suonando con l'anima nella gola, negli occhi, nei muscoli del viso, nei nervi delle mani che facevan tutt'uno con le corde del piano.

Un'altra passione di Franco erano i quadri antichi. Le pareti della sua camera ne avevano parecchi, la piú parte croste. Scarso di esperienza perché non aveva viaggiato, pronto a pigliar fuoco nella fantasia, costretto ad accordar i desideri molti con i quattrini pochi, credeva facilmente le asserite fortune di altri cercatori tapini, n'era spesso infocato, accecato e precipitato su certi cenci sporchi, che, se costavano poco, valevano meno. Non possedeva di passabile che una testa d'uomo della maniera del Morone e una Madonna col Bambino della maniera del Dolci. Egli battezzava, del resto, i due quadretti per Morone e Dolci, senz'altro.

Com'ebbe rilette e rigustate le strofe ispirategli dal Tartufo Pasotti, tornò a frugare nel caos dello scrittoio e ne cavò un foglietto di carta Bath per scrivere a monsignor Benaglia, la sola persona che gli potesse giovare in avvenire presso la nonna. Gli parve doverlo mettere a parte dell'atto che stava per compiere, delle ragioni che avevano consigliato la sua fidanzata e lui di addivenirvi in questo modo penoso, della speranza che avevano d'esser aiutati da lui quando venisse il momento d'aprir tutto alla nonna. Stava ancora pensando, con la penna in mano, davanti alla carta bianca, quando la barca delle Carabelli passò sotto la sua finestra. Poco dopo udí partire la gondola del marchese e la barca del Pin. Suppose che la nonna, rimasta sola, lo facesse chiamare, ma non ne fu nulla. Passato un po' di tempo in quest'aspettazione, si rimise a pensare alla sua lettera e ci pensò tanto, rifece l'esordio tante volte e procedette anche poi tanto adagio, con tanti pentimenti, che la lettera non era ancora finita quando gli convenne accendere il lume.

La chiusa gli riuscí piú facile. Egli vi raccomandava la Luisa e sé alle preghiere del vecchio vescovo e vi esprimeva una fiducia in Dio cosí candida e piena che avrebbe toccato il cuore piú incredulo.

Focoso e impetuoso com'era, Franco aveva tuttavia la

semplice tranquilla fede d'un bambino. Punto orgoglioso, alieno dalle meditazioni filosofiche, ignorava la sete di libertà intellettuale che tormenta i giovani quando la loro ragione ed i loro sensi cominciano a trovarsi a disagio nel duro freno di una credenza positiva. Non aveva dubitato un istante della sua religione, ne eseguiva scrupolosamente le pratiche senza domandarsi mai se fosse ragionevole di credere e di operare cosí. Non teneva però affatto del mistico né dell'asceta. Spirito caldo e poetico, ma nello stesso tempo chiaro ed esatto, appassionato per la natura e per l'arte, preso da tutti gli aspetti piacevoli della vita, rifuggiva naturalmente dal misticismo. Non s'era conquistata la fede e non aveva mai vôlti lungamente a lei tutti i suoi pensieri, non aveva potuto esserne penetrato in tutti i suoi sentimenti. La religione era per lui come la scienza per uno scolaro diligente che ha la scuola in cima de' suoi pensieri e vi è assiduo, non trova pace se non ha fatto i suoi compiti, se non si è preparato alle ripetizioni, ma poi quando ha compiuto il proprio dovere, non pensa piú al professore né ai libri, non sente il bisogno di regolarsi ancora secondo fini scientifici o programmi scolastici. Perciò egli pareva spesso non seguire altro nella vita che il suo generoso cuore ardente, le sue inclinazioni appassionate, le impressioni vivaci, gli impeti della sua natura leale, ferita da ogni viltà, da ogni menzogna, intollerante d'ogni contraddizione e incapace di infingersi.

Aveva appena suggellata la lettera quando si bussò all'uscio. La signora marchesa faceva dire a don Franco di scendere per il rosario. In casa Maironi si recitava il rosario tutte le sere fra le sette e le otto, e i servi avevan l'obbligo di assistervi. Lo intuonava la marchesa, troneggiando sul canapè, girando gli occhi sonnolenti sulle schiene e sulle gambe dei fedeli prosternati per diritto e per traverso, quale nella luce piú opportuna ad un devoto atteggiamento e quale nell'ombra piú propizia ad un sonnellino proibito. Franco entrò in sala mentre la voce nasale diceva le soavi parole « Ave Maria, gratia plena » con quella flemma, con quella untuosità, che sempre gli mettevano in corpo una tentazione indiavolata di farsi turco. Il giovine andò a cacciarsi in un angolo scuro e non aperse mai bocca. Gli era impossibile di rispondere con divozione a quella voce irritante. Non fece che immaginare un probabile interrogatorio imminente, e masticare risposte sdegnose.

Finito il rosario, la marchesa aspettò un momento in silenzio e poi disse le sacramentali parole:

« Carlotta, Friend! »

Carlotta, la vecchia cameriera, aveva l'incarico di pigliare, finito il rosario, Friend in braccio e di portarlo a dormire.

« È qui, signora marchesa » disse Carlotta.

Ma Friend, se era lí, si trovò altrove quando colei, chinatasi, allungò le mani. Era di buon umore, quella sera, il vecchio Friend, e gli piacque di giuocare a non lasciarsi prendere, provocando Carlotta, sgusciandole sempre di mano, scappando sotto il piano o sotto il tavolino a guardar con un ironico scodinzolamento la povera donna che gli diceva « ven, cara, ven, cara » con la bocca e « brütt moster » con il cuore.

« Friend! » fece la marchesa. « Andiamo! Friend! Da bravo! »

Franco bolliva. Venutogli fra le gambe l'antipatico mostricino infetto dell'egoismo e della superbia della sua padrona, lo scosse da sé, lo fece ruzzolare tra le unghie di Carlotta che gli diede per proprio conto una rabbiosa stretta e se lo portò via rispondendo perfidamente ai suoi guaiti: « Cossa t'han faa, poer Friend, cossa t'han faa, di' sü! ».

La marchesa non disse parola né il suo viso marmoreo tradí il suo cuore. Diede al cameriere l'ordine di dire al prefetto della Caravina, se venisse, e anche a qualsiasi altro, che la padrona era andata a letto. Franco si mosse per uscire anche lui dietro ai servi, ma si trattenne subito onde non aver l'aria di fuggire. Prese sulla caminiera un numero della *I. R. Gazzetta di Milano*, sedette presso sua nonna e si mise a leggere, aspettando.

« Mi congratulo tanto » cominciò subito la voce sonnacchiosa « della bella educazione e dei bei sentimenti che ci avete fatto vedere oggi. »

« Accetto » rispose Franco senza levar gli occhi dal giornale.

« Bene, caro » replicò la nonna imperturbata. E soggiunse:

« Ho piacere che quella signorina vi abbia conosciuto; cosí, se mai sapeva di qualche progetto, sarà ben contenta che non se ne parli piú. »

« Contenti tutt'e due » disse Franco.

« Voi non sapete niente affatto se sarete contento. Specialmente se avete ancora le idee d'una volta. »

Udito questo, Franco posò il giornale e guardò la nonna in faccia.

« Cosa succederebbe » diss'egli « se avessi ancora le idee d'una volta? »

Non parlò stavolta in tono di sfida, ma con serietà tranquilla.

« Ecco, bravo » rispose la marchesa. « Spieghiamoci chiaro. Spero e credo bene che un certo caso non succederà mai, ma, se succedesse, non state a credere che alla mia morte ci sarà qualche cosa per voi, perché io ho già pensato in modo che non ci sarà niente. »

« Figúrati! » fece il giovine, indifferente.

« Questi sono i conti che dovete fare con me » proseguí la marchesa. « Poi ci sarebbero quelli da fare con Dio. »

« Come? » esclamò Franco. « I conti con Dio li farò prima che con te e non dopo! »

Quando la marchesa era côlta in fallo tirava sempre diritto nel suo discorso come se niente fosse.

« E grossi » diss'ella.

« Ma prima! » insistette Franco.

« Perché » continuò la vecchia formidabile « se si è cristiani si ha il dovere d'obbedire a suo padre e a sua madre e io rappresento vostro padre e vostra madre. »

Se l'una era tenace, l'altro non l'era meno.

« Ma Dio vien prima! » diss'egli.

La marchesa suonò il campanello e chiuse la discussione così:

« Adesso siamo intesi. »

Si alzò dal canapè all'entrar della Carlotta e disse placidamente:

« Buona notte. »

Franco rispose « buona notte » e riprese la *Gazzetta di Milano*.

Appena uscita la nonna, gittò via il foglio, strinse i pugni, si sfogò senza parole, con un furibondo sbuffo, e saltò in piedi, dicendo forte:

« Ah, meglio, meglio, meglio! » "Meglio cosí" fremeva in sé, "meglio non condurla mai, la mia Luisa, in questa maledetta casa, meglio non farle soffrir mai questo impero, questa superbia, questa voce, questo viso, meglio viver di pane e d'acqua e aspettar il resto da qualunque lavoro cane, piuttosto che dalle mani della nonna: meglio far l'ortolano, maledetto sia, far il barcaiuolo, far il carbonaio!"

Salí nella sua camera, risoluto di romperla con tutti i riguardi. « I conti con Dio? » esclamò sbattendosi l'uscio dietro. « I conti con Dio se sposo Luisa? Ah vada tutto, cosa me ne importa, mi vedano, mi sentano, mi facciano la spia, glielo dicano, glielo contino, gliela cantino che mi fanno un piacerone! »

Si vestí in fretta e in furia, urtando nelle seggiole, aprendo e chiudendo il cassettone a colpi. Mise un abito nero, per sfida; discese le scale rumorosamente, chiamò il vecchio domestico, gli disse che sarebbe stato fuori tutta la notte, e senza badare alla faccia tra sbalordita e sgomenta del povero uomo, a lui molto devoto, si slanciò in istrada, si perdette nelle tenebre.

Egli era fuori da due o tre minuti, quando la marchesa, già coricata, mandò Carlotta a vedere chi fosse venuto giú correndo dalle scale. Carlotta riferí ch'era stato don Franco e dovette subito ripartire con una seconda missione. « Cosa voleva don Franco? » Stavolta la risposta fu che don Franco era uscito per un momento. Questo *momento* fu pietosamente aggiunto dal vecchio servitore. La marchesa ordinò a Carlotta di andarsene lasciando il lume acceso. « Ritornate quando suonerò » diss'ella.

Dopo mezz'ora ecco il campanello.

La cameriera corre dalla padrona.

« È ancora fuori don Franco? »

« Sí, signora marchesa. »

« Spegnete il lume, prendete la calza, mettetevi in anticamera e quando sarà rientrato venite a dirmelo. »

Ciò detto la marchesa si girò sul fianco verso la parete, voltando all'attonita e malcontenta cameriera l'enigma bianco, uguale, impenetrabile del suo berretto da notte.

III. *Il gran passo*

Quella stessa sera, alle dieci in punto, l'ingegnere Ribera batteva due colpi discreti alla porta del signor Giacomo Puttini in Albogasio Superiore. Poco dopo si apriva una finestra sopra il suo capo e vi compariva al chiaro di luna il vecchio visetto imberbe del « sior Zacomo ».

« Ingegnere pregiatissimo, mia riverenza » disse egli. « Vien subito la servente a verzerghe. »

« Non occorre » rispose l'altro. « Non salgo. È ora di partire. Venga giú Lei addirittura. »

Il signor Giacomo cominciò a soffiare e a battere le palpebre.

« La mi perdoni » diss'egli nel suo linguaggio misto di

63

tutti gl'ingredienti. « La mi perdoni, ingegnere pregiatissimo. Gavaría propramente necessità... »

« Di cosa? » fece l'ingegnere seccato. La porta si aperse e comparve la gialla faccia grifagna della serva.

« Oh scior parent! » diss'ella rispettosamente. Vantava non so quale affinità con la famiglia dell'ingegnere, e lo chiamava sempre cosí. « A sti ór chi? L'è staa forsi a trovà la sciora parenta? »

La « sciora parenta » era la sorella dell'ingegnere, la signora Rigey.

L'ingegnere si contentò di rispondere: « Oh Marianna, vi saluto, neh? » e salí le scale seguito da Marianna col lume.

« Mia riverenza » cominciò il signor Giacomo venendogli incontro con un altro lume. « Capisco e riconosco la inconvenienza grande, ma propramente... »

Il visetto raso e roseo del signor Giacomo, posato sopra un cravattone bianco e una piccola smilza personcina chiusa in un soprabitone nero, esprimeva nei moti convulsivi delle labbra e delle sopracciglia, negli occhi dolenti, la piú comica inquietudine.

« Cosa c'è di nuovo? » chiese l'ingegnere alquanto brusco. Egli, l'uomo piú retto e schietto che fosse al mondo, compativa poco le esitazioni del povero timido signor Giacomo.

« La permetta » cominciò il Puttini; e, voltandosi alla serva, le disse aspramente:

« Andè via, vu; andè in cusina; vegní quando che ve ciamarò; andè, digo! Obedí! Abiè rispeto! Comando mi! Son paron mi! »

Era la curiosità della serva, la sua noncuranza impertinente delle istruzioni superiori che accendevano nel « sior Zacomo » questo furore dispotico.

« Euh, che diavol d'on omm! » rispose colei, alzando rabbiosamente il lume in aria. « L'ha de vosà a quela manera lí? Coss'el dis, scior parent? »

« Sentite » fece l'ingegnere. « Invece di menar la lin-

64

gua, non fareste meglio ad andar fuori dei piedi? »
Marianna se n'andò brontolando e il signor Giacomo si
fece a informare l'ingegnere pregiatissimo con molti *ma*,
se, *digo*, e *propramente*, degl'intimi suoi pensieri. Egli a-
veva promesso di assistere come testimonio alle nozze
segrete di Luisa, ma ora, sul punto di andar a Castello,
gli era venuta una gran paura di compromettersi.
Era primo deputato politico, come si chiamava allora la
suprema autorità comunale. Se il riveritissimo I. R. Commissario di Porlezza venisse a sapere di questo pasticcio,
come la intenderebbe? E quella signora marchesa? « Una
donna cattiva, ingegnere pregiatissimo; una donna vendicativa. » Ed egli aveva già tanti altri fastidi. « Ghe xe anca quel maledeto toro! » Questo toro, soggetto d'una questione fra il Comune d'Albogasio e l'*alpador* o appaltato-
re dell'Alpe, dei pascoli alti, era da due anni un incubo
mortale per il povero signor Giacomo che, quando parlava
delle sue disgrazie, incominciava sempre con la « perfida
servente » e finiva col toro: « Ghe xe anca quel maledeto
toro! ». E cosí dicendo alzava il suo visetto, i suoi occhi
pieni di una esecrazione dolorosa, scoteva le mani su verso
il ciglione della montagna imminente alla sua casa, verso
il domicilio del bestione diabolico. Ma l'ingegnere che mostrava in quella sua bella faccia d'impavido galantuomo u-
na disapprovazione continua, un disgusto crescente dell'o-
metto pusillanime che gli si contorceva davanti, dopo parecchi « oh povero me! » che avevano per sottinteso « in
che compagnia sono! » perdette ogni pazienza, e inarcando
le braccia con i gomiti in fuori e scotendole come se tenesse le redini di un ronzino poltrone, esclamò: « Ma cosa
mai, ma cosa mai! Pare impossibile! Questi son discorsi da
fatuo, caro signor Giacomo. Non avrei mai creduto che
un uomo, dirò cosí... ».
Qui l'ingegnere, non sapendo veramente come dire, come definire il suo interlocutore, non fece che gonfiar le
gote, mettendo un lungo mormorio, una specie di rantolo,
come se avesse in bocca un epiteto troppo grosso e non

potesse sputarlo. Intanto il signor Giacomo, rosso rosso, si affannava a protestare: « Basta, basta, La scusa, son qua, vegno, no La se scalda, no go fato che esprimer un dubio; ingegnere pregiatissimo, Ela conosse el mondo, mi lo go conossudo ma no lo conosso piú ».

Si ritirò e ricomparve subito tenendo in mano una tuba mostruosa, a larghe tese, che aveva visto l'ingresso di Ferdinando a Verona nel cosí detto « anno dell'imperatore », nel 1838.

« Credo conveniente » diss'egli « un tal quale segno di rispetto e di compiacenza. »

L'ingegnere, vedendo quel coso, esclamò ancora: « Cosa mai, cosa mai? ». Ma l'ometto, cerimonioso nell'anima, tenne duro: « Il mio dovere, il mio dovere » e chiamò la Marianna che facesse lume. Costei, quando vide il padrone con quello spettacoloso segno di compiacenza in capo, incominciò a far le meraviglie. « La tasa! » sbuffò il disgraziato signor Giacomo. « Tasí! » e appena fuori dell'uscio si sfogò. « No ghe xe ponto de dubio; quela maledetissima serva sarà la me morte. »

« E perché non la manda via? » chiese l'ingegnere.

Il signor Giacomo aveva posto un piede sul primo scalino della viottola che sale a fianco della casa Puttini, quando quest'acuta interrogazione, penetrandogli come un pugnale nella coscienza, lo fermò di botto.

« Eh! » rispose sospirando.

« Ah! » fece l'ingegnere.

« Cossa vorla? » riprese l'altro dopo una breve pausa. « Questo xe quelo. »

Pronunciata in via di epilogo, secondo un vecchio uso veneto, tale disgraziata identità dei due aggettivi indicativi, il signor Giacomo fece le guance grosse, soffiò con vivacità e si decise a rimettersi in via.

Salirono per alcuni minuti, egli davanti e l'ingegnere dietro, per la stradicciuola faticosa, mal rischiarata da un chiaror di luna perduta fra le nuvole. Non si udivano che i passi lenti, il picchiar delle mazze sul ciottolato e i soffi regolari del signor Giacomo: apff! apff! A piedi della lunga scalinata di Pianca, l'ometto si fermò, si levò il cappello, si asciugò il sudore con un fazzolettone bianco e guardando su al gran noce, alle stalle di Pianca, cui bisognava salire, mise un soffio straordinario.

« Corpo de sbrio baco! » diss'egli.

L'ingegnere gli fece coraggio. « Su, signor Giacomo! Per amore della Luisina! »

Il signor Giacomo s'incamminò senz'altro e, guadagnate le stalle, oltre le quali la viottola diventa piú umana, parve dimenticare gli scalini e gli scrupoli, la perfida servente e l'I. R. Commissario, la marchesa vendicativa e il maledetto toro, e si mise a parlar con entusiasmo della signorina Rigey.

« No ghe xe ponto de dubio, quando go l'onor de trovarme con So nezza, con la signora Luisina, digo, me par giusto, La se figura, de trovarme ancora ai tempi de la Baretela, de le Filipuzze, de le tre sorelle Spàresi da S. Piero Incarian e de tante altre de na volta che per so grazia me compativa. Vado giusto de tempo in tempo da la signora marchesa, vedo là qualche volta ste putele del dí d'ancò. No... no... no; no gavemo propramente quel contegno che m'intendo mi; o che semo durete o che semo spuzzete. La varda invece la signora Luisina come che la sa star con tuti, col zovene e col vecio, col rico e col poareto, co la serva e col piovan. No capisso propramente, come la marchesa... »

L'ingegnere l'interruppe.

« La marchesa ha ragione » diss'egli. « Mia nipote non è nobile, mia nipote non ha un soldo; come si fa a pretendere che la marchesa sia contenta? »

Il signor Giacomo si fermò alquanto sconcertato, e guardò l'ingegnere battendo i suoi occhi dolenti.

« Ma » diss'egli. « Ela no ghe darà miga rason sul serio? »

« Io? » rispose l'ingegnere. « Io non approvo mai che si vada contro la volontà dei genitori o di chi tiene le loro veci. Ma io, caro signor Giacomo, sono un uomo antiquato come Lei, un uomo del tempo di Carlo V, come si dice qui. Adesso il mondo va diversamente e bisogna lasciarlo andare. Dunque io le mie ragioni le ho dette e poi ho detto: adesso, *fate vobis*; del resto poi quando avrete deciso, in qualunque modo, ditemi quel che occorre fare e son qua. »

« E cossa dise la signora Teresina? »

« Mia sorella? Mia sorella, poveretta, dice: se li vedo a posto non mi dispiace piú di morire. »

Il signor Giacomo soffiò forte come sempre quando udiva quest'ultima sgradevole parola.

« Ma no semo miga a sti passi? » diss'egli.

« Eh! » fece l'ingegnere, molto serio. « Speriamo in Domeneddio. »

Toccavano allora quel gomito della viottola che svoltando dagli ultimi campicelli del tenere di Albogasio ai primi del tenere di Castello, gira a sinistra sopra un ciglio sporgente, nell'improvviso cospetto di un grembo precipitoso del monte, del lago in profondo, dei paeselli di Casarico e di S. Mamette, accovacciati sulla riva come a bere, di Castello seduto poco piú su, a breve distanza, e là di fronte, del nudo fiero picco di Cressogno, tutto scoperto dai valloni di Loggio al cielo. È un bel posto, anche di notte, al chiaro di luna, ma se il signor Giacomo vi si fermò in attitudine contemplativa e senza soffiare, non fu già perché la scena gli paresse degna dell'attenzione di chicchessia, figurarsi di un primo deputato politico, ma perché avendo una considerazione grave da mettere in luce, sentiva il bisogno di richiamare tutte le sue forze al cervello, di sospendere ogni altro moto, anche quello delle gambe.

« Bela massima » diss'egli. « Speremo in Domenedio. Sissignor. Ma La me permeta de osservar che ai nostri tempi se sentía parlar ogni momento de grazie ricevute, de conversion, de miracoli, adesso La me diga Ela. El mondo no xe piú quelo e me par che Domenedio sia stomegà. El mondo d'adesso el xe come la nostra ciesa de Albogasio de sora che sti ani Domenedio el ghe vegneva una volta al mese e adesso el ghe vien una volta a l'ano. »

« Senta, caro signor Giacomo » osservò l'ingegnere, impaziente di arrivare a Castello: « se si trasporta la parrocchia da una chiesa all'altra, Domeneddio non c'entra; del resto lasciamo fare a Domeneddio e camminiamo. »

Ciò detto prese un'andatura cosí lesta che il signor Giacomo, fatti pochi passi, si fermò soffiando come un mantice.

« La perdona » diss'egli « se obediso tanto quanto a la natural curiosità de l'omo. Se podaria saver la Sua riverita età? »

L'ingegnere capí l'antifona e fermatosi un momento si voltò a rispondere quasi sottovoce, con ironica mansuetudine trionfale:

« Piú vecchio di Lei. »

E riprese spietatamente la via.

« Sono dell'ottantotto, sa! » gemette il Puttini.

« Ed io dell'ottantacinque! » ribatté l'altro senza fermarsi. « Avanti! »

Per fortuna del Puttini non c'erano piú che pochi passi a fare. Ecco il muraglione che sostiene il sagrato della chiesa di Castello, ecco la scaletta che mette all'entrata del villaggio. Ora bisognava svoltare nel sottoportico della canonica, cacciarsi alla cieca in un buco nero dove l'immaginazione del signor Giacomo gli rappresentava tanti iniqui sassi sdrucciolevoli, tanti maledetti scalini traditori, ch'egli si piantò sui due piedi e, incrociate le mani sopra il pomo della mazza, parlò in questi termini:

« Corpo de sbrio baco! No, ingegnere pregiatissimo. No, no, no. Propramente mi no posso, mi resto qua. Le vegnarà ben in ciesa. La ciesa xe qua. Mi speto qua. Corpo de sbrio baco! »

Questo secondo « corpo » il signor Giacomo se lo masticò privatamente in bocca come la chiusa d'un monologo interno sugli accessori dell'impiccio principale in cui s'era messo.

« Aspetti » fece l'ingegnere.

Un fil di luce usciva dalla porta della chiesa. L'ingegnere vi entrò e ne uscí subito col sagrestano che stava preparando gl'inginocchiatoi per gli sposi. Costui recò in soccorso del Puttini la lunga pertica col cerino acceso sulla punta, che serve per accender le candele degli altari. Poté cosí, fermo sull'entrata del sottoportico, porger via via, quanto era lunga la pertica, il suo lumicino davanti ai piedi del signor Giacomo che, malissimo contento di questa illuminazione religiosa, procedeva brontolando contro le pietre, le tenebre, il moccolo sacro e chi lo teneva, sinché, abbandonato dal sagrestano e abbrancato dall'ingegnere, fu tratto, malgrado il suo muto resistere, come un luccio alla lenza, sulla soglia di casa Rigey.

A Castello, le case che si serrano in fila sul ciglio tortuoso del monte a godersi il sole e la veduta del lago in profondo, tutte bianche e ridenti verso l'aperto, tutte scure verso quell'altra disgraziata fila di case che si attrista dietro a loro, somigliano certi fortunati del mondo che di fronte alla miseria troppo vicina prendono un sussiego ostile, si stringono l'uno all'altro, si aiutano a tenerla indietro. Fra queste gaudenti, casa Rigey è una delle piú scure di fronte alla poveraglia delle case villane, una delle piú chiare di fronte al sole. Dalla porta di strada un andito stretto e lungo mette ad una loggetta aperta da cui si cala per pochi scalini sulla piccola terrazza bianca che, fra il salotto di ricevimento e un'alta muraglia senza finestre, si affaccia all'orlo del monte, spia giú i burroni ond'esce il Soldo, spia il lago fino ai golfi verdi dei Birosni e del Doi, fino alle distese serene di là da Caprino e da Gandria.

Il signor Rigey, nato a Milano da padre francese e professore di lingua francese nel collegio di madame Berra, perduto il posto, perduta gran parte delle lezioni private per la fama cresciutagli attorno d'uomo irreligioso, aveva comperato la casetta nel 1825 per ridurvisi da Milano a vivere in quiete e con poca spesa, aveva sposato la sorella dell'ingegnere Ribera ed era morto nel 1844 lasciando a sua moglie una figliuola di quindici anni e poche migliaia di svanziche oltre la casa.

Appena l'ingegnere ebbe bussato alla porta, non tanto piano, si udí un correr leggero nell'andito, fu aperto e una voce non sottile, non argentina, ma inesprimibilmente armoniosa, sussurrò: « Che strepito, zio! ». « Oh bella! » fece patriarcalmente l'ingegnere, « ho da picchiar col naso? » La nipote gli turò la bocca con una mano, lo tirò dentro con l'altra, fece un saluto grazioso al signor Giacomo e chiuse la porta; tutto ciò in un attimo, mentre lo stesso signor Giacomo andava soffiando: « Padrona mia riveritissima... me consolo propramente... ».

« Grazie, grazie » fece Luisa, « passi, La prego, devo dire una parola allo zio. »

L'ometto passò con il suo cappellone in mano, e la giovane abbracciò teneramente il suo vecchio zio, lo baciò, gli posò il viso sul petto, tenendogli le braccia al collo.

« Ciao, neh » fece l'ingegnere quasi resistendo a quelle carezze perché vi sentiva una gratitudine di cui non avrebbe sopportate le parole. « Sí, là, basta. Come va la mamma? » Luisa non rispose che con una nuova stretta delle sue braccia. Lo zio era piú che un padre per lei, era la Provvidenza della casa, benché nella sua gran bontà semplice neppur sognasse di aver il menomo merito verso sua sorella e sua nipote. Che avrebbero mai fatto senza di lui, povere donne, con quelle magre dodici o quindici migliaia di svanziche lasciate da Rigey? Egli godeva, come ingegnere delle Pubbliche Costruzioni, di un buono stipendio. Viveva parcamente a Como con una vecchia governante e i suoi risparmi passavano a casa Rigey. Aveva sulle prime apertamente e solennemente disapprovata la inclinazione di Luisa per Franco parendogli quello un matrimonio troppo disuguale; ma poiché i giovani erano stati fermi e sua sorella aveva consentito, egli tenendosi la sua opinione per sé, s'era messo ad aiutare in tutto che poteva.

« La mamma? » ripeté.

« Stava benino, stasera, per la consolazione, ma ora è agitata perché mezz'ora fa è venuto Franco e ha raccontato che c'è stata una mezza scena con la nonna. »

« Oh povero me! » fece l'ingegnere, che quando udiva di qualche sproposito altrui soleva commiserarne, con questa esclamazione, se stesso.

« No, zio; Franco ha ragione. »

Luisa pronunziò queste parole con fierezza subitanea. « Ma sí! » esclamò perché lo zio aveva messo un lungo « hm! » dubitativo. « Ha cento ragioni! Ma » soggiunse piano « dice di essere partito di casa in modo che la nonna verrà molto probabilmente a scoprir tutto. »

« Meglio » disse lo zio, incamminandosi verso la terrazza.

La luna era tramontata, faceva buio. Luisa sussurrò: « Mamma è qui ».

La signora Teresa, tribolata dalla mancanza di respiro, si era fatta trascinare sulla terrazza, nella sua poltrona, per aver un po' d'aria, un po' di sollievo.

« Cosa vi pare, Piero? » disse con voce simile nel timbro a quella di Luisa, ma stanca e piú dolce: la voce di un cuor mite cui il mondo è amaramente avverso e che cede. « Cosa vi pare che tutte le nostre prudenze non serviranno a niente? »

« Ma no, mamma, questo non si sa ancora, questo non si può dire! »

Mentre Luisa parlava cosí, Franco che stava nel salotto col curato ne uscí per abbracciar lo zio.

« Dunque? » disse questi stendendogli la mano, perché gli abbracciamenti non erano di suo gusto. « Cosa è successo? »

Franco raccontò l'accaduto velando un poco le espressioni della nonna che potevano riuscire troppo offensive ai Rigey, tacendo affatto la minaccia di non lasciargli un soldo, accusando quasi piú la suscettibilità propria che l'insolenza della vecchia, confessando finalmente di aver fatto conoscere, di proposito, la sua intenzione di star fuori tutta la notte. Ciò non poteva a meno di condurre la nonna a scoprir tutto subito, perché lo avrebbe interrogato su quest'assenza, ed egli non voleva mentire, e tacere era come confessare.

« Senti! » esclamò lo zio con l'accento vibrato e con la faccia spanta dal galantomone che, soffocando in un viluppo di cautele e di dissimulazioni, vi mena dentro due gran gomitate, se ne disbriga e respira: « Vero che hai avuto torto d'irritar la nonna perché, cosa mai! bisogna rispettare i vecchi anche nei loro errori; capisco che le conseguenze saranno pessime; ma son piú contento cosí e sarei piú contento ancora se tu avessi già detto a tua nonna le cose chiare e tonde. Questo segreto, questo infingersi, questo nascondersi non mi sono mai piaciuti un corno. Cosa mai! L'onest'uomo quello che fa lo dice, alla papale. Tu vuoi ammogliarti contro la volontà della nonna. Bene, almeno non ingannarla! »

« Ma Piero! » esclamò la signora Teresa che, insieme ad uno squisito sentimento della vita come dovrebb'essere, possedeva un senso acuto della vita com'è realmente, e data molto piú di suo fratello agli esercizi di pietà, molto piú familiare con Dio, riusciva piú facilmente a persuadersi di aver ottenuta da Lui, per amor di un bene sostanziale, qualche concessione di forma.

« Ma Piero! Voi non riflettete. » (La signora Teresa, molto piú giovane di suo fratello, gli parlava sempre col voi e ne pigliava il tu.) « Se la marchesa viene a conoscere il matrimonio in un modo simile e, naturalmente, non vuol saperne di prender Luisa in casa, cosa fanno questi ragazzi? Dove vanno? Qui non c'è posto e quand'anche vi fosse posto non è preparato nulla. In casa vostra nemmeno. Bisogna riflettere. Se si voleva tener la cosa segreta

73

per un mese o due, non era mica per ingannare; era per aver tempo di disporvi la nonna e, se la nonna non volesse piegarsi, di preparar un paio di stanze a Oria. »

« Oh povero me! » fece l'ingegnere. « Ci voglion due mesi per questo? Non par vero. »

Un soffio prolungato, nell'ombra, ricordò in quel punto la presenza del signor Giacomo che stava in un angolo, appoggiato al muro, non osando scostarsene per l'oscurità.

La signora Teresa non l'aveva ancora salutato.

« Oh, signor Giacomo! » diss'ella con grande premura. « Scusi. La ringrazio tanto, sa. Venga qua. Ha sentito quel che si diceva? Dica anche Lei; cosa Le pare? »

« La mia servitú » disse il signor Giacomo dal suo angolo. « Propramente no me movo, perché, con la mia povera vista... »

« Luisa! » fece la signora Teresa. « Porta fuori un lume. Ma ha sentito, signor Giacomo; cosa Le pare? Dica. »

Il signor Giacomo mise nella sua sapienza tre o quattro piccoli soffi frettolosi che significavano: – ahi, questo è un imbarazzo.

« No so » cominciò titubante, « no so, diga adesso, se trovandome a scuro... »

« Luisa! » chiamò da capo la signora Teresa.

« Eh nossignora, nossignora. M'intendo a scuro de tante cosse che no so. Vogio dir che ne la mia ignoranza no me posso pronunciar. Però, digo, me par che forse se podaria... adesso, digo, mi son qua per el servizio Suo e de la rispettabilissima famegia, sí ben che no me faria maravegia che l'Imperial Regio Commissario, ottima persona ma sustosèta... ben, basta, no discoremo, mi son qua, però me pararia, digo, che se podesse tirar avanti un pocheto e intanto qua el nostro nobilissimo signor don Franco podaria forse co le bone, cole molesine... Ben ben ben, per mi, come che Le comanda. »

Furono le proteste violente di Franco che fecero volta-

74

re cosí precipitosamente strada al signor Giacomo. Luisa le appoggiò e la signora Teresa, che forse adesso avrebbe pure inclinato a una dilazione, non osò contraddire.

« Luisa, Franco » diss'ella. « Riconducetemi in salotto. »

I due giovani spinsero insieme, seguiti dallo zio e dal signor Giacomo, la poltrona nel salotto.

Nel passar la soglia Luisa si chinò, baciò la mamma sui capelli e le sussurrò: « Vedrai che tutto andrà bene ». Ella credeva di trovar il curato in salotto, ma il curato se l'era svignata per la cucina.

Appena Franco e Luisa ebbero accostata la mamma al tavolo dov'era il lume, capitò il sagrestano ad avvertire che tutto era pronto. Allora la signora Teresa lo pregò di annunciare al curato che gli sposi sarebbero andati in chiesa fra mezz'ora.

« Luisa » diss'ella, fissando sua figlia con uno sguardo significante.

« Sí, mamma » rispose questa; e riprese a voce piú alta volgendosi al suo fidanzato: « Franco, la mamma desidera parlarti ».

Il signor Giacomo capí e uscí sulla terrazza. L'ingegnere non capí nulla e sua nipote dovette spiegargli che bisognava lasciar la mamma sola con Franco. L'uomo semplice non ne intendeva bene il perché: allora ella gli prese sorridendo un braccio e lo condusse fuori.

La signora Teresa stese in silenzio la sua bella mano ancora giovane, a Franco, che s'inginocchiò per baciarla.

« Povero Franco! » diss'ella dolcemente.

Lo fece alzare e sedere vicino a sé. Doveva parlargli, disse; e si sentiva tanto poca lena! Ma egli capirebbe molto, anche da poche parole: « Minga vera? ».

Cosí dicendo la voce fioca ebbe una soavità infinita.

« Sai » cominciò, « questo non avevo pensato a dirtelo, ma mi è venuto in mente quando tu raccontavi del piatto che hai rotto a tavola. Ti prego di avere riguardo alla situazione dello zio Piero. Egli pensa, nel suo cuore, come te. Se tu avessi veduto le lettere che mi scriveva nel 1848! Ma è impiegato del Governo. Vero che si sente tranquillo nella sua coscienza perché, occupandosi di strade e di acque, sa che serve il suo paese e non i tedeschi; ma certi riguardi vuole e deve averli. Fino a un dato punto bisogna che li abbiate anche voi per amor suo. »

« I tedeschi andranno via presto, mamma » rispose Franco, « ma sta tranquilla, sarò prudente, vedrai. »

« Oh caro, io non ho piú niente da vedere. Non ho che a vedervi voi altri due uniti e benedetti dal Signore. Quando i tedeschi saranno andati via, verrete a dirmelo a Looch. »

Portano il nome di Looch i praticelli ombrati di grandi noci dove sta il piccolo camposanto di Castello.

« Ma ti devo parlare di un'altra cosa » proseguí la signora Teresa senza lasciar a Franco il tempo di far proteste. Egli le prese le mani, gliele strinse trattenendo a fatica il pianto.

« Bisogna che ti parli di Luisa » diss'ella. « Bisogna che tu la conosca bene tua moglie. »

« La conosco, mamma! La conosco quanto la conosci tu e piú ancora! »

Egli ardeva e fremeva tutto, cosí dicendo, nell'appassionato amore per lei ch'era la vita della sua vita, l'anima dell'anima sua.

« Povero Franco! » fece la signora Teresa teneramente, sorridendo. « No, ascoltami, vi è qualche cosa che non sai e che devi sapere. Aspetta un poco. »

Aveva bisogno di una sosta, l'emozione le rendeva il respiro difficile e piú difficile il parlare. Fece un gesto negativo a Franco che avrebbe pur voluto adoperarsi, aiutarla in qualche modo. Le bastava un po' di riposo e lo prese appoggiando il capo alla spalliera della poltrona.

Si rialzò presto. « Avrai inteso parlar male » disse « del povero mio marito, a casa tua. Avrai inteso dire ch'era un uomo senza principii e che ho avuto un gran torto a sposarlo. Infatti egli non era religioso e questa fu la ragione per cui esitai molto prima di decidermi. Sono stata consigliata di cedere perché potevo forse influire bene sopra di lui che aveva un'anima nobile. È morto da cristiano, ho tanta fede di trovarlo in paradiso se il Signore mi fa questa grazia di prendermi con sé; ma fino all'ultima ora parve che non ottenessi nulla. Bene, temo che la mia Luisa, in fondo, abbia le tendenze del suo papà. Me le nasconde, ma capisco che le ha. Te la raccomando, studiala, consigliala, ha un gran talento e un gran cuore, se io non ho saputo far bene con lei, tu fa meglio, sei un buon cristiano, guarda che lo sia anche lei, proprio di cuore; promettimelo, Franco. »

Egli lo promise sorridendo, come se stimasse vani i timori di lei e facesse, per compiacenza, una promessa superflua.

L'ammalata lo guardò, triste. « Credimi, sai » soggiunse, « non sono fantasie. Non posso morire in pace se non la prendi come una cosa seria. » E poi che il giovane ebbe ripetuta la sua promessa senza sorridere, soggiunse:

« Una parola ancora. Quando parti di qua, vai a Casarico dal professor Gilardoni, non è vero? »

« Ma, questo era il piano di prima. Dovevo dire alla nonna che andavo a dormire da Gilardoni per fare poi una gita insieme alla mattina; adesso lo sai come sono venuto via. »

« Vacci lo stesso. Ho piacere che tu ci vada. E poi ti aspetta, non è vero? Dunque ci devi andare. Povero Gilardoni, non è piú venuto dopo quella pazzia di due anni or sono. Lo sai, non è vero? Luisa te l'avrà detto? »

« Sí, mamma. »

Questo professor Gilardoni che viveva a Casarico, da eremita, si era molto romanticamente innamorato, qualche anno prima, della signora Teresa e le si era timidamente, riverentemente proposto per marito, ottenendo

77

un tale successo di stupore da togliergli poi il coraggio di ricomparirle davanti.

« Povero uomo! » riprese la signora Rigey. « Quella è stata una stupidità grande, ma è un cuor d'oro, un buon amico, tenetevelo caro. Il giorno prima che gli venisse quell'accesso di pazzia, mi ha fatto una confidenza. Non te la posso ripetere, e anzi ti prego di non parlargliene se non te ne parla lui; ma insomma è una cosa che potrà, in certi casi, aver molta importanza per voi altri, specialmente se avrete figli. Se Gilardoni te ne parla, pensaci prima di dirlo a Luisa. Luisa potrebbe prender la cosa non come va presa. Delibera tu, consigliati con lo zio Piero e poi parla o non parla, secondo la strada che vorrai prendere. »

« Sí, mamma. »

Si picchiò all'uscio, sommessamente, e la voce di Luisa disse:

« È finito? »

Franco guardò l'ammalata. « Avanti » diss'ella. « È ora di andare? »

Luisa non rispose, cinse con un braccio il collo di Franco. S'inginocchiarono insieme davanti alla mamma, le piegarono il capo in grembo. Luisa faceva ogni sforzo per trattenere il pianto, sapendo bene che bisognava evitare alla mamma ogni emozione troppo forte, ma le spalle la tradivano.

« No, Luisa » disse la mamma, « no, cara, no » e le accarezzava il capo. « Ti ringrazio che sei sempre stata una buona figliuola, sai; tanto buona; quietati; son cosí contenta; vedrai che starò meglio. Andate dunque; datemi un bacio e poi andate, non fate aspettare il signor curato. Dio ti benedica, Luisa; e anche te, Franco. »

Chiese il suo libro di preghiere, si accostò il lume, fece aprire le finestre e l'uscio della terrazza per respirar meglio e mandò via la fantesca che si preparava a tenerle compagnia. Usciti gli sposi, entrò l'ingegnere per salutar sua sorella prima di andare in chiesa.

« Ciao, neh, Teresa. »

« Addio, Piero. Un altro peso sulle vostre spalle, povero Piero. »

« Amen » rispose pacificamente l'ingegnere.

Rimasta sola, la signora Rigey stette ascoltando il rumor dei passi che si allontanavano. Quelli gravi di suo fratello e del signor Giacomo, la coda della colonna, non le lasciavano udire gli altri ch'ell'avrebbe voluto accompagnar con l'orecchio quanto era possibile.

Un momento ancora e non intese piú nulla. Ebbe l'idea che Luisa e Franco si allontanavano insieme nell'avvenire dove a lei non era dato seguirli che per pochi mesi o forse per pochi giorni; e che non poteva indovinar niente, presentir niente del loro destino. "Poveri ragazzi" pensò. "Chi sa cosa avranno passato fra cinque anni, fra dieci anni!" Stette ancora in ascolto, ma il silenzio era profondo; non entrava per le finestre aperte che il fragor lontano lontano della cascata di Rescia, di là dal lago. Allora, supponendo che fossero già in chiesa, prese il suo libro di preghiere e lesse con fervore.

Si stancò presto, si sentí una gran confusione in testa, le si confusero alla vista anche i caratteri del libro.

La sua mente si assopiva, la volontà era perduta. Presentiva una visione di cose non vere e sapeva di non dormire, comprendeva che non era sogno, ch'era uno stato prodotto dal suo male. Vide aprirsi l'uscio che metteva in cucina ed entrare il vecchio Gilardoni di Dasio, detto « el Carlin de Daas », padre del professore, agente di casa Maironi per i possessi di Valsolda, morto da venticinque anni. La figura entrò e disse in tono naturale: « Oh sciora Teresa, La sta ben? ». Ella credette di rispondere: « Oh Carlin! Bene e voi? » ma in fatto non aperse bocca. « Ghe l'hoo chí la lettra » riprese la figura agitando trionfalmente una lettera. « L'hoo portada chí per Lee. » E posò la lettera sul tavolo.

La signora Teresa vide chiaramente e con un senso di vivo piacere questa lettera sudicia e ingiallita dal tempo, senza busta e con la traccia d'una piccola ostia rossa. Le parve dire: « Grazie, Carlin. E adesso andate a Dasio? ». « Sciora no » rispose il Carlin. « Voo a Casarech dal me fiœu. »

L'ammalata non vide piú il Carlin, ma vide ancora la lettera sul tavolo. La vedeva chiaramente eppure non era certa che vi fosse; nel suo cervello inerte durava l'idea vaga di altre allucinazioni passate, l'idea della malattia sua nemica, sua padrona violenta. Aveva l'occhio vitreo, la respirazione penosa e frequente.

Un suono di passi affrettati la scosse, la richiamò quasi del tutto in sé. Quando Luisa e Franco si precipitarono in camera dalla terrazza, non si accorsero, causa il paralume della lucerna, che la fisonomia della mamma fosse stravolta. Inginocchiati accanto a lei, la coprirono di baci, attribuirono all'emozione quel respiro affannoso. A un tratto l'ammalata sollevò il capo dalla spalliera della poltrona, tese le mani avanti, guardando e indicando qualche cosa.

« La lettera » diss'ella.

I due giovani si voltarono e non videro niente.

« Che lettera, mamma? » disse Luisa. Nello stesso punto notò l'espressione del viso di sua madre, diede un'occhiata a Franco per avvertirlo. Non era la prima volta, durante la sua malattia, che la mamma soffriva di allucinazioni. All'udirsi domandare « che lettera? » ella capí, fece « oh! », ritirò le mani, se ne coperse il viso e pianse silenziosamente.

Confortata dalle carezze de' suoi figli, si ricompose, li baciò, stese la mano a suo fratello e al signor Giacomo, che non avevano inteso affatto cosa fosse accaduto e accennò a Luisa di andar a pigliar qualche cosa. Si trattava di una torta e di una bottiglia preziosa di vino del Niscioree, regalata con altre parecchie, tempo addietro, dal marchese Bianchi che aveva per la signora Rigey una singolare venerazione.

Il signor Giacomo, non vedendo l'ora di svignarsela,

incominciava a dimenarsi, a soffiare, guardando l'ingegnere.

« Signora Luisina » diss'egli vedendo uscire la novella sposa. « La scusa, son propramente per domandar licenza... »

« No, no » interruppe con un fil di voce la signora Teresa, « aspetti un poco. »

Luisa scomparve e Franco scivolò pure fuori dalla stanza dietro sua moglie. La signora Teresa parve presa da uno scrupolo, accennò a richiamarlo.

« Ma cosa mai! » fece l'ingegnere.

« Ma, Piero! »

« Ma cosa? »

Le antiche tradizioni austere della sua famiglia, un sottile senso di dignità, forse anche uno scrupolo religioso perché gli sposi non avevano ancora assistito alla messa della benedizione nuziale, impedivano alla signora Teresa di approvare che i giovani si appartassero e insieme di spiegarsi. Le sue reticenze e la bonarietà patriarcale dello zio diedero agio a Franco di sottrarsi ai richiami senza rimedio alcuno. La signora Teresa non insistette.

« Per sempre! » mormorò dopo un momento come parlando fra sé. « Uniti per sempre! »

« Nualtri » disse l'ingegnere rivolgendosi in dialetto veneto al suo collega nel celibato, « nualtri, sior Giacomo, de ste buzare no ghe ne femo. »

« Sempre de bon umor, Ela, ingegnere pregiatissimo » rispose il signor Giacomo a cui la coscienza diceva che aveva fatto delle « buzare » peggiori.

Gli sposi non ritornavano.

« Signor Giacomo » riprese l'ingegnere, « per questa notte, niente letto. »

L'infelice si contorse, soffiò e batté le palpebre senza rispondere.

E gli sposi non ritornavano.

« Piero » disse la signora, « suonate il campanello. »

« Signor Giacomo » fece l'ingegnere senza scomporsi,

« dobbiamo suonare il campanello? »

« L'idea de la signora Teresa pare propramente questa » rispose l'omino navigando alla meglio tra il fratello e la sorella. « Però mi no digo gnente. »

« Piero! » insistette la signora.

« Ma insomma » riprese suo fratello senza muoversi, « Lei, cosa farebbe? Lo suonerebbe, questo campanello, o non lo suonerebbe? »

« Oh Dio! » gemette il Puttini « La me dispensa. »

« Non La dispenso un corno. »

Gli sposi non ritornavano e la mamma, sempre più inquieta, ricominciava:

« Ma suonate, dunque, Piero! »

Il signor Giacomo, che moriva dalla voglia di andarsene e non poteva andarsene senza salutar gli sposi, incoraggiato dall'insistere della signora, fece uno sforzo, diventò rosso rosso e buttò fuori la sua sentenza: « Mi sonaria ».

« Caro signor Giacomo » disse l'ingegnere, « mi stupisco, mi sorprendo e mi meraviglio. » Chi sa perché, quando era di buon umore e gli capitava in bocca uno di quei sinonimi, li infilzava tutti e tre. « Però » conchiuse « suoniamo. »

E suonò molto discretamente.

« Sentite, Piero » disse la signora Teresa. « Ricordatevi bene che adesso, quando partite voi, deve partire anche Franco. Ritornerà alle cinque e mezzo per la messa. »

« Oh povero me! » fece lo zio Piero. « Quante miserie! Insomma, sono marito e moglie, sí o no? – Bene bene bene » soggiunse, perché sua sorella si inquietava. « Fate tutto quello che volete, ecco. »

Invece degli sposi entrò la fantesca portando la torta e la bottiglia e disse all'ingegnere che la signora Luisina lo pregava di uscire un momento in terrazza.

« Adesso che viene un po' di grazia di Dio, mi mandate fuori? » disse l'ingegnere. Egli scherzava, con la

solita serenità di spirito, forse non comprendendo bene
lo stato grave di sua sorella, forse per certa sua naturale
disposizione pacifica verso tutto che fosse ineluttabile.

Uscí sulla terrazza dove Luisa lo aspettava con Franco.
« Senti, zio » diss'ella, « mio marito dice che certo la
nonna scoprirà tutto subito, ch'egli non potrà piú stare a
Cressogno, che se la mamma fosse in buone condizioni si
potrebbe venire da te a Oria, ma che cosí, pur troppo,
non è possibile. Allora dice che si potrebbe mettere all'ordine una camera qui, in fretta, alla meglio; lo studio
del povero papà, si diceva noi. Cosa ti pare? »

« Hm! » fece lo zio, che non accettava facilmente le
novità. « Mi pare una soluzione molto precipitosa. Fate una spesa, mettete la casa sossopra per una cosa che
non può durare. »

La sua idea fissa era quella di aver tutta la famiglia a
Oria, e questo ripiego della camera gli faceva ombra. Temeva che se gli sposi si accomodavano a Castello finissero con restarvi. Luisa si studiò di persuaderlo che non
si poteva fare altrimenti, che né la spesa né l'incomodo
sarebbero stati grandi, che suo marito, quando avesse a
uscir di casa, andrebbe difilato a Lugano e ritornerebbe
con i pochi mobili strettamente necessari. Lo zio domandò se Franco non potrebbe invece mettersi a Oria e starvi fino a quando vi potessero scendere la mamma e lei.
« Oh, zio! » fece Luisa. S'ella avesse saputo del campanello, si sarebbe ancor piú meravigliata di una proposta
simile. Ma il buon uomo aveva qualche volta di queste
idee ingenue che facevano sorridere sua sorella. Luisa
non durò fatica a trovare argomenti contro l'esilio di
Franco e ad adoperarli con calore. « Basta » fece lo zio
non persuaso, ma placido, allargando le braccia in arco,
nell'atto di un *Dominus vobiscum* piú caritatevole, piú
disposto a cinger di tenerezza le povere creature umane.
« *Fiat.* Oh, e se occorre » soggiunse volgendosi a Franco, « come stai a quattrini? »

Franco trasalí, s'imbarazzò.

« È il nostro papà, sai » gli disse sua moglie.

« Papà niente affatto » osservò lo zio, sempre placidamente. « Papà niente affatto, ma quel ch'è mio è vostro, ecco; vuol dire dunque che vi munirò un poco secondo le mie forze. »

E ricevette l'abbraccio commosso de' suoi nipoti senza corrispondervi, quasi seccato da una dimostrazione superflua, seccato che non accogliessero piú semplicemente una cosa tanto semplice e naturale. « Sí, sí » diss'egli, « andiamo a bere ch'è meglio. »

Il vino del Niscioree, rosso chiaro come un rubino, delicato e gagliardo, blandí e pacificò le viscere dell'impaziente signor Giacomo, che in quegli anni di *oïdium* ben di rado bagnava le labbra nel vin pretto e beveva cupamente vin Grimelli di acquosa memoria.

« *Est, est*, non è vero, signor Giacomo? » disse lo zio Piero vedendo il Puttini guardar devotamente nel bicchiere che teneva in mano. « Qui almeno non c'è pericolo di crepare come quel tale: *et propter nimium est dominus meus mortuus est.* »

« A mi me par de resussitar » rispose il signor Giacomo, adagio, adagio, quasi sottovoce, guardando sempre nel bicchiere.

« Allora, un brindisi agli sposi! » riprese l'altro, alzandosi. « Se non lo fa Lei, lo farò io» :

> *"Viva lü e viva lee*
> *E nün andèm fœura d'i pee."*

Il signor Giacomo vuotò il bicchiere, soffiò molto e batté molto le palpebre in segno dei vari sentimenti che tumultuavano nell'animo suo mentre l'ultimo aroma e l'ultimo sapor del vino gli si perdevano in bocca; offerse la sua servitú alla signora Teresa riveritissima, la sua devozione alla sposina amabilissima, la sua osservanza allo sposo compitissimo; si schermí, menando le braccia e la testa, dai ringraziamenti che gli fioccavano addosso, e preso il cappellone, presa la mazza, si avviò umilmente, soffiando con un misto di compiacenza e di rammarico, dietro la mole placida dell'ingegnere pregiatissimo.

« E tu, Franco? » chiese subito la signora.

« Vado » rispose Franco.

« Vien qua » diss'ella. « Vi ho accolto cosí male, poveri figlioli, quando siete ritornati dalla chiesa. Sai, m'era venuto uno de' miei accessi; lo avete ben capito. Adesso mi sento tanto benino, tanto in pace. Signore, Vi ringrazio. Mi pare d'avere messa la casa in ordine, d'avere spento il fuoco, d'aver dette un po' di orazioni e di andar a dormire, tutta bella contenta; ma non cosí presto, sai, caro, non cosí subito. Ti lascio la mia Luisa, caro, ti lascio lo zio Piero; so che li amerai tanto, vero? Ricordati anche di me, però. Ah Signore, come mi rincresce di non vedere i vostri figli! Quello sí. Hai da far loro un bacio per la povera nonna, tutti i giorni. E adesso va, figlio mio; ritorni alle cinque e mezzo, non è vero? Sí, addio, va. »

Gli parlava carezzevole, come a un bambino che non capisce ancora ed egli piangeva di tenerezza silenziosamente, le baciava e ribaciava le mani, godendo che Luisa fosse presente e vedesse; perché nella sua immensa tenerezza per la mamma vi era la immensa gioia di essere divenuto un solo con la figlia e come un'avidità di amar tutto che sua moglie amava, con la stessa forza.

« Va » ripeteva mamma Teresa, temendo anche la commozione propria: « va, va. »

Egli obbedí, finalmente; e uscí con Luisa. Anche stavolta Luisa tardò molto a ritornare, ma le anime piú sante hanno le loro lievi debolezze e quantunque la fantesca non facesse che andare e venire dalla cucina al salotto, la signora Teresa, tocca dalle dimostrazioni d'affetto che le aveva prodigate Franco, non le disse mai di suonare il campanello.

IV. *La lettera del Carlin*

Franco discese il monte adagio adagio, tutto chiuso nel suo mondo interiore cosí pieno di cose, di pensieri, di sentimenti nuovi, fermandosi ogni tratto a guardar la strada biancastra e i campicelli scuri, a toccar le foglie d'una vite o i sassi d'un muricciolo per sentire la realtà del mondo esterno, persuadersi che non sognava. Solamente a Casarico, nella contrada dei Mal'ari, davanti alla porticina della villetta Gilardoni, si ricordò delle parole oscure di mamma Teresa circa la confidenza fattale dal Gilardoni e si domandò quale potesse mai essere l'arcano che non conveniva rivelare a Luisa. A dir il vero, questo consiglio della mamma non gli era piaciuto interamente. "Come mai" pensò bussando all'uscio "nasconderei qualche cosa a mia moglie?"

Il professore Beniamino Gilardoni, figlio del « Carlin de Daas », era stato fatto studiare dal vecchio don Franco Maironi, dal marito della marchesa Orsola, uomo bizzarro, lunatico, violento, ma generoso. Quando il Carlin morí, si vide che la generosità del Maironi non sarebbe stata necessaria. Beniamino ereditò un discreto gruzzoletto e ciò fece andare in bestia don Franco che lo tenne responsabile dell'ipocrisia paterna, gli voltò le spalle né volle piú saperne di lui nel poco tempo che visse ancora dopo la morte del suo agente. Il giovane entrò nell'insegnamento, fu professore di latino nel ginnasio di Cremona e di filosofia nel liceo di Udine. Cagionevole di salute e timoroso assai del male fisico, alquanto misantropo, piantò nel 1842 la cattedra e venne a godersi la modesta eredità paterna in Valsolda. Il natío paesello di Dasio, seduto sotto le rocce dolomitiche dell'Arabione, era troppo alto e troppo incomodo per lui. Vendette i suoi beni di lassú, si comperò l'uliveto del Sedorgg sopra Casarico e una villetta in Casarico stesso, sulla riva del lago; un gingillo di villetta che egli chiamava per la sua forma « pi greco » a immagine del digamma di Ugo Foscolo. Dalla contrada dei Mal'ari un andito breve metteva nel cortiletto addossato a un portico minuscolo e aperto verso il lago, fra grandi oleandri, di fronte a sei miglia d'acqua verde o grigia o azzurra, secondo i momenti, fino al monte S. Salvatore inclinato là in fondo, sotto il peso della sua gobba malinconica, ai sottoposti colli umidi di Carona. A levante della casina si stendeva un orto favolosamente spazioso per quei paesi le cui pianure l'ingegnere Ribera soleva definire con questa citazione censuaria: campo grande, detto il campone, tavol sett. Sette tavole son venti o ventidue metri quadrati. Il professore lo coltivava con l'aiuto del suo servitorello Giuseppe, detto il Pinella, e d'una bibliotechina di trattati francesi. Si faceva venire di Francia i semi delle qualità d'ortaggi piú celebrate, che talvolta gli spuntavano ignobilmente diversi dalla loro fede di battesimo e magari da qualunque onesta famiglia battezzata. Accadeva allora che filosofo e famiglio, curvi sull'aiuola con le mani alle ginocchia, levassero gli occhi dai germogli beffardi per guardarsi in faccia, il primo sinceramente, il secondo ipocritamente compunto. In un canto dell'orto viveva, nella sua stalletta costrutta con tutte le regole dell'arte, una vaccherella svizzera comperata dopo tre mesi di assidui studi e riuscita magra e cagionevole quanto il padrone; al quale, malgrado la mucca svizzera e quattro galline padovane, capitava spesso di non potersi preparare in casa un latte all'ovo. Nel muro di sostegno verso il lago, battuto al piede dall'onda piena della *breva*, egli aveva praticati dei fori e piantato, per consiglio di Franco Maironi, alquante agavi americane, alquanti rosai e capperi, fasciando cosí, come soleva dire, con una elegante forma poetica il sostanzioso contenuto dell'orto. E per amore di poesia aveva lasciato incolto un breve angolo dell'orto stesso. Vi era cresciuto un canneto altissimo e a questo canneto il professore aveva addossato una specie di belvedere, un alto palco di legno, molto rustico e primitivo, dove nella buona stagione passava qualche gradevole ora leggendo, al fresco della *breva*, al mormorio del canneto e delle onde, i libri mistici che amava. Da lontano il colore del palco si confondeva con quello del canneto ed il professore pareva seduto in aria col suo libro in mano, come un mago. Teneva nel salotto la bibliotechina d'orticoltura; i libri mistici, i trattati di negromanzia, di gnosticismo, gli scritti sulle allucinazioni e sui sogni li teneva in uno studiolo vicino alla camera da letto, in una specie di cabina di nave dove il lago e il cielo parevano entrare dalla finestra.

Dopo la morte del vecchio Maironi il professore aveva ripigliato a visitare la famiglia, ma la marchesa Orsola gli piaceva poco e don Alessandro suo figlio, padre di Franco, meno ancora. Finí con andarci una volta l'anno. Quando il giovinetto entrò in liceo, il Gilardoni fu pregato dalla nonna, ché il padre era morto da un pezzo, di dargli qualche lezione durante l'autunno. Maestro e scolaro si somigliavano nei facili entusiasmi, nelle collere veementi e fugaci; ed erano caldi patrioti ambedue. Cessato il bisogno delle lezioni si rividero come amici benché il professore avesse oltre a vent'anni piú di Franco. Questi ammirava l'ingegno del suo allievo; Franco invece stimava assai poco la filosofia mezzo cristiana, mezzo razionalista del maestro, le sue tendenze mistiche; rideva della sua passione per i libri e per le teorie d'orticoltura e giardinaggio, scompagnata da qualsiasi senso pratico. Lo aveva tuttavia molto caro per la sua bontà, per il suo candore, per il suo calor d'animo. Ne era stato il confidente al tempo dell'infelice amore concepito dal Gilardoni per la signora Teresa Rigey e lo aveva poi ricambiato con le confidenze proprie. Il Gilardoni ne fu molto commosso; disse a Franco che avendo nel cuore quel tale culto gli sarebbe parso di diventar un poco suo padre anche se la signora Teresa non volesse saperne di lui. Franco non mostrò di apprezzare questa paternità metafisica; l'amore per la signora Rigey gli pareva un'aberrazione; ma insomma si confermò nell'idea che la testa del professore non valeva gran cosa e che il cuore era d'oro.

Bussò, dunque, all'uscio e venne ad aprirgli il professore in persona portando un lumicino a olio. « Bravo » diss'egli. « Credevo che non venisse piú. »

Il Gilardoni era in veste da camera e pantofole, aveva in testa una specie di turbante ed esalava un forte odore di canfora. Pareva un turco, un Gilardoni bey; ma la faccia magra e giallognola che sorrideva sotto il turbante nulla aveva di turchesco. Contornata d'una barbetta rossastra, fiorita pomposamente, nel mezzo, d'un bel nasone bitorzoluto e vermiglio, luceva per due begli occhi azzurri, molto giovanili, pieni d'ingenua bontà e di poesia.

Appena Franco ebbe chiuso l'uscio dietro a sé, l'amico gli sussurrò: « È fatto? ». « È fatto » rispose Franco. L'altro lo abbracciò e lo baciò silenziosamente. Poi lo fece salire nello studiolo. Gli spiegò strada facendo che s'era applicato sulla testa delle compresse d'acqua sedativa, *secundum* Raspail, per una minaccia di emicrania. Egli era un apostolo di Raspail e aveva convertito anche Franco, molto soggetto alle infiammazioni di gola, dalle sanguisughe alla sigaretta di canfora.

Nello studiolo, nuovo amplesso, molto stretto e molto lungo. « Tanto, tanto, tanto! » esclamò Gilardoni sottintendendo un mondo di cose.

Povero Gilardoni, gli occhi gli luccicavano. Aveva sperato invano una felicità simile a quella dell'amico suo! Franco intese, s'imbarazzò, non seppe dirgli nulla, e ne seguí un silenzio cosí significativo che il Gilardoni non poté sopportarlo e si mise ad accendere un po' di fuoco per riscaldare il caffè che aveva preparato. Franco si offerse per questa bisogna e il professore accettò allegando il suo mal di capo, si mise a disfare il turbante davanti a una scodella d'acqua sedativa. « Dunque » diss'egli, dominando la propria emozione con uno sforzo di volontà « mi racconti. » Franco gli raccontò ogni cosa dal pranzo della nonna fino alla cerimonia nuziale nella chiesa di Castello, eccetto, naturalmente, il colloquio segreto con mamma Teresa. Il professore Beniamino, che intanto si era rimesso il turbante, si fece coraggio a mezzo. « E... » diss'egli sostituendo al nome amato una specie di gemito sordo « come sta? » Udito dell'allucinazione, esclamò: « Una lettera? Le pareva di vedere una lettera? Ma che lettera? ». Questo, Franco non lo sapeva. Uno stridore sulla brace interruppe la conversazione; il caffè bolliva a scroscio e si versava.

Il Gilardoni somigliava al suo giovane amico pure in questo che gli si leggeva il cuore in faccia. Il giovane amico, ch'era del resto un lettore di facce infinitamente piú sagace e pronto di lui, capí subito ch'egli aveva pensato ad una data lettera e gli chiese, mentre il caffè stava posando, se fosse in grado di spiegar quell'allucinazione. Il professore si affrettò a rispondere di no, ma tosto pronunciato il no lo attenuò con parecchi altri no misti a inarticolati brontolii: « eh no – no già – non saprei – insomma no ». Franco non insistette e ne seguí un altro silenzio alquanto significativo. Preso il caffè con molti involontari segni d'inquietudine, il professore propose bruscamente d'andare a letto. Franco, dovendo ripartire prima di giorno, preferí non coricarsi ma volle che si coricasse l'amico, e l'amico, dopo infinite proteste e cerimonie, dopo aver esitato fin sulla soglia della porta con la sua scodella d'acqua sedativa in mano, fece di colpo un volta faccia, si gittò alle spalle un « addio » e scomparve.

Rimasto solo, Franco spense il lume e si distese sulla poltrona con la buona intenzione di dormire, cercando il sonno in qualche pensiero indifferente, se gli fosse possibile di fermarvisi. Non erano passati cinque minuti quando fu picchiato all'uscio e subito entrò precipitosamente, senza lume, il professore dicendo: « Insomma sono qui! ». « Cosa c'è? » esclamò Franco. « Mi rincresce

che ho spento.» Si sentí in pari tempo le braccia del
buon Beniamino intorno al collo, la sua barba, la canfora e la voce sul viso.

«Caro caro caro caro don Franco, io ho un peso enorme sul cuore, non volevo parlare adesso, volevo lasciarla quieto, ma non posso, non posso, poss no, poss no,
poss no!»

«Ma parli, si quieti, si quieti!» disse Franco scioglien-
dosi dolcemente da quell'abbraccio.

Il professore lo lasciò e si portò le mani alle tempie gemendo: «Oh che animale, che animale, che animale!
Potevo ben lasciarla tranquillo, potevo ben aspettare domani! o posdomani! Ma oramai è fatta, è fatta».

Afferrò le mani di Franco. «Creda, avevo cominciato a
spogliarmi quando mi ha preso come una vertigine, e lí,
andiamo, metti su da capo le vesta, e via, corri qua come un matto, senza lume! Nella furia ho persin rove-
sciato la scodella dell'acqua sedativa!»

«Accendiamo il lume?» chiese Franco.

«No no no! Meglio parlare al buio, meglio parlare al
buio! Guardi, mi metto persino qui, io!» Andò a sedere al suo scrittoio fuori del chiaror debole ch'entrava
dalla finestra, e parlò. Parlava sempre nervoso e disordinato; figurarsi adesso con l'agitazione che aveva in
corpo.

«Comincio, neh? Chi sa cosa dirà, caro don Franco!
Tutte chiacchiere inutili, queste; ma cosa vuole, là, pazienza. Comincio dunque; di dove comincio? Ah Signore, vede che bestia sono che non so nemmeno piú dove
cominciare? Ah, quell'allucinazione! Sí, Le ho detto
una bugia poco fa, posso benissimo sospettare l'origine
di quell'allucinazione. Si tratta d'una lettera, proprio di
una lettera che io ho fatto vedere due anni sono alla
signora Teresa. Una lettera del povero don Franco Suo
nonno. Bene, adesso cominciamo dal principio.

«Il mio povero papà, negli ultimi giorni della sua vita,
mi parlò di una lettera di don Franco che avrei trovato

nel cassettone dov'erano tutte le carte da conservarsi. Mi disse di leggerla, di custodirla e di regolarmi, a suo tempo, secondo la mia coscienza. "Però" disse "è quasi certo che non vi sarà niente da fare." Il povero papà viene a mancare, io cerco la lettera nel cassettone, non la trovo. Frugo tutta la casa; non la trovo. Cosa vuole? Mi do pace con l'idea che non ci sarà niente da fare e non ci penso piú. Bestia, vero? Animale? Me lo dica pure, me lo merito, me lo son detto tante volte io. Schiavo, andiamo avanti. Lei sa com'è stata regolata la successione di Suo nonno? Sa come son andati gli affari di casa Sua? Mi perdona, neh, se Le parlo di queste cose? »

« So che mio nonno morí senza testamento e che non ho niente » rispose Franco. « Passiamo, andiamo avanti. »

Era un argomento penoso davvero, per Franco. Alla morte del vecchio Maironi non s'era trovato testamento. La vedova e il figlio don Alessandro si erano divisi la sostanza per metà, d'amore e d'accordo. Per riuscire a questo il figlio aveva fatto alla madre una donazione assai grossa dichiarando d'interpretare la volontà paterna cui era mancato il modo d'esprimersi. Il giovane, vizioso, giuocatore, prodigo, era già impigliato, alla morte di suo padre, nei lacci degli usurai. Nei sette anni che visse ancora si governò per modo da non lasciare un soldo al suo unico figlio Franco, il quale rimase con una ventina di mila svanziche, la sostanza di sua madre, morta nel metterlo alla luce.

« Sí, sí, andiamo avanti » riprese il Gilardoni. « Tre anni fa, dico tre anni fa, ricevo una Sua lettera. Ricordo ch'era il due novembre, il giorno dei morti. Cose strane, come misteriose. Senta bene. La sera vado a letto e faccio un sogno. Sogno la lettera di Suo nonno. Noti che non ci avevo mai piú pensato. Sogno di cercarla e di trovarla in una vecchia cassa che tengo in un granaio. La leggo, sempre in sogno. Cosa dice? Dice che nella cantina di casa Maironi a Cressogno c'è un tesoro e che questo tesoro è destinato a Lei. Mi sveglio con una emozione straordinaria, con la convinzione che si tratta di un sogno veridico. Mi alzo e vado a guardare nella cassa. Non trovo niente. Ma due giorni dopo, volendo vendere certi fondi che avevo ancora a Dasio, piglio in mano un vecchio atto di compera che papà teneva nel suo cassettone, lo sfoglio e me ne casca fuori una lettera. Guardo la sottoscrizione, vedo, "nobile Franco Maironi". La leggo; è quella! Ecco, dico, il sogno che... »

« Ebbene? » interruppe Franco. « Questa lettera, cosa diceva? »

Il professore si alzò, prese uno zolfino lungo mezzo braccio, lo cacciò nella brace del caminetto e accese il lume.

« L'ho qui » diss'egli con un gran sospiro sconsolato. « Legga. »

Si cavò di tasca e porse a Franco una lettera giallognola, di piccolo formato, senza busta, con le tracce d'una ostia rossa. Le linee nero-giallastre dello scritto interno trasparivano qua e là quasi in rilievo.

Franco la prese, l'accostò al lume e lesse ad alta voce:
"Caro Carlin,
"Troverai dentro la presente il mio testamento.
"Ne ho fatto due copie. Una è presso di me. L'altra è questa che io t'incarico di pubblicare se la prima non viene fuori. Hai capito? Basta, e quando mi vedrai ti è assolutamente proibito di rompermi... col darmi consigli secondo il tuo maledetto vizio. Tu sei la sola persona di cui mi fido, ma del resto io non ho che a comandare e tu non hai che a obbedire; dunque tutti i rompimenti sono inutili e intollerabili. Ciao.
"Il tuo aff. padrone   *Nob. Franco Maironi.*
"*Cressogno, 22 settembre 1828.*"

« Ecco il testamento, adesso » disse il Gilardoni, lugubre, porgendo a Franco un altro foglietto giallognolo.

« Ma questo non lo legga ad alta voce. »

Il foglietto diceva:

"Io sottoscritto, nobile Franco Maironi, intendo disporre delle mie sostanze, con questo atto d'ultima volontà.

"Essendoché donna Orsola Maironi nata marchesa Scremin si è degnata di accettare insieme a molti altri omaggi anche i miei, le lascio in segno di gratitudine lire di Milano diecimila per una volta tanto e il gioiello per lei piú prezioso della casa ossia don Alessandro Maironi, debitamente inscritto nei registri della parrocchia della Cattedrale in Brescia come mio figlio.

"Lascio al detto mio figlio la porzione legittima che gli spetta della mia facoltà e tre parpagliole al giorno in piú, in segno della particolare mia stima.

"Lascio al mio agente di Brescia signor Grisi, se si troverà al mio servizio al momento della mia morte, tutto quello che mi ha preso.

"Lascio al mio agente di Valsolda, Carlino Gilardoni, colla condizione come sopra, lire di Milano quattro al giorno, sua vita natural durante.

"Intendo che sia celebrata nella Cattedrale di Brescia una messa quotidiana finché sarà in vita donna Orsola Maironi Scremin, per la salute dell'anima sua. – Di tutta la restante mia sostanza istituisco e nomino erede il mio nipotino don Franco Maironi di don Alessandro.

"Fatto, scritto e sottoscritto il 15 aprile 1828.

Nob. Franco Maironi"

Franco lesse e restituí la carta come trasognato, senza dir nulla. Era commosso e sentiva confusamente di doversi dominare, di dover reprimere la propria commozione e raccogliersi, veder chiaro nella cosa e in se stesso.

« Ha visto? » fece il professore.

A questo punto la sovraeccitazione del Gilardoni salí al colmo.

« Perché non parlare prima, eh? » riprese. « È ben qui la storia che un perché positivo, là, chiaro, preciso, non c'è caso, io non lo posso dire! Queste carte mi hanno fatto orrore. Se si fosse trattato di me, di mio padre, di mia madre, avrei lasciato andare un milione piuttosto di domandarlo con queste carte alla mano. Adesso sono ancora una bestia di dir questo, metta ch'io non abbia detto, perché al posto Suo, tutt'altro! Dicevo al posto mio, Signore! Si sa! Dunque mi pareva, guardi che asino, che la nonna Le volesse un gran bene, che la roba del nonno finirebbe a ogni modo nelle Sue mani; e con quest'idea!... Passa un po' di tempo, mi consiglio con la signora Teresa, le mostro lettera e testamento. Mi dice che avrei dovuto informar Lei subito, appena fatta la scoperta, ma che oramai, essendovi di mezzo, in qualche maniera, sua figlia, non mi vuol dare alcun consiglio. Del resto, dice... Bene, questo non importa. Capisco insomma che il testamento le fa orrore anche a lei. Cosa vuole, io mi metto in testa che già la nonna finirà con accettare il matrimonio e non parlo. Stasera Lei mi dice che la nonna minaccia; si figuri! Adesso capisce che non ho potuto aspettare, che non ho potuto tenere un momento ancora queste carte; ecco, a Lei, le prenda! »

Franco, assorto nei propri pensieri, non udí che queste ultime parole. « No » diss'egli, « non le prendo. Mi conosco. Se le ho in mano posso fare troppo presto qualche cosa di troppo grave. Le tenga Lei, per ora. » Il Gilardoni non voleva saperne di tenerle, e Franco ebbe uno de' suoi scatti di impazienza. Niente gl'irritava i nervi, del resto, come gli sfoghi sconclusionati della gente di buon cuore e di cattiva testa. Si riscaldò perché il Gilardoni resisteva, gli fece intendere che quel volersi sbarazzare a ogni costo delle carte era egoismo bell'e buono e che quando si fanno degli spropositi bisogna subirne le conseguenze. Le parole furono presso a poco queste; la faccia irritata e dura diceva molto peggio. Il Gilardoni, rosso rosso, fremeva tutto per quell'accusa di

egoismo, ma si contenne; e fatto anche lui un fiero cipiglio, ripetendo « bene bene bene bene » intascò frettolosamente le carte e uscí senz'altro. Subito Franco, per
soddisfazione della propria coscienza, si mise a persua-
der se stesso che il signor Beniamino aveva tutti i torti
possibili; torto di non avergli consegnato le carte molto
prima, torto di essersi fatto pregare adesso per tenerle
ancora, torto di essersi offeso. Sicuro di far la pace con
lo sconclusionato filosofo, non pensò piú a lui, spense
il lume e, ritornato alla sua poltrona, ripiombò nelle ri-
flessioni di prima.

Adesso cominciava a vederci chiaro. Non poteva servirsi con dignità di quel testamento disonorante per la
nonna nella forma e nella sostanza, nel sospetto che ge-
nerava, considerata la lettera, di una soppressione de-
littuosa; poco onorevole anche per suo padre. No, mai.
Conveniva dire al professore di bruciar tutto. Cosí, signora nonna, trionferò di te; facendoti grazia della roba e dell'onore senza curarmi di dirtelo! Assaporandosi
questo proposito, Franco si sentí quasi alzar da terra, respirò a pieni polmoni, contento di sé come un principe,
illuminato e pacificato nell'anima da un sentimento misto
di generosità e d'orgoglio. Malgrado tutta la sua fede e
le sue pratiche cristiane, egli era lontanissimo dal sospettare che un tale sentimento non fosse interamente
buono e che una magnanimità meno conscia di se stessa
sarebbe stata piú nobile.

Si lasciò cadere sulla spalliera della poltrona, disposto,
meglio che prima nol fosse, al riposo, pensando tranquillamente alle cose lette, alle cose udite, come uno che
per poco non si è lasciato prendere in una speculazione
rischiosa e ne considera le angustie, i guai evitati per
sempre. Avveniva pure in fondo all'anima sua un som-
movimento di vecchie memorie. Gli tornò a mente la
storia di un certo discorso fatto da una vecchia cameriera sulla ricchezza di casa Maironi che sarebbe stata
rubata ai poveri. Egli era bambino, allora, e la donna

non s'era fatta riguardo di parlare in presenza sua. Ma il bambino ne aveva riportato una impressione profonda, risvegliatagli piú tardi, a mezza l'adolescenza, da un certo prete che gli avea raccontato in aria di segreto, con solennità e forse non senza intenzione, come la roba Maironi provenisse da una lite vinta, contro giustizia, all'Ospitale Maggiore di Milano.

"Cosí per me" pensò Franco "tutto è ritornato al diavolo."

Gli venne in mente che potesse esser tardi, riaccese il lume e guardò l'orologio. Erano le tre e mezzo. Oramai gli sarebbe stato impossibile di riposare. Era troppo vicino il momento di ritrovarsi con Luisa, la sua immaginazione era troppo accesa. Ancora un'ora e mezzo! Egli guardava l'orologio tutti i momenti; questo benedetto tempo non passava mai. Prese un libro e non poté leggere. Aperse la finestra; l'aria era mite, il silenzio profondo, il lago chiaro verso il San Salvatore, il cielo stellato. A Oria si vedeva un lume. Il suo destino era forse di vivere colà, in casa dello zio. Si mise, guardando distrattamente il punto luminoso, a immaginar l'avvenire, fantasmi che sempre mutavano. Verso le quattro e mezzo udí un tocco di campanello al piano inferiore, e poco dopo, il Pinella venne ad avvertirlo a nome del padrone, che, *se voleva far la salita del Boglia*, era tempo di mettersi in cammino. Il padrone aveva un gran dolor di capo e non poteva muoversi, né riceverlo. Franco cercò sulla scrivania un pezzo di carta e vi scrisse:

« *Parce mihi, domine, quia brixiensis sum.* »

Poi uscí, fu accompagnato dal Pinella col lume fino al sottoportico tenebroso dove mette capo la strada di Castello e scomparve.

La marchesa Orsola suonò il campanello alle sei e mezzo e ordinò alla cameriera di portare il solito cioccolatte. Ne inghiottí una buona metà e poi domandò con tutta flemma a che ora don Franco fosse ritornato.

« Non è ritornato, signora marchesa. »
Le viscere della vecchia dovettero turbarsi un poco,
ma neppure un muscolo del suo viso si mosse. Ella posò le labbra sull'orlo della tazza di cioccolatte, guardò
la cameriera e disse pacatamente:
« Portatemi uno di quei biscottini di ieri. »
Verso le otto la cameriera ritornò per annunciarle che
don Franco era venuto e non aveva fatto che salire in
camera, pigliarvi il suo passaporto, ridiscendere e inca-
ricare il cameriere di trovargli un barcaiuolo che lo con-
ducesse a Lugano. La marchesa non fiatò, ma più tardi
mandò ad avvertire il suo confidente Pasotti che lo aspettava. Pasotti capitò subito e si trattenne con lei una
buona mezz'ora. La dama voleva assolutamente sapere
dove e come suo nipote avesse passata la notte. Pasotti
aveva già raccolte e poté offrire certe voci vaghe intorno a una visita notturna di don Franco in casa Rigey;
ma si desideravano notizie esatte e sicure. Il sagace Tartufo, curioso per natura come un bracco che va fiutando
tutte le puzze, ficcando il muso in tutti i buchi e stro-
finandolo a tutti i calzoni, promise di fornirle alla signora marchesa dentro un paio di giorni, e se n'andò
con gli occhi scintillanti, fregandosi le mani nell'aspettazione di una piacevole caccia.

V. Il « Bargnìf » all'opera

La mattina seguente, Pasotti, preso il caffè e latte e
meditato il piano di caccia fino alle dieci e mezzo, fece
venire la signora Barborin, che dormiva in un'altra camera perché al Controllore, ella lo chiamava umilmente
cosí, dava noia il suo russare. « El ga reson » diceva la
povera sorda, « l'è on gran malarbetto vizi che goo. »
Ella era più vecchia di suo marito, lo aveva sposato in
seconde nozze, per tenerezza di cuore, portandogli alcu-

ni quattrini cui egli aveva mirato da un pezzo e che ora si godeva. Il Controllore le voleva bene a modo suo, la costringeva a visite, a gite in barca, a passeggiate sui monti, ch'erano un supplizio per lei, si burlava della sua sordità, la mandava fuori coperta di seta e di piume e in casa la faceva lavorare come una fantesca. Malgrado tutto ella riveriva e serviva « el Controlòr » come una schiava, con gran timore eppure non senza affetto. Quando non lo chiamava « el Controlòr » lo chiamava « Pasott ». Mai non si permise appellativi piú familiari.

Pasotti le ordinò a gesti, con una faccia dura da satrapo, di levar dal cassettone una camicia di bucato, dall'armadio un abito di mezza gala, da un canterano un paio di stivali; e quando sua moglie, frugando di qua e di là, trepidando, voltandosi ogni momento per seguir gli occhi e i gesti del padrone, pigliandosi spesso della bestia e spalancando allora la bocca per cercar di udire la parola veduta, ebbe approntato ogni cosa, Pasotti cacciò le gambe dal letto e disse:

« Togli. »

La signora Barborin gli s'inginocchiò davanti e cominciò a tirargli su le calze, mentre il Controllore, allungata la mano al tavolino da notte, si pigliò la tabacchiera e, apertala, continuò, con due dita affondate nel tabacco, le meditazioni di prima. Intendeva di fare alcune visite di esplorazione, ma in quale ordine? A quanto gliene aveva detto il suo mezzadro, pareva che la Marianna del signor Giacomo Puttini e forse il signor Giacomo stesso dovessero saper qualche cosa di don Franco; e qualche cosa certo se ne doveva sapere a Castello. Mentre la signora Barborin gli allacciava il secondo legaccio, Pasotti si ricordò ch'era martedí. Il signor Giacomo andava ogni martedí con altri amici al mercato di Lugano e piú propriamente alla trattoria del Lordo, con lo scopo di interpolare un bicchiere settimanale di vin pretto al vin Grimelli quotidiano; e ritornava spesso a casa in una disposizione affettuosa e sincera. Conveniva dun-

que andare da lui sul tardi, fra le quattro e le cinque.
Pasotti si figurava già di tenerselo fra le unghie, di maneggiarlo a sua posta. Alzò le dita dalla tabacchiera con
un sorriso maligno, e scosso giú, a colpettini misurati,
il soverchio della presa, se la fiutò a suo grande agio,
si fece dar il fazzoletto dalla moglie e la ricompensò
borbottando con una faccia benigna, nel raggomitolar
il fazzoletto: « Povera donna! Povera diavola! ».
Infilato e abbottonato l'abito dopo mezz'ora di lavoro,
esclamò sul serio: « Corpo, che fatica! » e andò allo
specchio. Sua moglie osò allora di svignarsela alla sorda,
sí, ma non alla muta, e disse timidamente:
« Vado, neh? »
Pasotti si voltò accigliato, imperioso, le accennò col dito
di venir da lui e le disegnò sopra e intorno alla persona,
con quattro colpi di mimica, un cappello e uno scialle.
Ella lo guardava a bocca aperta, non capiva; gli puntò
l'indice al petto, interrogandolo con gli occhi, con le
sopracciglia inarcate, come se dubitasse che questa roba
occorresse a lui; al che il Pasotti rispose allo stesso modo con tre puntate d'indice: « tu, tu, tu ». Poi, menando in taglio la mano distesa, le significò che doveva
uscir di casa con lui. Ella ebbe due o tre sussulti di
sorpresa e di protesta, allargò gli occhi smisuratamente e
domandò con quella voce che pareva venire dalla cantina:
« Dove? »
Il Controllore non rispose che con un'occhiata fulminea
e un gesto: *marche!* Non voleva dare altre spiegazioni.
La signora Barborin si dibatté ancora un poco.
« Non ho ancora fatto colazione » diss'ella. Suo marito
la prese per le spalle e, tiratala a sé, le gridò in bocca:
« La farai dopo. »
Solo ad Albogasio Inferiore, sul sagrato dell'Annun-
ziata, le fece sapere, indicando il luogo con la mazza,
che andavano a Cadate, alla deserta vecchia casa signorile piantata nel lago fra Casarico ed Albogasio e detta

popolarmente « el Palazz » dove vivevano solitari, nelle stanzette dell'ultimo piano, il prete don Giuseppe Costabarbieri e la sua serva Maria, detta la Maria del Palazz. Pasotti che li conosceva pronti ambedue a tender gli orecchi ma cauti assai nel parlare, desiderava tastarli uno per volta, senza parere, e, se trovasse molle, dare una strizzatina. Aveva preso seco la moglie perché gli giovasse in questa delicata bisogna dell'uno per volta; e lei, povera innocentona, gli trotterellava dietro a passettini corti giú pei centoventinove scalini che chiamano la Calcinera, senza sospetto della perfida parte che avrebbe fatto.

Il lago era quieto come un olio e don Giuseppe, un bel pretazzuolo, piccolo, grosso, dai capelli bianchi e dalla faccia vermiglia, dagli occhietti lucenti, se ne stava presso al fico del suo giardino con un cappello di paglia nero in capo e un fazzoletto bianco al collo, a pescare i cavedini, certi cavedinacci di libbra, vecchioni e furbacchioni, che si vedevano aggirarsi lí sotto per amor de' fichi, lenti lenti, curiosi e cauti come il prete e la serva. Costei, chi sa dove fosse. Pasotti, trovata aperta la porta di strada, entrò, chiamò don Giuseppe, chiamò Maria. Poiché nessuno rispondeva, piantò sua moglie sopra una seggiola e discese in giardino, andò diritto al fico dove don Giuseppe, al vederlo, fu preso da un accesso di convulsioni cerimoniose. Buttò via la canna da pescare e gli andò incontro vociferando: « Oh Signor, oh Signor! Oh poer a mi! In sto stat chí! Car el me scior Controlòr! Andem sü! Andem sü! Car el me scior Controlòr! In sto stat chí! Ch'el scüsa tant, neh! Ch'el scüsa tant! ». Ma Pasotti non voleva saperne di « andar su »; voleva a forza restar lí. Don Giuseppe si mise a vociare: « Maria! Maria! ». Ecco il faccione della Maria ad un finestrino dell'ultimo piano.

Don Giuseppe le gridò di portar giú una seggiola. Allora il signor Controllore rivelò la presenza di sua moglie, onde il faccione scomparve e don Giuseppe ebbe un altro accesso.

« Comè? Comè? La sciora Barborin? L'è chi? Ah· Signor! Andem sü! » E si mosse con un impeto di ossequio, ma Pasotti lo ridusse all'obbedienza, prima trattenendolo addirittura per le braccia e poi protestando di volergli veder prendere due o tre di quei mostri di cavedini; e don Giuseppe, per quanto protestasse alla sua volta « Oh dess! Se ciapa nient! Hin baloss! Hin caveden! *ga veden!* », dovette gittar l'amo. Pasotti finse sulle prime di star attento e poi gittò egli pure il suo.

Cominciò con domandare a don Giuseppe da quanto tempo non fosse andato a Castello. Udito che vi era stato il giorno prima a salutar l'amico curato Introini, il buon Tartufo, che non poteva soffrire l'Introini, si mise a farne il panegirico. Che perla quel curato di Castello! Che cuor d'oro! E a casa Rigey c'era andato, don Giuseppe? No, la signora Teresa stava troppo male. Altri panegirici, della signora Teresa e di Luisa. Che rare creature! Che saggezza, che nobiltà, che sentimento! E l'affare Maironi? Andava avanti, non è vero? Molto avanti?

« So nient so nient so nient! » fece bruscamente don Giuseppe.

A quel precipitoso negare, gli occhi di Pasotti brillarono. Egli fece un passo avanti. Era impossibile che don Giuseppe non sapesse niente, diavolo! Era impossibile che non avesse parlato di ciò con l'Introini! Non lo sapeva l'Introini, che don Franco aveva passato la notte in casa Rigey?

« So nient » ripeté don Giuseppe.

Pasotti sentenziò allora che il voler nascondere certe cose note era un far pensar male. Diamine! Don Franco era certamente andato in casa Rigey con fini onestissimi e...

« Pécia, pécia, pécia! » fece sottovoce, frettolosamente, don Giuseppe curvandosi tutto sul parapetto, stringendo la canna della lenza e ficcando gli occhi nell'acqua come se un pesce fosse per abboccare. « Pécia! »

Pasotti guardò anche lui nell'acqua, seccato, e disse che non vedeva niente.

« El se l'è cavada, el pütasca, ma el gaveva propri su el müson; l'avarà sentí a spongg » fece sospirando e raddrizzandosi don Giuseppe che intanto, avendo sentito egli pure il punger dell'amo, cercava di cavarsela come il pesce.

L'altro ritornò all'assalto, ma invano. Don Giuseppe non aveva veduto niente, non aveva udito niente, non aveva parlato di niente, non sapeva niente. Pasotti tacque e il prete non tardò molto a metter fuori anche lui una punta di timida malizia:

« Bochen propri minga, incœu, non boccano: gh'è come vent in aria. »

Intanto, in casa, il dialogo fra la Maria e la signora Barborin, dopo il primo affettuoso scambio di saluti riuscito benissimo, procedeva malissimo. La Maria propose, a gesti, di scendere in giardino, ma la Pasotti implorò a mani giunte d'esser lasciata sulla sua seggiola. Allora la grossa Maria prese un'altra seggiola, le si pose accanto, cercò rivolgerle qualche parola, e non arrivando, per quanto vociasse, a farsi intendere, vi rinunciò, si prese il suo gattone in grembo e parlò a quello.

La povera signora Barborin, rassegnata, guardava il gatto con i suoi grandi occhioni neri, velati di vecchiaia e tristezza. Ecco finalmente Pasotti, ecco don Giuseppe che ricomincia a sbuffare:

« Ah Signor! Cara la mia sciora Barborin! Che la scüsa tant! » Avendo la Maria confessato al « scior Controlòr » che sua moglie e lei non erano riuscite a capirsi, il padrone le diede, per ossequio alla Pasotti, del « salamm » e poiché ella voleva pur difendersi, la fece prudentemente chetare con un imperioso agitar di mano e un « ta ta ta ta! ». Poi le accennò misteriosamente del capo ed ella uscí. Pasotti le tenne dietro e le disse che sua moglie, dovendo recarsi a visitare i Rigey e non sapendo, per le voci che correvano, come regolarsi, desiderava qualche informazione dalla Maria, perché « la Maria sa sempre tutto ».

« Quante chiacchiere! » fece la Maria, lusingata. « Io non so mai niente. Sa da chi deve andare la Sua "sciora"? Dal signor Giacomo Puttini. È il signor Giacomo che le sa tutte. »

"Bene!" pensò Pasotti collegando questo discorso con quello del mezzadro e fiutando una buona traccia. Fece in pari tempo una spallata d'incredulità. Il signor Giacomo sapeva forse le cose che succedevano nel mondo della luna, ma basta; altro non sapeva mai! La Maria insistette, il volpone cominciò a lavorar di domande, alla lontana, con cautela, ma trovò duro, capí ch'era fatica gittata e che doveva accontentarsi di quell'accenno. Allora tacque, ritornò, tra soddisfatto e preoccupato, nella stanza dove don Giuseppe stava spiegando alla signora Barborin, con gesti appropriati, che la Maria le avrebbe portato qualche cosa da mangiare. La donna comparve infatti con un certo vaso quadrato di vetro, pieno di ciliege allo spirito, speciale e celebrata cura di don Giuseppe che soleva presentarlo agli ospiti con solennità, parlando il suo particolare italiano: « Posso fare un poco di sporgimento? Quattro delle mie ciliege? Magara con un tocchello di pane? Maria, tajee giò on poo de pan ».

La signora Barborin pigliò solamente il pane per consiglio del mefistofelico marito che pigliò solamente le ciliege. Poi se ne andarono insieme ed ella ebbe licenza di ritornare ad Albogasio mentre il Controllore prese la via di casa Gilardoni.

« L'è on bargníf, el scior Pasotti » disse la Maria quand'ebbe dato il chiavistello all'uscio di strada.

« L'è on bargnifòn, minga on bargníf » esclamò don Giuseppe, pensando all'amo. E con quell'appellativo di « bargníf » che designa il diavolo considerato nella sua astu-

104

zia, le due mansuete creature si sfogarono, si ripagarono di tanta roba data malvolentieri, cerimonie, sorrisi e ciliege.

Il professor Gilardoni stava leggendo sul suo belvedere dell'orto, quando vide Pasotti che veniva dietro il Pinella, fra le rape e le barbabietole. Non sentiva simpatia per il Controllore col quale aveva scambiato un paio di visite in tutto e che aveva fama di « tedescone ». Però, essendo inclinato a pensar bene di tutti coloro che conosceva poco, non gli pesava usare anche con lui la cortesia cordiale ch'era solito usar con tutti. Gli andò incontro col suo berretto di veiuto in mano, e dopo una scaramuccia di complimenti in cui Pasotti ebbe facilmente la meglio, ritornò insieme a costui sul belvedere.

Pasotti, dal canto suo, sentiva per il professore Gilardoni un'antipatia profonda, non tanto perché lo sapesse liberale, quanto perché il Gilardoni, quantunque non andasse a messa come lui, viveva da puritano, non amava la tavola né la bottiglia né il tabacco né certi discorsi liberi, e non giuocava a tarocchi. Discorrendo una sera nell'orto con don Franco delle solenni scorpacciate e trincate che Pasotti e gli amici suoi facevano spesso alle cantine di Bisgnago, il professore aveva detta una parola severa ed era stato udito dal curatone, uno dei mangiatori, che passava in barca rasente i muri, piano piano, pescando. « Villanaccio! » aveva esclamato, all'udirselo riferire, il Controllore gentilissimo con una faccia da « bargnif » bilioso; aveva poi fatto tener dietro alla parola un ringhio spregiativo e uno sputo. Ciò non gl'impedí però adesso di stemperarsi in iscuse per avere indebitamente ritardata la sua visita, come non gl'impedí di sbirciar subito il volume posato sul tavolino rustico del belvedere. Il Gilardoni notò quell'occhiata e siccome si trattava di un libro proibito dal Governo, appena avviata la conversazione, lo prese quasi per istinto e se lo tenne sulle ginocchia in modo che colui non potesse leggerne il titolo. Questa precauzione turbò Pasotti che stava magnificando la villetta e l'orto in tutte le loro parti col tono appropriato a ciascuna, le barbabietole con amabile familiarità, le agavi con ammirazione grave e accigliata. Un lampo di sdegno gli brillò negli occhi e si spense subito.

« Fortunato Lei! » diss'egli sospirando. « Se i miei affari lo permettessero, vorrei vivere anch'io in Valsolda. »

« È un paese di pace » fece il professore.

« Sí, è un paese di pace; e poi adesso, nelle città, chi ha servito il Governo, è inutile, non si trova bene. La gente non sa distinguere fra un buon impiegato che si occupi solamente del proprio ufficio come ho fatto io, e un poliziotto. Siamo esposti a certi sospetti, a certe umiliazioni... »

Il professore diventò rosso e si pentí d'aver levato il libro dal tavolino. Davvero Pasotti, malgrado le sue smancerie di umiltà, era troppo orgoglioso per far mai la spia, e sia per questo, sia per qualche buona fibra del suo cuore, mai non la fece. Vi fu dunque nelle sue parole un grammo di sincerità, un grammo d'oro che bastò a dar loro il suono del buon metallo. Il Gilardoni ne fu tocco, offerse al suo visitatore un bicchier di birra e si affrettò a scendere in cerca di Pinella onde aver un pretesto di lasciar il volume sul tavolino.

Appena partito il professore, Pasotti ghermí il libro, gli diede una curiosa occhiata, lo rimise a posto e si piantò in capo. alla scala con la tabacchiera aperta in mano, frugando nel tabacco e sorridendo, tra l'ammirazione e la beatitudine, ai monti, al lago, al cielo. Il libro era un Giusti, stampato colla falsa data di Bruxelles, anzi di *Brusselle* e con il titolo « Poesie italiane tratte da una stampa a penna ». In un angolo del frontespizio si leggeva scritto per isghembo: « Mariano Fornic ». Non occorreva l'acume di Pasotti per indovinar subito in quel nome eteroclito l'anagramma di Franco Maironi.

« Che bellezza! Che paradiso! » diss'egli a mezza voce mentre il professore saliva la scala seguito dal Pinella con la birra.

Confessò poi, tra un sorso e l'altro, che la sua visita era un pochino interessata. Si disse innamorato della muraglia fiorita che sosteneva l'orto Gilardoni a fronte del lago, e desideroso di imitarla ad Albogasio Superiore dove, se il lago mancava, i muri nudi eran troppi. Come s'era procurato il professore quelle agavi, quei capperi, quelle rose?

« Ma! » rispose candidamente il professore. « Me li ha donati Maironi. »

« Don Franco? » esclamò Pasotti. « Benissimo. Allora, siccome don Franco ha molta bontà per me, mi rivolgerò a lui. »

E trasse la tabacchiera. « Povero don Franco! » diss'egli, guardando il tabacco e palpandolo con la tenerezza di un bargníf commosso. « Povero figliuolo! Qualche volta si riscalda ma è un gran buon figliuolo! Gran bel cuore! Povero figliuolo! Lei lo vede spesso? »

« Sí, abbastanza. »

« Almeno potesse riuscire nei suoi desideri, povero figliuolo! Lo dico per lui e anche per lei. Non sarà mica una cosa sfumata? »

Pasotti disse questa interrogazione da grande artista, con interesse affettuoso ma discreto, senza esprimere piú curiosità che non convenisse, volendo ungere e ammollire un poco il cuore chiuso del Gilardoni onde si aprisse, poco a poco, da sé. Ma il cuore del Gilardoni, invece di aprirsi a quel tocco delicato, si contrasse, si rinchiuse.

« Non lo so » rispose il professore sentendosi, con dispetto, diventar rosso; e diventò scarlatto. Pasotti notò subito nel suo taccuino mentale la risposta imbarazzata e il colore. « Farebbe male » diss'egli « ad abbandonare la partita. La marchesa si capisce che abbia delle difficoltà, ma poi è buona, gli vuole un gran bene. Ha preso una paura, l'altra notte, povera donna! »

Guardò il professore che taceva inquieto, accigliato, e pensò: non parli? allora sai. « Capisce! » riprese. « Non dire dove si va! Non Le pare? »

« Ma io non so niente, io non capisco niente! » esclamò il Gilardoni, sempre piú accigliato, sempre piú inquieto.

Qui Pasotti sapendo che il professore aveva cessato da lungo tempo di visitare le Rigey e ignorandone la cagione, arrischiò un passo avanti, da bargníf novizio.

« Bisognerebbe domandarne a Castello » diss'egli con un sorriso malignetto.

A questo punto il Gilardoni, che già bolliva, traboccò.

« Mi faccia il piacere » diss'egli impetuosamente, « lasciamo stare questo discorso! »

Pasotti si rabbuiò. Cerimonioso, adulante, sdolcinato, non era però mai disposto, nell'orgoglio suo, a prendersi pacificamente in faccia una parola spiacevole, e s'impermaliva d'ogni ombra. Non parlò piú, e passato un paio di minuti prese congedo con dignitosa freddezza, si ritirò masticando rabbia attraverso le barbabietole e le rape. Quando si trovò da capo nella contrada dei Mal'ari, il bargníf stette un pezzetto a pensare col mento in mano, poi si avviò verso la riva di Casarico, a passi lenti, molto curvo, ma con gli occhi brillanti del barbone che ha fiutato in aria l'indirizzo recondito di un tartufo. Le spaventate difese di don Giuseppe, le difese ostinate della Maria, l'imbarazzo e lo scatto del professore gli dicevano che il tartufo c'era e grosso. Gli era venuta l'idea di andare a Loggio dove abitavano il Paolin e il Paolon, gente bene informata; poi aveva pensato ch'era martedí e che probabilmente non li avrebbe trovati. No, era meglio salir direttamente da Casarico a Castello, fiutare e frugare nell'abitazione di certa signora Cecca, ottima donna, tutta cuore, famosa per l'assidua vigilanza che esercitava dalle sue finestre, per mezzo di un formidabile cannocchiale, sulla Valsolda intera. Ella poteva dire ogni giorno chi fosse andato a Lugano col barcaiuolo Pin o col barcaiuolo Panighèt, notava i colloqui del povero Pinella con una certa Mochèt sul sagrato di Albogasio, lontano un chilometro; sapeva in quanti giorni il signor ingegnere Ribera avesse bevuto il bariletto di vino che la sua barca riportava vuoto dalla casa d'Oria alla cantina di S. Margherita. Se Franco era stato in casa Rigey, la signora Cecca doveva saperlo.

Nel sottoportico che da Casarico mette alla stradicciuola di Castello, Pasotti si sentí venir dietro a precipizio qualcuno che gli passò accanto nel buio, e credette di conoscere un tale detto « légura fügada (lepre cacciata) » per la sua andatura sempre furiosa. Era costui un egregio galantuomo ancor piú curioso di Pasotti, un'ottima persona che amava di saper le cose semplicemente per saperle, senz'altri fini, e andava sempre solo, si trovava dappertutto, compariva e scompariva in un baleno, quando in un luogo quando nell'altro, come certi insettoni alati che dànno un guizzo, un frullo, un colpo e poi, zitti, non si odono, non si vedono piú sino a un altro guizzo, a un altro frullo, a un altro colpo. Egli aveva scorti i Pasotti entrare al « Palazz » e si era insospettito di qualche cosa per l'ora insolita. Appiattato in un campiello aveva visto la signora Barborin ritornare e il Controllore avviarsi a Casarico, quindi, seguito costui alla lontana, s'era appostato, durante la sua visita al Gilardoni, dietro un pilastro del portico di Casarico; e ora gli era scivolato accanto approfittando della oscurità per correre a Castello e aspettarlo, sorvegliarlo da qualche buon posto di osservazione. Lo vide infatti entrare dalla signora Cecca.

La vecchia e gozzuta signora stava nel suo salotto tenendosi in collo un marmocchio col braccio sinistro e reggendo con la mano libera uno sperticato tubo di cartone infilato per isghembo nella finestra, come una spingarda, con la mira giú al lago scintillante, a una vela bianca, gonfia di *breva*. All'entrar di Pasotti che veniva avanti con la persona inclinata, con il cappello in mano, con un viso ilare ilare, dolce dolce, la buona ospitale donna posò in fretta quel lungo naso mostruoso di cartone che le piaceva metter nelle faccende piú lontane degli altri, dove il suo proprio naso di cartapecora, benché smisurato, non arrivava. Ell'accolse il Controllore, come avrebbe accolto un Santo taumaturgo che fosse venuto a portarle via il gozzo.

« Oh che brao scior Controlòr! Oh che brao scior Controlòr! Oh che piasè! Oh che piasè! »

E lo fece sedere, lo soffocò di offerte.

« On poo de torta! On poo de crocant! Car el me scior Controlòr! On poo de vin! On poo de rosoli! – Ch'el me scüsa neh » soggiunse perché il marmocchio s'era messo a miagolare. « L'è el me nevodin, neh. L'è el me biadeghin. »

Pasotti fece molte cerimonie, avendo già nello stomaco, oltre alle ciliege di don Giuseppe, anche la birra del Gilardoni; ma dovette finire con rassegnarsi a rosicchiare una dannata torta di mandorle, mentre il piccino si attaccava al gozzo della nonna.

« Povera signora Cecca! Due volte madre! » disse pateticamente, a quella vista, il sarcastico bargníf, ridendo nello stomaco. Dopo averle chiesto notizie del marito e dei discendenti fino alla terza generazione, mise in campo la signora Teresa Rigey. Come stava quella povera donna? Male! Proprio tanto male? Ma da quando? E c'era stata qualche cagione? Qualche commozione? Qualche dispiacere? Gli antichi si conoscevano, ma ce n'erano stati dei nuovi? Forse per la Luisina? Per quel matrimonio? E don Franco non veniva mai a Castello? Di giorno, no, va bene; ma...?

Come quando il chirurgo va interrogando e tastando un paziente in cerca dell'occulto posto doloroso, che il paziente risponde tanto piú breve e trepido quanto piú la mano indagatrice si appressa al punto e, appena essa vi arriva, trasalendo si sottrae; cosí la signora Cecca andò rispondendo al Pasotti sempre piú breve e cauta, e a quel *ma*, posto delicatamente dove le doleva, scattò:

« On poo de torta ancamò! Scior Controlòr! L'è roba d'i tosann! »

Pasotti sacramentò in cuor suo contro i « tosann » e la loro torta di miele, creta e olio di mandorle, ma credette utile d'ingoiarne un altro boccone e tornò poi a toccare, anzi a premere, il tasto di prima.

« So de nagott, so de nagott, so de nagott! » esclamò la signora Cecca. « Ch'el prœuva a ciamagh al Pütin! Al scior Giacom! E a mi ch'el me ciama pü nient! » Ancora! Pasotti brillò in viso all'idea di avere il malcapitato sior Zacomo nelle granfie. Cosí brillerebbero gli occhi di un falco allegro all'idea di ghermir un ranocchio e di tenerselo fra gli artigli per giuoco e spasso. Egli se ne andò poco dopo, contento di tutto fuorché della torta di creta che aveva sullo stomaco.

Casa Puttini, simile nella sua piccola faccia signorile al piccolo vecchio padrone che la governava in abito nero e cravattone bianco, stava poco piú giú della orgogliosa mole di casa Pasotti, sulla via di Albogasio Inferiore. Il falco vi andò dopo pranzo, verso le cinque, con una faccia maligna. Bussò all'uscio e stette in ascolto. C'era, c'era il ranocchio disgraziato; litigava, secondo il solito, con la perfida servente. Pasotti bussò piú forte. « Verzí! » disse il signor Giacomo; ma la Marianna non voleva saperne di scendere ad aprire. « Verzí! Verzí! Son paron mi! » Tutto inutile. Pasotti bussò da capo, picchiò come una catapulta. « Chi xelo sto maledeto? » vociferò il Puttini; e venne giú soffiando « apff! apff! » ad aprire.

« Oh, Controllore gentilissimo! » diss'egli, battendo le palpebre e alzando pateticamente le sopracciglia. « La perdona! Quela fatal servente! No go piú testa! No ghe digo gnente cossa che nasse in sta casa. »

« L'è minga vera! » gridò Marianna dall'alto.

« Tasí! » E qui il signor Giacomo incominciò a raccontare i suoi guai, rimbeccando a ogni tratto le proteste della serva invisibile.

« Stamatina, La s'imagina, vado a Lugan. Vegno a casa zirconzirca a le tre. Su la porta, La varda qua, ghe xe de le giozze. Tasí! – No ghe bado, tiro drito. Son sul pato de la scala per andar in cusina; ghe xe de le giozze. Zito! – Cossa gala spanto? digo. Me sbasso, meto un deo in tera; tasto, xe onto; snaso, el xe ogio. Alora ghe vado drio a le giozze. Tasto, snaso, tasto, snaso. Tutto ogio, Controllore gentilissimo. O 'l xe vegnudo, digo, o 'l xe andà via. Se el xe vegnudo lo gà portà el massaro e alora le giozze co semo fora dela porta le gà d'andar in suso, se el xe andà via vol dir che quela maledetissima... La tasa!... lo gà portà vender a San Mamete e alora le giozze le gà d'andar in zoso. E mi torna in drio e vaghe drio a ste giozze e drio e drio, e rivo a la porta; Controllore mio gentilissimo, le giozze le va in zoso. Quela b... »

A questo punto la voce della serva scattò come la sveglia d'un orologio e non ci fu piú « tasí! » che valesse a fermare quello stridente getto continuo di parole rabbiose. Ci si provò Pasotti e, non riuscendo, uscí dai gangheri anche lui con un « O fiolonona! » e proseguí a tirarle improperi, a ciascuno dei quali il signor Giacomo faceva un sommesso accompagnamento di gratitudine. « Sí, linguazza, bravo, ghe son obligà. Sí, stria, bravo. Impiastro, sí signor. Ghe son obligà, Controllore gentilissimo, ghe son propramente obligà. »

Quando la Marianna parve sopraffatta e chetata, Pasotti disse al signor Giacomo che aveva bisogno di parlargli. « No go testa » rispose l'ometto. « La me perdona, me sento mal. »

« Eh *no go tescta, no go tescta*! » vociò la Marianna rediviva. « Ch'el ghe disa inscí ch'el coo el l'avarà perduu a andà de nott a trovà i tosann a Castell! »

« Tasí! » urlò il Puttini; e Pasotti, con un ghigno diabolico: « Come come come? ». Visto ch'egli entravà

112

in furore, lo afferrò per un braccio, con parole di pace e d'affetto, lo trascinò via, se lo portò a casa, chiamò sua moglie; e per chetare il povero ranocchio, per pigliarselo comodamente fra gli artigli, intavolò un tarocchino in tre.

Se la signora Barborin giuocava male, il signor Giacomo, meditando, ponderando e soffiando, giuocava peggio. Era un giuocatore timidissimo, non si metteva mai solo contro gli altri due. Stavolta si trovò in mano, appena seduto, carte cosí straordinarie che fu preso da un accesso di coraggio e, come dice il linguaggio del giuoco, *entrò*. « Chi sa che giuocone ha! » brontolò Pasotti.

« No digo... no digo... ghe xe dei frati che spasseza in pantofole. »

Il « no digo » del signor Giacomo significava ch'egli teneva in mano carte miracolose; e i frati in pantofole erano, nel suo gergo, i quattro re del giuoco. Mentre si accingeva a giuocare palpando ciascuna carta e aguzzandovi gli occhi su, Pasotti colse il suo momento, sperando, per giunta, fargli perdere il giuoco. « Dunque » diss'egli « mi racconti un poco. Quando è andato a Castello di notte? »

« Oh Dio, oh Dio, lassemo star » rispose il signor Giacomo, rosso rosso, palpando le carte piú che mai.

« Sí, sí, adesso giuochi. Parleremo dopo. Tanto, io so tutto. »

Povero signor Giacomo, sí, giuocare con quello spino in gola! Palpò, soffiò, uscí dove non avrebbe dovuto, sbagliò a contare i tarocchi, perdette un paio di frati con le relative pantofole, e malgrado il *giuocone*, lasciò alcune marchette negli artigli di Pasotti che ghignava e nel piattino della signora Barborin che ripeteva a mani giunte: « Cos'ha mai fatto, signor Giacomo, cos'ha mai fatto? ».

Pasotti raccolse le carte e si mise a scozzarle guardando

con una faccia sardonica il signor Giacomo che non sapeva dove guardare.

« Sicuro » diss'egli. « So tutto. La signora Cecca mi ha raccontato tutto. Del resto, caro deputato politico, Lei ne renderà conto all'I. R. Commissario di Porlezza. »

Cosí dicendo, Pasotti porse il mazzo al Puttini perché alzasse. Ma il Puttini, udito quel nome minaccioso, si mise a gemere:

« Oh Dio, oh Dio, cossa disela, no so gnente... oh Dio... l'Imperial Regio Commissario?... Digo... no savaria per cossa... apff! »

« Sicuro! » ripeté Pasotti. Aspettava una parola che gli facesse un po' di lume; e significò a sua moglie, additando col pollice prima l'uscio e poi la propria sua bocca, che andasse a pigliar da bere.

« Anca quel benedeto ingegner! » esclamò, quasi parlando tra sé, il signor Giacomo.

Come un pescatore raccoglie stentatamente a sé la lunga lenza pesante, scossa, egli crede, dal grosso pesce lungamente insidiato, e tira e tira e finalmente scorge venir su dal fondo due grandi ombre di pesci invece d'una sola, palpita, raddoppia di cautela e d'arte; cosí Pasotti, all'udir nominare l'ingegnere, si meravigliò, palpitò e si dispose a estrarre con la piú squisita delicatezza di mano il segreto del signor Giacomo e del Ribera.

« Sicuro » diss'egli. « Ha fatto male. »

Silenzio del signor Giacomo.

Pasotti insistette:

« Ha fatto malissimo. »

Ecco la signora Barborin che tutta sorridente porta vassoio, bottiglia e bicchieri. Il vino è rosso cupo, con trasparenze di rubino in corpo e il signor Giacomo gli fa un viso non ancora tenero ma benevolo. Il vino ha un aroma di austera virtú ed il signor Giacomo lo fiuta amorosamente, lo guarda commosso, lo torna a fiutare. Il vino ha una pastosa pienezza ch'empie palato e anima di sapore, il vino è appunto quel giusto, virtuoso amarone che l'aroma annuncia e il signor Giacomo lo sorseggia nel desiderio che non sia liquido e fuggevole, lo mastica, lo pacchia, se lo spalma per la bocca; e quando di tanto in tanto posa il bicchiere sul tavolino, non lo lascia però né con la mano né con gli occhi imbambolati.

« Povero ingegnere!.» esclamò Pasotti. « Povero Ribera! È un buon galantuomo, ma... »

E tira e tira, il disgraziato signor Giacomo cominciò a venir su, dietro all'amo e al filo.

« Mi propramente » diss'egli « no volea. El me gà fato zo. – Vegní, el dise; percossa mo no volío vegner? Mal no se fa, la cossa xe onesta. Sí, digo, me par anca a mi; ma sto secreto! Ma! La nona! el dise. Capisso, digo, ma no me comoda. Gnanca a mi, el dise. Ma alora, digo, che figura fémoi, Ela e mi? Quela del m..., el dise con quel so far de bon omo a la vecia, che cossa vorla?, el xe propramente per el mio temperamento. Alora vegno, digo. »

Qui si fermò. Pasotti aspettò un poco e poi, con prudenza, tirò il filo. « Il male si è » diss'egli « che a Castello se ne sia parlato. »

« Sí signor; e me lo son imaginà. Tase la famegia, tase l'ingegner, taso mi che s'intende, ma no taserà el piovan, no taserà el nonzolo. »

Il parroco? Il sagrestano? Adesso Pasotti capí. Trasecolò; non si aspettava un affare cosí grosso. Versò da bere al malcapitato signor Giacomo, gli cavò facilmente tutti i particolari del matrimonio e cercò di cavargli pure i progetti degli sposi; ma questo non gli riusciva. Si mise a scozzar le carte per continuare il giuoco e il signor Giacomo guardò l'orologio, trovò che mancavano nove minuti alle sette, ora in cui era solito caricare il suo pendolo. Tre minuti di strada, due minuti di scale, non aveva piú che quattro minuti per congedarsi. « Controllore gentilissimo, La ghe fazza el conto, la xe cussí, no ghe xe ponto de dubio. »

La signora Barborin, vedendo un contrasto, ne domandò a suo marito. Pasotti si accostò le mani alla bocca e le gridò sul viso: « El vœur andà a trovà la morosa! ». « Cossa mai! Cossa mai! » fece il povero signor Giacomo diventando di tutti i colori; e la Pasotti che per un miracolo aveva udito, aperse una bocca smisurata, non sapeva se dovesse credere o no. « La morosa? Oh! Quanti ciàcer! Minga vera, sür Giacom, che hin ciàcer? El podaríss ben avèghela, per quell, disi minga, l'è minga vècc, ma insomma! » Capito che voleva proprio andarsene, cercò trattenerlo, aveva dei marroni di Venegono che stavan cuocendo, li offerse. Ma né i marroni né gl'improperi di Pasotti valsero a vincere il signor Giacomo che partí con lo spettro dell'I. R. Commissario nel cuore e insieme con una sensazione molesta nella coscienza, con un vago malcontento di sé ch'egli non sapeva spiegare a se stesso, col dubbio istintivo che le ingiurie della perfida servente fossero preferibili, in fin de' conti, alle moine di Pasotti.

Invece costui aveva gli occhi ancora piú brillanti dell'usato. Pensava di andar a Cressogno subito. Camminatore instancabile, contava di potervi arrivare alle otto. L'idea di andare dalla marchesa con la sua grossa scoperta *in pectore*, di fare il misterioso, di metter fuori un po' alla volta le paroline piú suggestive e di farsi strappare il resto, lo divertiva moltissimo. E preparava già per il proprio piacere un discorsetto blando, ammolliente, da posare poi sulla ferita della impassibile dama per modo ch'ella non potesse dissimularla e che nessuno avesse a lagnarsi di lui, neppure Franco. Andò in cucina, si fece accendere la lanterna perché la notte era molto scura, e partí.

Incontrò sulla porta il suo mezzadro ch'entrava. Il mezzadro lo salutò, portò in cucina un gran canestro di frutta, aiutò la serva a metterle a posto, sedette al fuoco e disse placidamente:

« È mort adess la sciora Teresa de Castell. »

VI. *La vecchia signora di marmo*

L'uscio si aperse un poco, pian piano, la fantesca porse il capo nella camera e chiamò Franco che pregava inginocchiato a una seggiola, presso il letto della morta. Franco non udí e fu Luisa che si alzò. Andò ad ascoltar la sommessa richiesta della donna, le rispose qualche cosa e, ritiratasi colei, stette lí ad aspettare. Non comparendo nessuno, spinse l'uscio e disse forte: « Venga, venga dentro ». Un singhiozzo violento le rispose. Luisa stese ambedue le mani e il professor Gilardoni gliele afferrò. Stettero cosí alquanto tempo, immobili, lottando, a labbra serrate, con l'emozione, lui piú di lei. Luisa si mosse la prima, ritirò dolcemente una mano e trasse con l'altra il professore nella camera della morta.

La signora Teresa era spirata in salotto, sulla poltrona che non aveva piú potuto lasciare dopo la notte del matrimonio. L'avevano poi adagiata sul divano disposto a letto funebre. Il dolce viso era là nella luce di quattro candele, cereo, sul guanciale, con un sorriso trasparente dalle palpebre chiuse, con la bocca semiaperta. Il letto e l'abito erano sparsi di fiori d'autunno, ciclamini, dalie, crisantemi. « Guardi com'è bella » disse Luisa con voce tenera e serena da spezzar il cuore. Il professore s'appoggiò singhiozzando a una sedia lontana dal letto. « Lo senti, mamma » disse Luisa sottovoce, « come ti vogliono bene? »

S'inginocchiò, e presa la mano della morta, si mise a baciarla, ad accarezzarla, a dirle dolcezze, piano; poi tacque, posò la mano, si alzò, baciò la fronte, contemplò a mani giunte il viso. Pensò ai rimproveri che la mamma le aveva fatti negli anni andati, dall'infanzia in poi, di cui ella si era risentita amaramente. S'inginocchiò da capo, impresse da capo le labbra sulla mano di ghiaccio con un piú ardente spasimo d'amore che se avesse ricordate le carezze. Poi tolse un ciclamino dalla spalla della morta, si alzò, lo porse al professore. Questi lo prese piangendo, s'accostò a Franco che rivedeva per la prima volta dopo quella notte, l'abbracciò e ne fu abbracciato con una commozione silenziosa, e uscí, in punta di piedi, dalla camera.

Suonarono le otto. La signora Teresa era morta alle sei della sera precedente; in ventisei ore Luisa non aveva mai riposato un momento, non era uscita che quattro o cinque volte, per pochi minuti. Chi usciva spesso e stava fuori anche a lungo, era Franco.

Avvertito segretamente, era giunto a Castello appena in tempo di trovar viva la povera mamma, e tutti i tristi uffici che la morte impone eran toccati a lui, perché lo zio Piero, malgrado i suoi molti anni, non aveva la menoma esperienza di queste cose e vi si trovava impacciatissimo.

Adesso, udite suonar le otto, si avvicinò a sua moglie, la pregò dolcemente di andar a riposare un poco, ma Luisa gli rispose subito in modo da levargli il coraggio d'insistere. Il funerale doveva seguire l'indomani mattina alle nove. Ell'aveva desiderato che si differisse il piú possibile e voleva star con la mamma fino all'ultimo. Vi era nella sua sottile persona una indomita vigoria, eguale a ben altre prove. Per lei la mamma era tutta lí su quel lettuccio, tra i fiori. Non pensava che una parte di lei fosse altrove, non la cercava per la finestra di ponente nelle stelline che tremolavano sopra i monti di Carona. Pensava soltanto che la mamma cara, vissuta da tanti anni per lei sola, non d'altro sollecita in terra che della felicità sua, dormirebbe fra poche ore e per sempre sotto i grandi noci di Looch, nella solitudine ombrosa dove tace il piccolo cimitero di Castello, mentre ella si godrebbe la vita, il sole, l'amore. Aveva risposto a Franco quasi aspramente come se l'affetto del vivo offendesse in qualche modo l'affetto della morta. Poi le parve averlo mortificato, si pentí, gli diede un bacio e sapendo di far cosa a lui grata, di far cosa che la mamma si era certo attesa da lei, volle pregare. Si mise a recitar macchinalmente dei *Pater*, degli *Ave* e dei *Requiem*, senza provarne soddisfazione alcuna, sentendo anzi una segreta contrarietà, uno sgradito disseccarsi del dolore. Ell'aveva praticato sempre ma, spenti i fervori della prima comunione, non aveva piú partecipato con l'anima al culto. Sua madre era vissuta piuttosto per il mondo futuro che per questo, si era governata in ogni azione, in ogni parola, in ogni pensiero secondo quel fine. Le idee e i sentimenti di Luisa, nel suo precoce sviluppo intellettuale, avevano preso un altro corso con la risolutezza vigorosa ch'era del carattere di lei; ella li copriva però di certa dissimulazione, parte conscia, parte inconscia, sia per amore della mamma, sia per la resistenza di germi religiosi seminati dalla parola materna, coltivati dall'esempio, rinvigoriti dall'abitudine. Dai quattordici anni in poi s'era venuta inclinando a non guardare oltre la vita presente, e insieme a non guardare a sé, a vivere per gli altri, per il bene terreno degli altri, però secondo un forte e fiero senso di giustizia. Andava in chiesa, compiva gli atti esterni del culto, senza incredulità e senza persuadersi che facessero piacere a Dio. Aveva confusamente il concetto di un Dio talmente alto e grande che non vi potesse essere contatto immediato fra gli uomini e Lui. Se dubitava qualche volta d'ingannarsi, il suo errore le pareva tale da non poterlo un Dio infinitamente buono punire. Come fosse venuta a pensare cosí, non lo sapeva ella stessa.

L'uscio si aperse ancora, pian piano, una voce sommessa chiamò « il signor don Franco ». Luisa, rimasta sola, cessò di pregare, piegò il capo sul guanciale della mamma, le posò le labbra sulla spalla, chiuse gli occhi raccogliendo in sé la corrente di memorie che veniva da quel tocco, da un odor noto di lavanda. L'abito della mamma era di seta, il suo migliore, un dono dello zio Piero. Ella lo aveva portato una volta sola, qualche anno addietro, andando a visitare la marchesa Maironi. Anche questo pensiero venne coll'odor di lavanda, vennero la-

grime brucianti, acri di tenerezza e di un sentimento
che non era propriamente odio, che non era propriamente collera, ma che aveva un amaro dell'uno e del-
l'altra.

Ell'aveva praticato sempre una, spenti i fervori della
sua comunione, non aveva più partecipato con l'anima

Franco, quando s'intese chiamare, trasalí, ne indovinò subito la cagione. Lo zio Piero aveva scritto, la
mattina per tempo, alla marchesa, annunciandole, in termini semplici ma pieni di ossequio, la morte di sua
sorella; e Franco stesso aveva aggiunto alla lettera dello
zio un biglietto con queste parole: "Cara nonna, mi
manca il tempo di scriverti perché son qui; te lo dirò a
voce domani sera e confido che tu mi ascolterai come mi
avrebbero ascoltato mio padre e mia madre".
Nessuna risposta era ancora venuta da Cressogno. A-
desso un uomo di Cressogno aveva portato una lettera. Dov'è quest'uomo? – Partito; non s'è voluto fermare un momento. – Franco prese la lettera, ne lesse
l'indirizzo: "Al preg. signor ingegnere Pietro Ribera"
e conobbe la mano della figlia del fattore. Salí subito
dallo zio Piero che, stanco, era andato a letto.
Lo zio Piero, quando Franco gli recò la lettera, non
fece atto di sorpresa né di curiosità; disse placidamente:
« Apri. »
Franco posò il lume sul cassettone e aperse la lettera
voltando le spalle al letto. Parve petrificato; non fiatò,
non si mosse.
« Dunque? » chiese lo zio.
Silenzio.
« Ho capito » fece il vecchio. Allora Franco lasciò cader
la lettera, alzò le mani in aria, mise un « ah! » lungo,
profondo e fioco, pieno di stupore e d'orrore.
« Insomma » riprese lo zio, « si può sapere? »
Franco si scosse, si precipitò ad abbracciarlo, repri-
mendo a stento i singhiozzi.
L'uomo pacifico sopportò sulle prime in silenzio, sen-

za commuoversi, questa tempesta. Poi cominciò a difendersene chiedendo la lettera: « Dà qua, dà qua, dà qua ». E pensava: "Cosa diavolo avrà scritto questa benedetta donna?". Franco prese il lume e la lettera, gliela porse. La nonna non aveva scritto niente, neppure una sillaba; aveva semplicemente rimandata la lettera dell'ingegnere e il biglietto di Franco. Lo zio ci mise un pezzo a capirla: non capiva mai le cose prontamente e questa era per lui tanto inconcepibile! Quando l'ebbe capita non poté a meno di dire: « Già, l'è un po' grossa ». Ma poi, veduto Franco tanto fuori di sé, esclamò col vocione solenne che usava per giudicar *toto corde* le cose umane. « Senti. L'è dirò cosí » (e cercava la parola in un suo particolar modo, gonfiando le gote e mettendo una specie di rantolo), « ...una iniquità; ma tutte queste meraviglie che fai tu, io non le faccio per niente affatto. Tutti i torti, caro, non sono dalla parte sua; e allora? Del resto, me ne rincresce per voialtri che mangerete di magro e dovrete vivere in questo miserabile paese; ma per me? Per me ci guadagno e son pronto dirò cosí a ringraziare tua nonna. Vedi bene, io non ho fatto famiglia, ho sempre contato su questa. Adesso la mia povera sorella è morta; se la nonna vi apriva le braccia io restavo come un torso di cavolo. Dunque! »

Franco si guardò dal raccontare la cosa a sua moglie, ed ella, benché sapesse delle lettere spedite a Cressogno, non domandò che dopo il funerale, parecchie ore dopo, se la nonna avesse risposto. Il piccolo salotto, la piccola terrazza, la piccola cucina erano stati pieni di gente tutto il giorno, dalle nove della mattina alle nove della sera. Alle dieci Luisa e Franco uscirono di casa senza lanterna, presero a destra, attraversarono pian piano, silenziosamente, le tenebre del villaggio, toccarono la svolta chiara e ventosa cui sale il fragor profondo del fiume di S. Mamette, entrarono nelle ombre, nel forte odore dei noci di Looch. Poco prima di giungere al cimitero, Luisa domandò sottovoce a suo marito: « Sai niente di Cressogno? ». Egli avrebbe pur voluto nasconderle almeno in parte il vero e non lo poté. Disse che il suo biglietto gli era stato rimandato e Luisa volle sapere se almeno la nonna avesse scritto allo zio una parola di condoglianza. Il « no » di Franco fu cosí incerto, quasi trepidante, che, non subito, ma pochi passi dopo, Luisa ebbe un lampo di sospetto e si fermò di colpo, afferrò il braccio di suo marito. Franco, prima ch'ell'aprisse bocca, intese, l'abbracciò come aveva abbracciato lo zio, con impeto ancor maggiore, le disse di prender il suo cuore, l'anima sua, la sua vita, di non cercar altro al mondo, se la sentí tremar tutta fra le braccia. Né allora né poi una sola parola ne fu piú detta fra loro. Al cancello del cimitero s'inginocchiarono insieme. Franco pregò con impeto di fede. Luisa trapassò con gli occhi avidi la terra smossa presso all'entrata, trapassò la bara, si affissò mentalmente nel volto mansueto e grave della mamma; mentalmente ancora ma con tanto gagliardo impulso da scuotere le sbarre del cancello, si chinò, si chinò, fisse le labbra sulle labbra della morta, v'impresse una violenza d'amore piú forte che tutti gli insulti, che tutte le bassezze odiose del mondo.

Si staccò a stento di là verso le undici. Discendendo adagio a fianco di suo marito lo sdrucciolevole ciottolato del sentiero, le sorse improvvisa in mente la visione di un incontro futuro con la marchesa. Si fermò, si eresse, stringendo i pugni; e il suo bel viso intelligente spirò una fierezza tale che se la vecchia signora di marmo l'avesse realmente veduta, realmente incontrata in quel punto, si sarebbe senz'altro, piegata no, impaurita no, ma posta in difesa.

Parte seconda

I. *Pescatori*

Il Dottor Francesco Zérboli, I. R. Commissario di Porlezza, approdò alla I. R. Ricevitoria di Oria il 10 settembre 1854, proprio quando un sole veramente imperiale e regio sormontava il bastione poderoso della Galbiga, sfolgorava la rosea casetta della Ricevitoria, gli oleandri e i fagiuoli della signora Peppina Bianconi, chiamando, secondo i regolamenti, all'ufficio il signor Carlo Bianconi suo marito, quel tale Ricevitore cui la musica manoscritta puzzava di cospirazione. Il Bianconi, detto dalla sposa « el mè Carlascia » e dal popolo « el Biancòn », un omone alto, grosso e duro, col mento pelato, con due baffoni grigi, con due occhi grossi e spenti di mastino fedele, discese a ricevere l'altro I. R. mento pelato di categoria superiore. I due non si rassomigliavano proprio che nella nudità austriaca del mento. Lo Zérboli, vestito di nero e inguantato, era piccolo e tozzo, portava due baffetti biondi appiccicati alla faccia giallognola, bucata da due scintille d'occhietti sarcastici e sprezzanti. Aveva i capelli piantati cosí basso sulla fronte ch'era solito raderne una lista, restandogliene spesso un'ombra, quasi di bestialità. Prontissimo di persona, d'occhi e di lingua, parlava un italiano nasale, modulato alla trentina, con facile cortesia. Disse al Ricevitore che doveva tenere un convocato, il consiglio comunale d'allora, a Castello e che aveva preferito venir per tempo, fare la salita, col fresco, da Oria invece che da Casarico o da Albogasio, onde procurarsi il piacere di salutare il signor Ricevitore.

Il bestione fedele non capí subito che c'era un secondo fine, ringraziò con un miscuglio di frasi ossequiose e di risatine stupide, fregandosi le mani, offerse caffè, latte, uova, l'aria aperta del giardino. Colui accettò il caffè e rifiutò l'aria aperta con un cenno del capo e una strizzatina d'occhi cosí eloquente che il Carlascia, vociato su per le scale « Peppina! Caffè! », fece passare il Commissario in ufficio, dove, sentendosi trasmutare, secondo la sua doppia natura, da Ricevitore di dogana in agente di polizia, si fece devoto il cuore e austero il viso come per una unione sacramentale col monarca. Questo ufficio era un ignobile bugigattolo a pian terreno, con le inferriate ai due finestrini, una infetta cellula primitiva che aveva già il puzzo della grande monarchia. Il Commissario vi si piantò a sedere in mezzo, guardando l'uscio chiuso che dall'approdo metteva nell'anticamera; quello che dall'anticamera metteva nell'ufficio era rimasto aperto, per ordine suo.

« Mi parli del signor Maironi » diss'egli.

« Sorvegliato sempre » rispose il Biancòn. « Anssi » soggiunse nel suo italiano di Porta Tosa « aspetti: ci ho qui un rapporto quasi finito. » E si diede a frugare, a palpar fra le sue carte in cerca del rapporto e degli occhiali.

« Manderà, manderà » fece il Commissario che non si aspettava molto dalla prosa del bestione.

« Intanto parli, dica! »

« Malintensionato sempre, questo si sapeva » ricominciò l'eloquente Ricevitore « e adesso anche si vede. Si è messo a portare quella barba, sa, quella mosca, quella moschetta, quel pisso, quella porcheria... »

« Scusi » fece il Commissario. « Vede, io sono ancora nuovo, ho istruzioni, ho informazioni, ma un'idea esatta dell'uomo e della famiglia non l'ho ancora. Bisogna che Lei me li descriva proprio a fondo cosí come può. E incominciamo pure da lui. »

« Lui è un superbo, un furioso, un prepotente. Avrà attaccato lite cinquanta volte, qui, per affari di dassio.

124

Vuol aver sempre ragione, vuol darci lessione a me e al sedentario. Caccia fuori due occhiacci come se volesse mangiáre la Ricevitoria. L'è che con me non c'è da fare il prepotente, se del resto!... Perché sa di tutto, poi, questo sí. Sa di legge, sa di finansa, sa di musica, sa di fiori, sa di pesci, el diavol a quatter. »

« E lei? »

« Lei? Lei lei lei lei... lei l'è ona gattamorgna ma se la cascia fœura i ong l'è pesg de lü; peggio! Lui quando va in collera diventa rosso e fa un baccano di mille lire; lei diventa pallida e dice insolense d'inferno. Adesso si dice, insolense io non ne tollero... ma insomma... mi capisce. Donna di talento, sa. La mia Peppina ci è innamorata. Donna che si insinua dappertutto, poi. Tante volte qui a Oria invece di chiamare il dottore chiamano lei. Se in una famiglia questionano vanno da lei. Se ci vien il mal di pancia a una bestia domandano lei. I bagàj s'i a tira dree tücc. È magari buona, in carnevale, di fare i magatelli per loro. Sa, i burattini. E in pari tempo è un accidente che suona il cembalo, che sa il francese e il tedesco. Io per mia disgrassia non lo so, il tedesco, e sono andato da lei cosí delle volte per farmi spiegare carte tedesche che capitano in ufficio. »

« Ah, Lei ci va, in casa Maironi? »

« Sí, qualche volta, per questo. »

Veramente il bestione ci andava pure per farsi spiegare da Franco certi enigmi della tariffa doganale; ma questo non lo disse.

L'interrogatorio del Commissariò continuò.

« E la casa, come è messa? »

« Messa bene. Bei pavimenti alla venessiana, soffitti pitturati, canapè con tappeti, cembol, camera da pranso colle pareti tappessate di ritratti ch'è una bellèssa. »

« E l'ingegnere in capo? »

« L'ingegnere in capo è un buon omaccio, allegro, all'antica; mi somiglia a me. Piú vecchio però, sa. Del resto qui ci sta pochissimo. Un quìndici giorni a questa stagione, altri quindici la primavera e qualche visitina durante l'anno. Quando ha la sua pace, la sua quiete, il suo latte alla mattina, il suo latte alla sera, il suo boccale di Modena a pranso, il suo tarocco, la sua gasètta di Milano, l'ingegnere Ribera è contento. Del resto, tornando alla barba del signor Maironi, c'è anche di peggio. Ho saputo ieri che il signore ha messo un gelsomino in vaso di legno inverniciato di rosso. »

Il Commissario, uomo d'ingegno e forse indifferente, nel piú intimo del cuor suo, a tutti i colori tranne a quello della propria cera e della propria lingua, non poté a meno di alzar un po' le spalle. Ma poi domandò subito:

« La pianta è fiorita? »

« Non lo so, domanderò alla donna. »

« A chi? A Sua moglie? Ci va, Sua moglie, in casa Maironi? »

« Sí, qualche volta ci va. »

Lo Zérboli piantò i suoi occhietti sprezzanti in faccia al Bianconi, e gli articolò ben chiara questa domanda:

« Ci va con profitto o no? »

« Ma! con profitto! Segond! Lei si figura di andare come amica della signora Luisina, per i fiori, per i lavori, per i pettegolessi, e cicíp e ciciâp, sa bene, donne. Io poi ci cavo... »

« Tè chí, tè chí! » esclamò nel suo italiano di Porta Ticinese la signora Peppina Bianconi, venendo avanti col caffè, tutta sorridente. « El sür Commissari! Come goo mai piasè de vedèll! El sarà magàra minga tant bon el caffè, però l'è el prim! La bolgira l'è de minga podè tœul a Lügan! »

« Tetetetetè! » fece il marito, burbero.

« Euh diavol! Disi inscí per rid. El capiss ben, neh, Lü, sür Commissari! L'è quel benedett omasc lí ch'el capiss no! En tœui nanca per mi de caffè, ch'el se figüra! Tœui giusta l'acqua de malva per i girament de testa! »

126

« Ciciàra minga tant, ciciàra minga tant! » interruppe
il marito. Il Commissario, posando la tazza vuota, disse alla buona signora che sarebbe poi andato a vedere
i suoi fiori, e questa galanteria parve l'atto di chi, al
caffè, butta e fa suonar la moneta sul vassoio perché il
tavoleggiante lo pigli e se ne vada.
La signora Peppina intese e, sgomentata per giunta dai
grossi occhi feroci del suo Carlascia, si ritirò frettolosamente.
« Senta senta senta » fece il Commissario coprendosi la
fronte e stringendosi le tempie colla mano sinistra.
« Oh! » esclamò a un tratto, nel raccapezzarsi. « Ecco,
volevo sapere se, adesso, l'ingegnere Ribera è a O-
ria. »
« Non c'è ma verrà fra pochissimi giorni, credo. »
« Spende molto, l'ingegnere Ribera, per questi Maironi? »
« Spende molto, sicuro. Non credo che di casa sua don
Franco abbia piú di tre svansiche al giorno. Lei poi... »
Il Ricevitore si soffiò sul palmo della mano. « Dunque
capisce. Hanno la donna di servissio. C'è una bambina di
due anni o chè; ci vuole la ragassa, per curare la bambina. Si fanno venire fiori, libri, musica, el diavol a
quatter. Alla sera si giuoca a tarocchi, c'è la sua bottèglia.
Ce ne vogliono cosí delle svansiche, mi capisce! »
Il Commissario rifletté un poco e poi, con una faccia
nebulosa, con gli occhi al soffitto, con certe parole scon-
nesse che parevano frammenti d'oracolo, fece intendere
che l'ingegnere Ribera, un I. R. impiegato, favorito
recentemente dall'I. R. Governo di una promozione *in
loco*, avrebbe dovuto esercitare sui nipoti una influenza
migliore. Quindi con altre domande e con altre osservazioni che concernevano specialmente le presenti debolezze dell'ingegnere, insinuò al Bianconi che le sue at-
tenzioni paterne dovevano rivolgersi con particolare se-
gretezza e delicatezza all'I. R. collega, onde illuminare,
occorrendo, la Superiorità circa tolleranze che sarebbero

scandalose. Gli chiese finalmente se non sapesse che l'avvocato V. di Varenna e un tale di Loveno venivano abbastanza spesso a visitare i Maironi. Il Ricevitore lo sapeva e sapeva dalla sua Peppina che venivano a far musica. « Non credo! » esclamò il Commissario con subita e insolita asprezza. « Sua moglie non capisce niente! Ella si farà menar per il naso, caro Bianconi, a questo modo. Quei due sono soggettacci che starebbero bene a Kufstein. Bisogna informarsi meglio! Informarsi e informarmi. E adesso andiamo in giardino. A proposito! Quando entra da Lugano qualche cosa per la marchesa Maironi... »

Lo Zérboli compiè la frase con un gesto di graziosa larghezza e s'incamminò seguito dal mastino, alquanto mogio.

La signora Peppina si fece trovare ad annaffiar i fiori con l'aiuto di un ragazzotto. Il Commissario guardò, ammirò e trovò anche modo di dar una lezioncina al poliziotto subalterno. Lodando quei fiori trasse destramente la Bianconi a nominar Franco e sulla persona di Franco non si fermò affatto come se non gliene importasse nulla. Si tenne ai fiori, affermò che Maironi non poteva averne di piú belli. Strilli, gemiti e giaculatorie dell'umile signora Peppina che perfino si vergognava d'un paragone simile. E il Commissario insistette. Ma come? Anche le fuchsie di casa Maironi erano piú belle? Anche le vainiglie? Anche i pelargoni? Anche i gelsomini?

« I gesümin? » fece la signora Peppina. « Ma el sür Mairon el gà el pussee bell gesümin de la Valsolda, cara Lü! »

Cosí il Commissario venne poi a sapere molto naturalmente che il famoso « gesümin » non era ancora fiorito. « Vorrei vedere le dalie di don Franco » diss'egli. La ingenua creatura si offerse di accompagnarlo a casa Ribera quel giorno stesso: « Gavarissen inscí mai piasè ». Ma il Commissario espresse il desiderio di attendere la venuta dell'I. R. ingegnere in capo della provincia per avere occasione di riverirlo e la signora Peppina fece « eccola! » in segno della sua soddisfazione. Intanto il mastino, umiliato da quell'arte superiore, desiderando mostrar in qualche modo che almeno dello zelo ne aveva anche lui, afferrò per un braccio il ragazzotto dall'annaffiatoio e lo presentò:

« Mio nipote. Figlio d'una mia sorella maritata a Bergamo con un I. R. portiere della Delegassione. Ha l'onore di chiamarsi Francesco Giuseppe, per desiderio mio; ma capisce bene, per il dovuto rispetto, questo non può essere il nome solito. »

« Soa mader la ghe dis Ratí e so pader el ghe dis Ratú, ch'el se figüra! » interloquí la zia.

« Citto, Lei! » fece lo zio, severo. « Io lo chiamo Francesco. Un ragasso bene educato, devo dirlo, molto bene educato. Di' un po' su, Francesco, quando sarai grande, cosa farai? »

Ratí rispose a precipizio come se recitasse la Dottrina Cristiana:

« Io quando sarò grande mi comporterò sempre da suddito fedele e devoto di Sua Maestà il nostro Imperatore nonché da buon cristiano; e spero coll'aiuto del Signore diventare un giorno I. R. Ricevitore di Dogana come mio zio, per andar quindi a ricevere il premio delle mie buone opere in paradiso. »

« Bravo bravo bravo » fece lo Zérboli, accarezzando Ratí. « Seguitiamo a farci onore. »

« Ch'el tasa, sür Commissari » saltò fuori da capo la Peppina « che stamattina el baloss el m'ha mangiaa fœura mèss el sücher de la süccherera! »

« Comè comè comè? » fece il Carlascia uscendo di tono per la sorpresa. Si rimise subito e sentenziò: « Colpa tua! Si mettono le cose a posto! Vero, Francesco? ».

« Pròpe » rispose Ratí, e il Commissario, seccato da

quel battibecco, da quella ridicola riuscita della sua frase paterna, prese bruscamente congedo.

Appena partito lui, il Carlascia menò un « tœu sü el süccher, ti » e un formidabile scapaccione a Francesco Giuseppe che si aspettava tutt'altro e corse a salvarsi tra i fagiuoli. Poi aggiustò le partite di sua moglie con un buon rabbuffo, giurando che in avvenire lo avrebbe tenuto lui lo zucchero, e poiché ella si permise di ribattere « cossa te vœut mai intrigàt ti? » la interruppe « intrigatissim in tütt! intrigatissim in tütt! » e voltatele le spalle, s'avviò a gran passi sbuffando e fremendo, verso il posto dove la diligente sposa gli aveva preparata la lenza e la polenta, e inescò i due poderosi ami da tinche. Poiché in antico quel piccolo mondo era ancora piú segregato dal mondo grande che al presente, era piú che al presente un mondo di silenzio e di pace, dove i funzionari dello Stato e della Chiesa e, dietro al loro venerabile esempio, anche alquanti sudditi fedeli dedicavano parecchie ore ad una edificante contemplazione. Primo a ponente, il signor Ricevitore slanciava due ami appaiati in capo a una lenza sola, due traditori bocconi di polenta, lontano dalla sponda quanto mai poteva; e quando il filo si era ben disteso, quando il sughero indicatore si era quasi ancorato in placida attesa, l'I. R. uomo posava delicatamente la bacchetta della lenza sul muricciolo, sedeva e contemplava. A levante di lui, la guardia di finanza che allora chiamavano « il sedentario », accoccolata sull'umile molo dell'approdo davanti ad un altro sughero, pipava e contemplava. Pochi passi piú in là, il vecchio allampanato Cüstant, imbianchino emerito, sagrestano e fabbriciere, patrizio del villaggio di Oria, seduto sulla poppa della sua barca con una sperticata tuba preistorica in testa, con la magica bacchetta in mano, con le gambe penzoloni sull'acqua, raccolta l'anima nel sughero suo proprio, contemplava. Seduto sull'orlo d'un campicello, all'ombra d'un gelso e d'un cappellone di paglia nera, il piccolo, magro, occhialuto don Brazzova, parroco di Albogasio, rispecchiato dall'acqua limpida, contemplava. In un orto di Albogasio Inferiore, fra le rive del Ceròn e la riva di Mandrœugn, un altro patrizio in giacchetta e scarponi, il fabbriciere Bignetta, detto el Signoron, duro e solenne sopra una sedia del settecento con la famosa bacchetta in mano, vigilava e contemplava. Sotto il fico di Cadate stava in contemplazione don Giuseppe Costabarbieri. A S. Mamette pendevano sull'acqua e contemplavano con grande attività il medico, lo speziale, il calzolaio. A Cressogno contemplava il florido cuoco della marchesa. In faccia a Oria, sull'ombrosa spiaggia deserta del Bisgnago, un dignitoso arciprete della bassa Lombardia usava passar ogni anno quaranta giorni di vita contemplativa. Contemplava solitario, vescovilmente, con tre bacchette ai piedi, i relativi tre pacifici sugheri, due con gli occhi e uno col naso. Chi passando per l'alto lago avesse potuto discernere tutte queste figure meditabonde, inclinate all'acqua, senza veder le bacchette né i fili né i sugheri, si sarebbe creduto nel soggiorno d'un romito popolo ascetico, schivo della terra, che guardasse il cielo giú nello specchio liquido, solo per maggiore comodità.

In fatto tutti quegli ascetici pescavano alle tinche e nessun mistero dell'avvenire umano aveva per essi maggior importanza dei misteri cui arcanamente alludeva il piccolo sughero, quando, posseduto quasi da uno spirito, dava segni d'inquietudine sempre piú viva e in fine di alienazione mentale; poiché, dati dei crolli, dei tratti ora avanti ora indietro, pigliava per ultimo, nella confusione delle sue idee, il partito disperato di entrar giú a capofitto nell'abisso. Questi fenomeni avvenivano però di rado e parecchi contemplatòri solevano passare delle mezze giornate senza notar la menoma inquietudine nel sughero. Allora ciascuno, senza togLier gli occhi dal piccolo galleggiante, sapeva seguire un invisibile filo d'idee parallelo al filo della lenza. Cosí avveniva talvolta al buon arciprete di pescar mentalmente una sede episcopale, al Signoron di pescare un bosco ch'era stato dei suoi avi, al cuoco di pescare una certa tinca rosea e bionda della montagna, al Cüstant di pescare una commissione del Governo per dare il bianco al picco di Cressogno. Quanto al Carlascia, il suo secondo filo aveva generalmente un carattere politico. E questo si comprenderà meglio quando si sappia che anche il filo principale, quello della lenza, suscitava spesso nel suo torbido testone certe considerazioni politiche suggeritegli dal Commissario Zérboli. «Vede, caro Ricevitore» gli aveva detto una volta lo Zérboli ragionando a sproposito sul moto milanese del 6 febbraio, «Lei ch'è un pescatore di tinche può benissimo capire la cosa. La nostra grande monarchia pesca alla lenza. I due bocconi uniti sono la Lombardia e il Veneto, due bei bocconi tondi e solleticanti, con del buon ferro dentro. La nostra monarchia li ha buttati là davanti a sé, in faccia alla tana di quel pesciatello sciocco ch'è il Piemonte. Egli ha abboccato nel quarantotto il boccone Lombardia, ma poi ha potuto sputarlo e cavarsela. Milano è il nostro sughero. Quando Milano si muove vuol dire che c'è sotto il pesciatello. L'anno scorso il sughero s'è mosso un pochino; il caro pesciatello non aveva fatto che fiutare il boccone. Aspettate, verrà un movimento grande, noi daremo il colpo, ci sarà un poco di strepito e di sbatacchiamento e lo tireremo su, il nostro pesciatello, non ce lo lasceremo scappare piú, quel porcellino bianco, rosso e verde!»

Il Biancòn ci aveva fatto una gran risata e spesso, mettendosi a pescare, si ruminava, per il proprio innocente piacere, la graziosa similitudine, da cui gli nascevano per solito altri sottili e profondi pensamenti politici. Quella mattina il lago era quieto, propizio per le contemplazioni. Le prime alghe del fondo precipitoso si vedevan diritte, segno che non c'eran correnti. I bocconi, slanciati ben lontano, calarono lentamente a piombo, il filo si distese via via sotto il sughero che gli navigò dietro un poco indicando con spessi anellini i titillamenti dei piccoli cavedini e si mise quindi in pace, segno che i bocconi s'erano adagiati sul fondo e che i cavedini non li toccavan piú. Il pescatore posò la bacchetta sul muricciolo e si mise a pensare all'ingegnere Ribera.

Il Biancòn aveva, a sua insaputa, una discreta dose di mansuetudine in un doppio fondo che Iddio gli aveva fatto nel cuore senza avvertirnelo. Il mondo del resto se ne poté accorgere nel 1859 quando il caro pesciatello si mangiò il boccone di Lombardia con l'amo e il filo e la bacchetta e il Commissario e tutto quanto; e il Biancòn, rassegnato, si mise a piantar cavoli nazionali e costituzionali a Precotto. Malgrado questa occulta mansuetudine, posando la bacchetta e pensando che si trattava di pescare quel povero vecchio ingegnere Ribera, egli provò una singolare compiacenza non nel cuore, non nel cervello né in alcuno dei soliti sensi, ma in un suo particolare senso, puramente I. e R. Davvero, egli non aveva coscienza di sé come di un organismo distinto dall'organismo governativo austriaco. Ricevitore di una piccola dogana di frontiera, si considerava una punta d'unghia in capo a un dito dello Stato; come agente di polizia poi, si considerava un occhiolino microscopico sotto l'unghia. La vita sua era quella della monarchia. Se i Russi le facevano il solletico sulla pelle della Galizia, egli ne sentiva il prurito a Oria. La grandezza, la potenza, la gloria dell'Austria gli ispiravano un orgoglio smisurato. Non ammetteva che il Brasile fosse piú esteso dell'Impero Austriaco, né che la Cina fosse piú popolata, né che l'Arcangelo Michele potesse prendere Peschiera, né che Domeneddio potesse prendere Verona. Il suo vero Iddio era l'Imperatore; rispettava quello del cielo come un alleato di quello di Vienna.

Non gli era, dunque, mai entrato il sospetto che l'ingegnere in capo fosse un cattivo suddito. Le parole del Commissario, un vangelo per lui, ne lo persuasero addirittura; e l'idea di trovarsi a portata questo malfido servitore accendeva il suo zelo d'occhio regio e d'unghia imperiale. Si diede dell'asino per non averlo conosciuto prima. Oh ma era ancora in tempo di pescarlo bene: bene bene bene bene! « Lasci fare a me! Lasci fare a me, signor... »

Troncò la frase e afferrò la bacchetta. Il sughero aveva impresso nell'acqua un anello, dolcemente, muovendosi appena; indizio di tinca. Il Biancòn strinse forte la bacchetta tenendo il fiato. Altro tocco al sughero, altro anello più grosso; il sughero va pian piano sull'acqua, si ferma, il cuore del Biancòn batte a furia; il sughero cammina ancora per un piccol tratto, a fior d'acqua e sprofonda; zag! il Biancòn dà un colpo, la bacchetta si torce in arco tanto il filo è tirato da un peso occulto. « Peppina, el gh'è! » grida il Carlascia perdendo la testa, confondendo il sesso della tinca con quello dell'ingegnere in capo: « El guadèll, el guadèll ». Il sedentario si volta invidioso: « Ghe l'ha, scior Recitòr? ». Il Cüstant si cuoce dentro e non fa motto né volge la sua tuba. Ratí accorre e accorre anche la signora Peppina portando il « guadèll », una pertica lunga con una gran borsa di rete in capo, per imborsarvi la tinca nell'acqua; ché il tirarla su di peso col filo sarebbe un rischio disperato. Il Biancòn piglia il filo, lo raccoglie pian piano a sé. La tinca non si vede ancora ma deve esser grossa; il filo viene in su per un paio di braccia, poi è tirato furiosamente in giú; quindi torna a venire, viene, viene, e in fondo all'acqua, sotto il naso dei tre personaggi, balena un giallore, un'ombra mostruosa. « Oh la bella! » fa la signora Peppina sottovoce. Ratí esclama: « Madòne, madòne! » e il Biancòn non dice parola, tira e tira con cautela. È un bel pescione, corto, grosso, dal ventre giallo e dal dorso scuro che viene in su dal fondo quasi supino e per isghembo, con mala volontà.

Le tre facce non gli piacciono perché volta loro di colpo la coda e sbattendola fa un'altra punta furiosa verso il fondo. Finalmente, spossato, segue il filo, arriva sotto il muro con la pancia dorata all'aria. La Peppina, rovescioni sul parapetto, stende giú quanto può la sua pertica per imborsar il malcapitato e non le riesce. « Per el müson! » grida suo marito. « Per la cua! » strilla Ratí. A quello strepito, alla vista di quel pauroso arnese, il pesce si dibatte, si tuffa; la Peppina si arrabatta invano, non trova il « müson », non trova la « cua »; il Biancòn tira, la tinca trascinata a galla si aggomitola e con una potente spaccata rompe il filo, strepita via tra la spuma. « Madòne! » esclama Ratí; la Peppina seguita a frugar l'acqua con la sua pertica; « dova l'è sto pèss? dova l'è sto pèss? » e il Biancòn che era rimasto petrificato col filo in mano, si volta furibondo, tira un calcio a Ratí, afferra sua moglie per le spalle, la scuote come un sacco di noci, la carica d'improperi. « L'è andada, sçior Recitòr? » fa il sedentario, mellifluo. Il Cüstant volta un poco la tuba, guarda il luogo della catastrofe, torna alla contemplazione del suo pacifico sughero e brontola in tono di compatimento: « Minga pràtich! ».

Intanto la tinca ritorna alle native alghe profonde, malconcia ma libera come il suo simile, il Piemonte, dopo Novara; ed è dubbio se al povero ingegnere in capo toccherà la stessa fortuna.

II. *La sonata del chiaro di luna e delle nuvole*

Il sole calava dietro al ciglio del monte Brè e l'ombra oscurava rapidamente la costa precipitosa e le case di Oria, imprimeva, violacea e cupa, il profilo del monte sul verde luminoso delle onde che correvano oblique a ponente, grandi ancora ma senza spuma, nella *breva* stanca. Casa Ribera si era oscurata l'ultima. Addossata ai ripidi vigneti della montagna, sparsi d'ulivi, essa cavalca la viottola che costeggia il lago, e pianta nell'onda viva una fronte modesta, fiancheggiata a ponente, verso il villaggio, da un giardinetto pensile a due ripiani, a levante, verso la chiesa, da una piccola terrazza gittata su pilastri che inquadrano un pezzo di sagrato. Entra in quella fronte una piccola darsena dove allora si dondolava, fra lo schiamazzar delle onde, il battello di Franco e Luisa. Sopra l'arco della darsena una galleria sottile lega il giardinetto pensile di ponente alla terrazza di levante e guarda il lago per tre finestre. La chiamavan loggia, forse perché lo era stata in antico. La vecchia casa portava incrostati qua e là parecchi di questi venerandi nomi fossili che vivevano per la tradizione e figuravano, nella loro apparente assurdità, i misteri nella religione delle mura domestiche. Dietro alla loggia vi ha una sala spaziosa e dietro alla sala due stanze: a ponente il salottino da pranzo tappezzato di piccoli uomini illustri di carta, ciascuno sotto il proprio vetro e dentro la propria cornice, ciascuno atteggiato dignitosamente a modo degl'illustri di carne e d'ossa, come se i colleghi nemmanco esistessero e il mondo non guardasse che a lui; a levante la camera dell'alcova dove accanto agli sposi dormiva nel proprio letticciuolo la signorina Maria Maironi nata nell'agosto del 1852.

Dai cassettoni rococò delle camere da letto alla madia della cucina, dal nero pendolo del salottino da pranzo al canapè della loggia con la sua stoffa color marrone cosparsa di cavalieri turchi gialli e rossi, dalle seggiole impagliate a certi seggiolini dai bracciuoli sproporzitatamente alti, i mobili della casa appartenevano all'epoca degli uomini illustri, la maggior parte dei quali portava parrucca e codino. Se parevano discesi dal granaio, parevan pure aver ripreso nell'aria e nella luce della nuova dimora certe perdute abitudini di pulizia, un notevole interesse alla vita, una dignità di onesta vecchiaia. Cosí un'accozzaglia di vocaboli disusati potrebbe oggi comporsi, nel soffio d'un attempato poeta conservatore, e rifletterne la serena ed elegante senilità. Sotto il regime matematico e burocratico dello zio Piero, seggiole e seggioloni, tavole e tavolini avevano vissuto in perfetta simmetria e il privilegio della inamovibilità era stato accordato persino agli stoini. Il nome di « mobile » non lo aveva meritato che un cuscino grigio e celeste, un aborto di materasso, che l'ingegnere durante i suoi brevi soggiorni a Oria si portava con sé quando mutava seggiolone. Assente lui, il custode rispettava tanto le suppellettili da non osar di toccarne confidenzialmente, di spolverarne le parti meno visibili. Ciò faceva andar sulle furie la governante, regolarmente, ad ogni ritorno in Valsolda. Il padrone, irritato che per un po' di polvere si gridasse tanto contro un povero diavolo di contadino, se la pigliava con lei e le suggeriva di spolverare ella stessa; e quando la donna scattò a domandargli, in via di sdegnosa replica, se dovesse ammazzarsi a spolverare tutta la casa ogni volta che veniva, le rispose bonariamente: « Mazzèv ona volta sola ch'el sarà assée ».

Egli abbandonava poi del tutto al capriccio del custode la coltivazione del giardino come quella di un orto che possedeva a levante del sagrato, in riva al lago. Solo una volta, due anni prima del matrimonio di Luisa, arrivando a Oria in principio di settembre e trovando nel secondo ripiano del giardinetto sei piante di granturco, si permise di dire al custode: « Sent on poo: quii ses gamb de carlon, podarisset propi minga fann a men? ».

I poeti non conservatori Franco e Luisa avevano trasformata, col loro soffio, la faccia delle cose. La poesia di Franco era piú ardita, fervida e appassionata, la poesia di Luisa era piú prudente; cosí i sentimenti di Franco gli fiammeggiavano sempre dagli occhi, dal viso, dalla parola e quelli di Luisa non davano quasi mai fiamme ma solo coloravano il fondo del suo sguardo penetrante e della sua voce morbida. Franco non era conservatore che in religione e in arte; per le mura domestiche era un radicale ardente, immaginava sempre trasformazioni di pareti, di soffitti, di pavimenti, di arredi. Luisa incominciava con ammirar il suo genio, ma poiché i denari venivan quasi tutti dallo zio e non ci era larghezza per imprese fantastiche, piano piano, un po' per volta, lo persuadeva di lasciar a posto le pareti, i soffitti e anche i pavimenti, di studiar come si sarebbero potuti disporre meglio gli arredi senza trasformarli. E gli suggeriva delle idee senza averne l'aria, facendogli credere che venivan da lui, perché alla paternità delle idee Franco ci teneva molto e Luisa era invece del tutto indifferente a questa maternità. Cosí tra l'uno e l'altra disposero la sala per la conversazione, la lettura e la musica, la loggia per il giuoco, la terrazza per il caffè e per le contemplazioni poetiche. Di quella terrazzina Franco fece la poesia lirica della casa. Era piccina assai e parve a Luisa che vi si potesse concedere un po' di sfogo all'estro di suo marito. Fu allora che cadde dal trono il re dei gelsi valsoldesi, il famoso antico gelso del sagrato, un tiranno che toglieva alla terrazza tutta la vista migliore. Franco si liberò da lui mediante pecunia; disegnò e alzò sopra la terrazza un aereo contesto di sottili aste e bastoncini di ferro che figuravan tre archi sormontati da una cupolina, vi mandò su due passiflore eleganti che vi aprivan qua e là i loro grandi occhi celesti e ricadevano da ogni parte in festoni e vilucchi. Un tavoluccio rotondo e alcune sedie di ferro servivano per il caffè e per la contemplazione. Quanto al giardinetto pensile, Luisa avrebbe potuto sopportare anche il granturco per una tolleranza di spirito superiore che ama lasciar in pace gl'inferiori nelle loro idee, nelle loro abitudini, nei loro affetti. Ella sentiva una certa rispettosa pietà per gl'ideali orticoli del povero custode, per quell'insalata di rozzezze e di gentilezze ch'egli aveva nel cuore, un gran cuore capace di accogliere insieme reseda e zucche, begliuomini e carote. Invece Franco, generoso e religioso com'era, non avrebbe tollerato nel suo giardino una zucca né una carota per amore di qualsiasi prossimo. Ogni stupida volgarità lo irritava. Quando l'infelice ortolano si sentí predicare dal signor don Franco che il giardinetto era una porcheria, che bisognava cavar tutto, buttar via tutto, rimase sbalordito, avvilito da far pietà; ma poi lavorando agli ordini suoi per riformare le aiuole, per contornarle di tufi, per piantare arbusti e fiori, vedendo come il padrone stesso sapesse lavorar di sua mano e quanti terribili nomi latini e qual portentoso talento avesse in testa per immaginare disposizioni nuove e belle, concepí poco a poco per lui un'ammirazione quasi paurosa e quindi anche, malgrado i molti rabbuffi, una affezione devota.

Il giardinetto pensile fu trasformato a immagine e similitudine di Franco. Un'*olea fragrans* vi diceva in un angolo la potenza delle cose gentili sul caldo impetuoso spirito del poeta; un cipressino poco accetto a Luisa vi diceva in un altro angolo la sua religiosità; un piccolo parapetto di mattoni a traforo, fra il cipresso e l'olea, con due righe di tufi in testa che contenevano un ridente popolo di verbene, petunie e portulache, accennava alla ingegnosità singolare dell'autore; le molte rose sparse dappertutto parlavano del suo affetto alla bellezza classica; il *ficus repens* che vestiva le muraglie verso il lago, i due aranci nel mezzo dei due ripiani, un vigoroso, lucido carrubo rivelavano un temperamento freddoloso, una fantasia volta sempre al mezzogiorno, insensibile al fascino del nord.

Luisa aveva lavorato e lavorava assai piú del marito; ma se questi si compiaceva delle proprie fatiche e ne parlava volentieri, Luisa invece non ne parlava mai e non ne traeva veramente alcuna vanità. Lavorava d'ago, d'uncinetto, di ferri, di forbici, con una tranquilla rapidità prodigiosa, per suo marito, per la sua bambina, per ornar la sua casa, per i poveri e per sé. Tutte le stanze avevan lavori suoi, cortine, tappeti, cuscini, paralumi. Era pure affar suo di collocare i fiori in sala e in loggia; non piante in vaso perché Franco ne aveva poche e non gli garbava di chiuderle nelle stanze; non fiori del giardinetto perché coglierne uno era come strapparglielo dal cuore. Erano invece a disposizione di Luisa le dalie, le rose, i gladioli, gli astri dell'orto. Ma poiché non le bastavano e poiché il villaggio, dopo Dio, Santa Margherita e S. Sebastiano, adorava la « sciora Lüisa », cosí ad un cenno suo i ragazzi le portavano fiori selvaggi e felci, le portavano edera per rilegar con festoni i grandi mazzi fissati alle pareti dentro anelli di metallo. Anche alle braccia dell'arpa che pendeva dal soffitto della sala erano sempre attorcigliati lunghi serpenti d'edera e di passiflora.

Lo zio Piero, quando gli scrivevano di queste novità, rispondeva poco o nulla. Tutt'al piú raccomandava di non tener troppo occupato l'ortolano il quale doveva pur attendere alle faccende proprie. La prima volta che capitò a Oria dopo la trasformazione del giardinetto, si fermò a guardarlo come aveva fatto per le sei piante di granturco e borbottò sottovoce: « Oh poer a mi! ». Uscí sulla terrazza, guardò il cupolino, toccò le aste di ferro e pronunciò un « basta! » rassegnato ma pieno di disapprovazione per tante eleganze superiori allo stato suo e de' suoi nipoti. Invece, dopo aver esaminato in silenzio tutti i mazzi, i mazzolini, i vasi, i festoni della sala e della loggia, disse con un bonario sorriso: « Sent on poo, Lüisa; con tütt st'erba chí farisset minga mèj a tegní on para de pégor? ».

Ma la governante fu beata di non aversi piú ad ammazzare per la polvere e le ragnatele, ma l'ortolano vantò senza fine le opere miracolose del signor don Franco ed egli stesso cominciò presto ad abituarsi ai nuovi aspetti della sua casa, a guardar senza malevolenza il cupolino della terrazza che gli faceva comodo per l'ombra. Dopo tre o quattro giorni domandò chi lo avesse eseguito e gli accadde di fermarsi qualche volta a guardar i fiori del giardinetto, di chiedere il nome dell'uno e dell'altro. Dopo otto o dieci giorni, stando con la piccola Maria sulla porta della sala che mette al giardinetto, le domandò: « Chi ha piantato tutti questi bei fiori? » e le insegnò a rispondere: « Papà ». Ad un suo impiegato venuto a fargli visita mostrò le opere del nipote e ne accolse gli elogi con un assenso misurato ma pieno di soddisfazione: « Sí sí, per questo sí ». Insomma finí con diventare un ammiratore di Franco e persino con dare ascolto, in via di conversazione, ad altri suoi progetti. E in Franco crescevano l'ammirazione e la gratitudine per quella grande e generosa bontà, che aveva vinto la natura conservatrice, l'avversione antica alle eleganze di ogni maniera; per la solita bontà che ad ogni simile contrasto saliva saliva silenziosamente dietro le renitenze dello zio fino a sormontare, a coprir tutto con una larga onda di acquiescenza o almeno con la frase sacramentale « del resto, fate vobis ». A una sola novità lo zio non aveva voluto adattarsi; alla scomparsa del suo vecchio cuscino. « Luisa » diss'egli sollevando con due dita dal seggiolone il nuovo cuscino ricamato: « porta via. » E non ci fu verso di persuaderlo. « Et capí de portall via? » Quando Luisa sorridendo gli diede il vecchio materassino abortito, egli ci si sedette su con un sonoro « inscí! » come se riprendesse solennemente il possesso di un trono.

Adesso, mentre l'ombra violacea invadeva il verde delle onde e correva lungo la costa, di paesello in paesello, spegnendo, una dopo l'altra, le bianche case lucenti, egli era appunto seduto sul trono e si teneva sulle ginocchia la piccola Maria, mentre Franco, sulla terrazza, annaffiava i vasi di pelargoni, pieno il cuore e il viso di contentezza affettuosa come se versasse da bere a Ismaele nel deserto, e Luisa stava sgrovigliando pazientemente una pesca di suo marito, un garbuglio pauroso di spago, di piombi, di seta e di ami. Ella discorreva in pari tempo col professore Gilardoni che aveva sempre qualche garbuglio filosofico da sgrovigliare e ci si metteva molto piú volentieri con lei che con Franco, il quale lo contraddiceva sempre, a torto e a ragione, avendolo in concetto d'un ottimo cuore e d'una testa confusa. Lo zio, tenendo il ginocchio destro sul sinistro e la bambina sul mucchio, le ripeteva per la centesima volta, con affettata lentezza, e storpiando un poco il nome esotico, la canzonetta:

> Ombretta sdegnosa
> Del Missipipí

Fino alla quarta parola la bambina lo ascoltava immobile, seria, con gli occhi fissi; ma quando veniva fuori il « Missipipí » scoppiava in un riso, sbatteva forte le gambucce e piantava le manine sulla bocca dello zio, il quale rideva anche lui di cuore e dopo un breve riposo ricominciava adagio adagio, nel tono solito:

> Ombretta sdegnosa...

La bambina non somigliava né al padre né alla madre, aveva gli occhi, i lineamenti fini della nonna Teresa. Al vecchio zio, che pure vedeva di rado, mostrava una tenerezza strana, impetuosa. Lo zio non le diceva paroline dolci, le faceva, occorrendo, qualche piccola riprensione, ma le portava sempre giuocattoli, la conduceva spesso a passeggio, se la faceva saltar sulle ginocchia, rideva con lei, le diceva canzonette comiche, quella che cominciava col « Missipipí » e un'altra che finiva:

> Rispose tosto Barucabà

Chi era mai Barucabà? E cosa gli avevano domandato? « Toa Bà, toa Bà! » diceva Maria; « ancora Barucabà, ancora Barucabà! » Lo zio le ripeteva allora la poetica storia ma nessuno la sa piú ripetere a me.

Ecco di che parlava a Luisa, con la sua voce timida e gentile, il professore Gilardoni, diventato un tantin piú vecchio, un tantin piú calvo, un tantin piú giallo. « Chi sa » aveva detto Luisa « se Maria somiglierà alla nonna come nel viso anche nell'anima? » Il professore rispose che sarebbe stato un miracolo avere in una famiglia, a cosí poca distanza, due anime simili. E volendo spiegare a quale rarissima specie fosse appartenuta, nel suo concetto, l'anima della nonna, mise fuori il seguente garbuglio. « Vi sono » diss'egli « anime che negano apertamente la vita futura e vivono proprio secondo la loro opinione, per la sola vita presente. Queste non sono molte. Poi vi sono anime che mostrano di credere nella vita futura e vivono del tutto per la presente. Queste sono alquante piú. Poi vi sono anime che alla vita futura non pensano e vivono però in modo da non mettersi troppo a repentaglio di perderla se c'è. Queste sono piú ancora. Poi vi sono anime che credono veramente nella vita futura e dividono pensieri e opere in due categorie che fanno quasi sempre ai pugni fra loro: una è per il cielo, l'altra è per la terra. Queste sono moltissime. Poi vi sono anime che vivono per la sola vita futura nella quale credono. Queste sono pochissime e la signora Teresa era di queste. »

Franco, che non poteva soffrire le disquisizioni psicologiche, passò accigliato col suo annaffiatoio vuoto per andare nel giardinetto e pensò: "Poi vi sono anime che rompono l'anima". Lo zio, del resto un po' sordo, rideva con la Maria. Luisa, passato che fu suo marito, disse piano: « Poi vi sono anime che vivono come se vi fosse la sola vita futura nella quale non credono: e di queste ve n'è una ». Il professore trasalí e la guardò senza dir nulla. Ella stava cercando nella matassa della pesca un filo doppio, a occhiello, per farlo passare. Non vide quello sguardo ma lo sentí e si affrettò a indicare col capo lo zio. Aveva ella pensato proprio a lui nel dir quello che aveva detto? O vi era stata nel suo pensiero una occulta complicazione? Aveva pensato allo zio senza un vero convincimento, solo perché non osava nominare, neanche nel pensiero, un'altra persona cui le sue

143

parole potevano riferirsi piú giustamente? Il silenzio del professore, lo sguardo scrutatore di lui, non incontrato ma sentito, le rivelarono ch'egli sospettava di lei stessa: per questo accennò frettolosamente allo zio.

« Non crede nella vita futura? » mormorò il professore.

« Direi di no » rispose Luisa e subito si sentí nel cuore un rimorso, sentí che non aveva sufficienti ragioni, che non aveva il diritto di rispondere cosí. In fatto lo zio Piero non s'era curato mai di meditare sulla religione: egli compenetrava nel suo concetto della onestà la continuazione delle vecchie pratiche di famiglia, la professione della fede avita, presa come stava, alla carlona. Il suo era un Dio bonario come lui, che non ci teneva tanto alle giaculatorie né ai rosari, come lui; un Dio contento di aver per ministri, com'era contento lui di aver per amici, dei galantuomini di cuore, fossero pure allegri mangiatori e bevitori, tarocchisti per la vita, franchi raccontatori di porcherie non disoneste a lecito sfogo della sudicia ilarità che ciascuno ha in corpo. Certi suoi discorsi scherzosi, certi aforismi buttati là senza riflettere sulla importanza relativa delle pratiche religiose e sulla importanza assoluta del vivere onesto l'avevano colpita fin da bambina, anche perché la mamma se ne inquietava moltissimo e supplicava suo fratello di non dire spropositi. Le era entrato il sospetto che lo zio andasse in chiesa solamente per convenienza. Non era vero; non bisognava tener conto degli aforismi di uno che, invecchiato nel sacrificio e nell'abnegazione, soleva dire « charitas incipit ab ego »: e poi, quand'anche lo zio avesse stimato poco le pratiche religiose, a negar la vita futura ci correva ancora un bel tratto. Infatti, appena messo fuori il suo giudizio e uditolo suonare, Luisa lo sentí falso, vide piú chiaro in se stessa, intese di avere inconsciamente cercato nell'esempio dello zio un appoggio e un conforto per sé.

Il professore era tutto commosso di una rivelazione tanto inattesa.

« Quest'anima unica » diss'egli « che vive come se non pensasse che alla vita futura nella quale non crede, è in errore, ma bisogna pur ammirarla come la piú nobile, la piú grande. È una cosa sublime! »

« Lei è certo, però, che quest'anima è in errore? »

« Oh sí sí! »

« Ma Lei, a quale delle Sue categorie appartiene? »

Il professore si credeva dei pochissimi che si regolano interamente secondo un'aspirazione alla vita futura; benché forse sarebbe stato imbarazzato a dimostrare che i suoi profondi studi su Raspail, il suo zelo nel preparare acqua sedativa e sigarette di canfora, il suo orrore dell'umidità e delle correnti d'aria significassero poca tenerezza per la vita presente. Però non volle rispondere, disse che non appartenendo a nessuna Chiesa, credeva tuttavia fermamente in Dio e nella vita futura e che non poteva giudicare il proprio modo di vivere.

Intanto Franco, annaffiando il giardinetto, aveva trovato fiorita una verbena nuova, e, posato l'annaffiatoio, era venuto sulla soglia della loggia e chiamava la Maria per fargliela vedere. La Maria si lasciava chiamare e voleva ancora « Missipipí » onde lo zio la posò a terra e la condusse lui al papà.

« Però, professore » disse Luisa uscendo con la parola viva da un corso occulto d'idee, « si può, non è vero, credere in Dio e dubitare della nostra vita futura? »

Ell'aveva posato, cosí dicendo, l'aggrovigliata matassa della pesca e guardava il Gilardoni in viso con un interesse vivo, con un desiderio manifesto che rispondesse di sí; e, perché il Gilardoni taceva, soggiunse:

« Mi pare che qualcuno potrebbe dire: che obbligo ha Iddio di regalarci l'immortalità? L'immortalità dell'anima è una invenzione dell'egoismo umano che in fin dei conti vuol far servire Iddio al comodo proprio. Noi vogliamo un premio per il bene che facciamo agli altri e

145

una pena per il male che gli altri fanno a noi. Rassegnamoci invece a morire anche noi del tutto come ogni essere vivente e facciamo sin che siamo vivi la giustizia per noi e per gli altri, senza speranza di premi futuri, solo perché Iddio vuole da noi questo come vuole che ogni stella faccia lume e che ogni pianta faccia ombra. Cosa Le pare, a Lei? »

« Cosa vuol che Le dica? » rispose il Gilardoni. « A me pare una gran bellezza! Non posso dire: una gran verità. Non lo so, non ci ho mai pensato; ma una gran bellezza! Io dico che il Cristianesimo non ha potuto avere né immaginare dei Santi sublimi come questo *qualcuno*! È una gran bellezza, è una gran bellezza! »

« Perché poi » riprese Luisa dopo un breve silenzio « si potrebbe forse anche sostenere che questa vita futura non sarebbe proprio felice. Vi è felicità quando non si conosce la ragione di tutte le cose, quando non si arriva a spiegare tutti i misteri? E il desiderio di saper tutto sarà esso appagato nella vita futura? Non resterà ancora un mistero impenetrabile? Non dicono che Dio non si conoscerà interamente mai? E allora, nel nostro desiderio di sapere, non finiremo a soffrire come adesso, anzi forse piú, perché in una vita superiore quel desiderio dev'essere ancora piú forte? Io vedrei un solo modo di arrivare a saper tutto e sarebbe di diventar Dio... »

« Ah, Lei è panteista! » esclamò il professore, interrompendo.

« Ssss! » fece Luisa. « No no no! Io sono cristiana cattolica. Dico quel che altri potrebbero sostenere. »

« Ma scusi, vi è un panteismo... »

« Ancora filosofia? » esclamò Franco entrando con la piccina in braccio.

« Oh miseria! » borbottò lo zio alle sue spalle.

Maria teneva in mano una bella rosa bianca. « Guarda questa rosa, Luisa » disse Franco. « Maria, dà il fiore alla mamma. Guarda la forma di questa rosa, guarda il portamento, guarda le sfumature, le venature di que-

146

sti petali, guarda quella stria rossa; e senti che odore, adesso! E lascia star la filosofia. »

« Lei è nemico della filosofia? » osservò il professore, sorridendo.

« Io sono amico » rispose Franco « della filosofia facile e sicura che m'insegnano anche le rose. »

« La filosofia, caro professore » interloquí lo zio, solennemente « l'è tutta in Aristòtel: quell che te pódet avè, tòtel. »

« Lei scherza » ribatté il professore « ma Lei pure è un filosofo. »

L'ingegnere gli posò una mano sulla spalla:

« Sentite, caro amico, la mia filosofia in vott o des biccièr la ci sta tutta. »

« Euh, vott o des biccièr! » borbottò la governante che udí, entrando, questa spacconata d'intemperanza del suo misuratissimo padrone. « Vott o des corni! »

Veniva ad annunciare don Giuseppe Costabarbieri che fece in pari tempo udire dalla sala un cavernoso e pure ilare Deo gratias. Ecco la rugosa faccia rossa, gli occhi allegri, i capelli bianchi del mansueto prete.

« Si discorre di filosofia, don Giuseppe » disse Luisa dopo i primi saluti. « Venga qui e metta fuori le Sue belle idee anche Lei! »

Don Giuseppe si grattò la nuca e poi volgendo un po' il capo verso l'ingegnere con lo sguardo di chi desidera una cosa e non osa domandarla, mise fuori il fiore delle sue idee filosofiche:

« Sarissel minga mej fa ona primerina? »

Franco e lo zio Piero, felici di salvarsi dalla filosofia del Gilardoni, si misero allegramente a tavolino col prete.

Appena rimasto solo con Luisa, il professore disse piano:

« Ieri è partita la signora marchesa. »

Luisa, che s'era presa Maria sulle ginocchia, le piantò le labbra sul collo, appassionatamente.

« Forse » riprese il professore che mai non aveva saputo leggere nel cuore umano né toccarne le corde a proposito, « forse, il tempo... son tre anni soli... forse verrà il giorno che si piegherà. »

Luisa alzò il viso dal collo di Maria. « Forse *lei*, sí » diss'ella. Il professore non capí, cedette al mal genio che ci suggerisce la peggior parola nel peggior momento e, invece di smettere, si ostinò. « Forse, se potesse veder Maria! » Luisa si strinse al petto la bambina e lo guardò con una fierezza tale ch'egli si smarrí e disse: « Scusi ». Maria, stretta cosí forte, alzò gli occhi al viso strano della mamma, diventò rossa rossa, strinse le labbra, pianse due grosse lagrime, scoppiò in singhiozzi.

« No no, cara » le mormorò Luisa teneramente, « sta buona, sta buona, tu non la vedrai mai, tu! »

Appena chetata la bambina, il professore, turbato dall'idea di aver fatto un passo falso, di aver offeso Luisa, un essere che gli pareva sovrumano, voleva spiegarsi, giustificarsi, ma Luisa non lo lasciò parlare. « Basta, scusi » diss'ella alzandosi. « Andiamo a veder il giuoco. »

In fatto non s'accostò ai giuocatori, mandò Maria sul sagrato con la piccola bambinaia Veronica e andò a portar un avanzo di dolce a un vecchione del villaggio, che aveva un vorace stomaco e una piccola voce, con la quale prometteva ogni giorno alla sua benefattrice la stessa preziosa ricompensa: « prima de morí ghe faroo on basin ». Intanto il professore, pieno di scrupoli e di rimorsi per le sue mosse poco fortunate, non sapendo se partire o rimanere, se la signora tornerebbe o no, se andarne in cerca fosse indiscrezione o no, dopo essersi affacciato al lago come per chieder consiglio ai pesci, dopo essersi affacciato al monte per veder se da qualche finestra della casa gli apparisse Luisa o qualcuno cui si potesse domandar di lei, andò finalmente a vedere il giuoco. Ciascuno dei giuocatori teneva gli occhi sulle proprie quattro carte raccolte, nella sinistra, l'una sopra l'altra per modo che la seconda e la terza sormontavan tanto da potersi riconoscere; e ciascuno, avendo preso delicatamente fra il pollice e l'indice l'angolo superiore delle due ultime, faceva uscire con un combinato moto del polso e delle dita la quarta ignota di sotto la terza, adagio adagio, come se portasse la vita o la morte, ripetendo con gran devozione appropriate giaculatorie: Don Giuseppe cui occorrevano picche « scappa ross e büta négher », gli altri due che volevano quadri e cuori « scappa négher e büta ross ». Il professòre pensò ch'egli pure aveva in mano una carta coperta, un asso di denari, e che non sapeva ancora se l'avrebbe giuocata o no. Aveva il testamento del vecchio Maironi. Pochi giorni dopo la morte della signora Teresa, Franco gli aveva detto di distruggerlo e di non fiatarne mai con sua moglie. Egli non aveva obbedito che quanto al silenzio. Il documento, all'insaputa di Franco, esisteva ancora perché il suo possessore s'era fitto in capo di aspettar gli eventi, di vedere se Cressogno e Oria facessero la pace, se, perdurando le ostilità, Franco e la sua famigliuola capitassero nel bisogno; nel quale ultimo caso avrebbe fatto qualche cosa lui. Che cosa avrebbe fatto non sapeva bene; si coltivava in testa i germi di parecchie corbellerie e aspettava che l'una o l'altra maturasse a tempo e luogo. Ora, guardando Franco giuocare, ammirava come quell'uomo tanto assorto nella cupidità di un re di quadri, avesse respinta l'altra carta preziosa, che neppure avesse voluto farne saper niente a sua moglie. Egli attribuiva questo silenzio a modestia, al desiderio di nascondere un'azione generosa; e quantunque avesse preso da Franco piú d'un brusco rabbuffo e sentisse di non esserne tenuto in gran conto, lo guardava con un rispetto pieno d'umile devozione. Franco fu il primo a scoprir la quarta carta e le buttò via dispettosamente tutte mentre don Giuseppe esclamava: « Ovèj! L'è négher! » e si fermava a pigliar fiato prima di andar avanti a scoprire « se l'era güzz o minga güzz » cioè s'erano picche o fiori. Ma l'ingegnere, alzato dalle carte il viso placido e sorridente, si mise a batter col dito, sotto il piano del tavolino, dei colpettini misteriosi che volevan dire: c'è la carta buona; e allora don Giuseppe, visto che il suo « négher » non era « güzz », cacciò un « malarbetto! » e buttò via le carte anche lui. « Che reson de ciapà rabbia!' » fece l'ingegnere. « Anca vü sii négher e sii minga güzz. » Il prete, avido della rivincita, si contentò d'invocarla sdegnosamente: « Scià i cart, scià i cart, scià i cart! ». E la partita, simbolo dell'eterna lotta universale fra i neri e i rossi, ricominciò.

Il lago dormiva oramai coperto e cinto d'ombra. Solo a levante le grandi montagne lontane del Lario avevano una gloria d'oro fulvo e di viola. Le prime tramontane vespertine movevano le frondi della passiflora, corrugavano verso l'alto, a chiazze, le acque grigie, portando un odor fresco di boschi. Il professore era partito da un pezzo quando Luisa ritornò. Ell'aveva incontrato sulla scalinata del Pomodoro una ragazza piangente che strillava « el mè pà el vœur mazzá la mia mamm! ». Aveva seguita la ragazza in casa sua presso la Madonna del Romít e ammansato l'uomo che cercava sua moglie con un coltello in mano, per causa non tanto d'una cattiva minestra quanto d'una cattiva risposta. Luisa rappresentò a suo marito e a don Giuseppe l'ultimo atto del dramma, il suo dialogo con la moglie ch'era corsa a nascondersi nella stalla. « Oh Regina, dovè sii? — Sont chí. — Dovè, chí? — Chí. » La voce tremante veniva di sotto la vacca. La donna era proprio lí, accoccolata. « Vegní fœura, donca! — Sciora no. — Perché? — Goo pagüra. — Vegní fœura ch'el voss marí el vœur fav on basin. — Mi no. » Allora Luisa aveva chiamato dentro l'uomo. « E vü andee a fagh on basin sott a la vacca. » E l'uomo aveva dato il bacio mentre la donna, temendo un morso, gemeva: « Càgnem pœu minga, neh! »

« Che diàvol d'ona sciora Lüisa! » fece don Giuseppe. E soddisfatto della scorpacciata di primiera, palpandosi

150

dolcemente sui fianchi e sul ventre le modeste rotondità, il piccolo personaggio del mondo antico pensò al secondo scopo della sua visita. Voleva dire una parolina alla signora Luisa. L'ingegnere era uscito a far i suoi soliti quattro passi fino alla piccola salita del Tavorell ch'egli chiamava scherzosamente il San Bernardo; e Franco, data un'occhiata alla luna che sfavillava allora fuor dal ciglio nero del Bisgnago e giú nell'ondular dell'acqua, si pose a improvvisar sul piano effusioni di dolore ideale, che andavan via per le finestre aperte sulla sonorità profonda del lago. La improvvisazione musicale gli riusciva meglio delle elaborate poesie perché il suo impetuoso sentire trovava nella musica una espressione piú facile e piena, e gli scrupoli, le incertezze, le sfiducie che gli rendevano faticosissimo e lento il lavoro della parola, non tormentavano, al piano, la sua fantasia. Allora si abbandonava all'estro anima e corpo, vibrava tutto fino ai capelli, i chiari occhi parlanti ridicevan ogni sfumatura dell'espressione musicale, gli si vedeva sotto le guance un movimento continuo di parole inarticolate, e le mani, benché non tanto agili, non tanto sciolte, facean cantare il piano inesprimibilmente.

Adesso egli passava da un tono all'altro, mettendo il piú intenso sforzo intellettuale in questi passaggi, ansando, sviscerando, per cosí dire, lo strumento con le dieci dita e quasi anche cogli occhi ardenti. S'era messo a suonare sotto l'impressione del chiaro di luna, ma poi, suonando, tristi nuvole gli eran uscite dal fondo del cuore. Conscio di avere sognata, da giovinetto, la gloria e di averne quindi umilmente deposta la speranza, diceva, quasi, a se stesso con la sua mesta appassionata musica che pure anche in lui v'era qualche lume d'ingegno, qualche calore di creazione veduto solamente da Dio, perché neppur Luisa mostrava far dell'intelligenza sua quella stima che a lui stesso mancava ma che avrebbe desiderata in lei; neppur Luisa, il cuor del suo cuore! Luisa lodava misuratamente la sua musica e i suoi versi ma non gli aveva detto mai: segui questa via, osa, scrivi, pubblica. Pensava cosí e suonava nella sala oscura, mettendo in una tenera melodia il lamento del suo amore, il timido segreto lamento che mai non avrebbe osato mettere in parole.

Sulla terrazza, nel mobile chiaroscuro che facevano insieme i fiati di tramontana e la passiflora, la luna e il suo riverbero dal lago, don Giuseppe raccontò a Luisa che il signor Giacomo Puttini era in collera con lui per colpa della signora Pasotti la quale gli aveva falsamente riferito ch'esso don Giuseppe andava predicando la convenienza di un matrimonio fra il signor Giacomo e la Marianna. « Vœui morí lí » protestò il povero prete « se ho detto una parola sola! Niente! Tücc ball! » Luisa non voleva creder colpevole la povera Barborin, e don Giuseppe le dichiarò che sapeva la cosa dallo stesso signor Controllore. Ella capí subito, allora, che Pasotti si era voluto perfidamente burlare di sua moglie, del sior Zacomo e del prete, si schermí dall'intervenire nella faccenda, come quest'ultimo avrebbe voluto e gli consigliò di parlare alla Pasotti. « L'è inscí sorda! » fece don Giuseppe grattandosi la nuca, e se n'andò malcontento, senza salutar Franco, per non interromperlo. Luisa venne al piano in punta di piedi, stette ad ascoltar suo marito, a sentir la bellezza, la ricchezza, il fuoco di quell'anima ch'era sua e cui ell'apparteneva per sempre. Non aveva mai detto a Franco « segui questa via, scrivi, pubblica » forse anche perché giustamente pensava, nel suo affetto equilibrato, che non potesse produrre opere superiori alla mediocrità, ma soprattutto perché sebbene avesse un fine sentimento della poesia, e della musica, non faceva grande stima, in fondo, né dell'una né dell'altra, non le piaceva che un uomo vi si dedicasse intero, ambiva per suo marito un'azione intellettuale e materiale piú virile. Ammirava tuttavia Franco nella sua musica piú che se fosse stato un grande maestro; trovava in questa espressione quasi segreta dell'animo suo un che di verginale, di sincero, la luce di uno spirito amante, il piú degno d'essere amato.

Egli non s'accorse di lei se non quando si sentí sfiorar le spalle da due braccia, si vide pender sul petto le due piccole mani. « No, no, suona suona » mormorò Luisa perché Franco gliele aveva afferrate; ma cercando lui col viso supino, senza rispondere, gli occhi e le labbra di lei, gli diede un bacio e rialzò il viso ripetendo: « Suona! ». Egli trasse giú piú forte di prima i due polsi prigionieri, richiamò in silenzio la dolce, dolce bocca; e allora ella si arrese, gli fermò le labbra sulle labbra con un bacio lungo, pieno di consenso, tanto piú squisito e ricreante del primo. Poi gli sussurrò ancora: « Suona ».

Ed egli suonò, felice, una tumultuosa musica trionfale, piena di gioia e di grida. Perché in quel momento gli pareva di posseder tutta intera l'anima della donna sua mentre tante volte, pure sapendosi amato, credeva sentire in lei, al di sopra dell'amore, una ragione altera, pacata e fredda, dove i suoi slanci non arrivassero. Luisa gli teneva spesso le mani sul capo e andava di tratto in tratto baciandogli lievemente i capelli. Ella conosceva il dubbio di suo marito e protestava sempre di appartenergli tutta intera ma in fondo sentiva che aveva ragione lui. Un tenace fiero sentimento d'indipendenza intellettuale resisteva in lei all'amore. Ella poteva tranquillamente giudicar suo marito, riconoscerne le imperfezioni e sentiva ch'egli non poteva altrettanto, lo sentiva umile nel suo amore, devoto senza fine. Non credeva fargli torto, non provava rimorso, ma s'inteneriva, quando ci pensava, di amorosa pietà. Indovinò adesso che significasse quella effusione musicale di gioia e, commossa, abbracciò Franco, fece tacere il piano d'un colpo.

Ecco sulle scale il passo lento e pesante dello zio che ritorna dal suo San Bernardo.

Erano le otto e i soliti tarocchisti, il signor Giacomo e Pasotti, non comparivano. Perché anche Pasotti, in settembre e in ottobre, era un frequentatore di casa Ribera, dove faceva l'innamorato dell'ingegnere, di Luisa e anche di Franco. Franco e Luisa sospettavano di un doppio giuoco ma Pasotti era un vecchio amico dello zio e bisognava fargli una buona accoglienza per riguardo allo zio. Poiché i tarocchisti tardavano, Franco propose a sua moglie di uscir in barca a goder la luna. Prima andarono a veder Maria, che dormiva nel lettino dell'alcova col viso inclinato alla spalla destra, con un braccio sotto il capo e un altro posato sul petto. La guardarono, la baciarono sorridendo, si incontrarono silenziosamente nel pensiero della nonna Teresa che tanto l'avrebbe amata, la baciarono ancora col viso serio. « Povera la mia piccina! » disse Franco. « Povera donna Maria Maironi senza quattrini! »

Luisa gli pose una mano sulla bocca. « Zitto! » disse ella. « Felici noi che siamo le Maironi senza quattrini! »

Franco intese, e sull'atto non replicò; ma poi, nell'uscir di camera per andare in barca, disse a sua moglie, dimenticando una minaccia della nonna: « Non sarà sempre cosí ».

Quell'allusione alle ricchezze della vecchia marchesa dispiacque a Luisa. « Non parlarmene » diss'ella. « Quella roba non vorrei toccarla con un dito. »

« Dico per Maria » osservò Franco.

« Maria ci ha noi che possiamo lavorare. »

Franco tacque. Lavorare! Anche quella lí era una parola che gli mordeva il cuore. Sapeva di condurre una vita oziosa perché la musica, la lettura, i fiori, qualche verso di tempo in tempo, cos'erano se non vanità e perditempi? E questa vita la conduceva in gran parte a carico d'altri, perché, con le sue mille lire austriache l'anno, come avrebbe vissuto? Come avrebbe mantenuto la sua famiglia? Aveva preso la laurea ma senza cavarne profitto alcuno. Diffidava delle proprie attitudini, si sentiva troppo artista, troppo alieno dalle arti curialesche, sapeva di non aver nelle vene sangue di forti lavoratori. Non vedeva salute che in una rivoluzione, in una guerra, nella libertà della patria. Ah quando l'Italia fosse libera, come la servirebbe, con che forza, con che gioia! Queste poesie nel cuore le aveva bene, ma il proposito e la costanza di prepararsi con gli studi a un tale avvenire, no.

Mentr'egli remava in silenzio scostandosi dalla riva, Luisa andava pensando come mai suo marito commiserasse la bambina perché non aveva denari. Non vi era contraddizione tra la fede, la pietà cristiana di Franco e questo sentimento? Le vennero in mente le categorie del professor Gilardoni. Franco credeva fervidamente nella vita futura ma in fatto si attaccava con passione a tutto che la vita terrena ha di bello, di buono e di onestamente piacevole, compreso il tarocco, la primiera e i buoni pranzetti. Uno che osservava cosí scrupolosamente i precetti della Chiesa, che ci teneva tanto a mangiar di magro il venerdí e il sabato, a udire ogni domenica la spiegazione del Vangelo, avrebbe dovuto conformar la propria vita molto piú severamente all'ideale evangelico. Avrebbe dovuto temerlo e non desiderarlo, il denaro.

« Buona lagata! » gridò lo zio dalla terrazza vedendo il battello e Luisa seduta sulla prora, nel chiaro di luna. In faccia al nero Bisgnago tutta la Valsolda si spiegava dal Niscioree alla Caravina nella pompa della luna; tutte le finestre di Oria e di Albogasio come le arcate di Villa Pasotti, come le casette bianche dei paeselli piú lontani, Castello, Casarico, S. Mamette, Drano, parevano guardare, come ipnotizzate, il grande occhio fisso della Morta del cielo.

Franco tirò i remi in barca. « Canta » diss'egli.

Luisa non aveva mai studiato il canto ma possedeva una dolce voce di mezzo soprano, un orecchio perfetto e

cantava molte arie d'opera imparate da sua madre che
aveva udito la Grisi, la Pasta, la Malibran durante l'età
d'oro dell'opera italiana.
Cantò l'aria di *Anna Bolena:*

> *Al dolce guidami*
> *Castel natio*

il canto dell'anima, che prima scende e si abbandona poco a poco, per piú dolcezza, all'amore, e poi, abbraccia-
ta con esso, risale in uno slancio di desiderio verso qualche alto lume lontano che tuttavia manca alla sua felicità piena. Ella cantava e Franco, rapíto, fantasticava
che aspirasse ad essergli unita pure in quella parte superiore dell'anima che finora gli aveva sottratta, che aspirasse a venir guidata da lui, in questa perfetta unione
verso la mèta dell'ideale suo. E gli venivano le lagrime
alla gola; e il lago ondulante e le grandi montagne tragiche e quegli occhi delle cose fisi nella luna e la stessa
luce lunare, tutto gli si riempiva del suo indefinibile
sentimento, per cui quando di là dalla spezzata immagine dell'astro luccicori argentei sfavillarono un momento
fin sotto il Bisgnago, fin dentro il golfo ombroso del Dòi,
se ne commosse come di arcani segni alludenti a lui che
si facessero il lago e la luna, mentre Luisa compieva la
frase:

> *Ai verdi platani,*
> *Al cheto rio*
> *Che i nostri mormora*
> *Sospiri ancor.*

La voce di Pasotti gridò dalla terrazza:
« Brava! »
E la voce dello zio:
« Tarocco! »
Nello stesso tempo si udirono i remi d'una barca che
veniva da Porlezza, si udí un fagotto scimmiottar l'a-
ria di *Anna Bolena.* Franco, che s'era seduto sulla pop-

156

pa del suo battello, saltò in piedi, gridò lietamente:
« Ehi là! » Gli rispose un bel vocione di basso:

> *Buona sera,*
> *Miei signori,*
> *Buona sera,*
> *Buona sera.*

Erano i suoi amici del lago di Como, l'avvocato V. di
Varenna e un tal Pedraglio di Loveno, che solevano venire per far della musica in palese e della politica in
segreto; un segreto di cui Luisa sola era a parte.
Anche dalla terrazza si gridava:
« Bene, don Basilio! – Bravo il fagotto! » E negli intervalli si udiva pure la voce di un signore che si scher-
miva dal tarocco. « No, no, Controllore gentilissimo, xe
tardi, no ghe stemo piú, no ghe stemo propramente piú!
Oh Dio, oh Dio, La me dispensi, no posso, no posso;
ingegnere pregiatissimo, me raccomando a Ela. »
Lo fecero poi giuocare, l'ometto, con la promessa di
non passar le due partite. Egli soffiò molto e sedette al
tavolino con l'ingegnere, Pasotti e Pedraglio. Franco
sedette al piano e l'avvocato gli si mise accanto col fagotto.
Fra Pasotti e Pedraglio, due terribili motteggiatori, il
povero signor Giacomo ebbe una mezz'ora amara, piena
di tribolazioni. Non gli lasciavano un momento di pace.
– Come va, sior Zacomo? – Mal, mal. – Sior Zacomo, non
ci sono frati che passeggiano in pantofole? – Gnanca
uno. – E il toro? Come sta il toro, sior Zacomo? – La
tasa, La tasa. – Maledetto, eh, quel toro, sior Zacomo?
– Maledetissimo, sí signor. – E la servente, sior Zacomo? » « Zitto! » esclamò Pasotti a questa impertinente
domanda di Pedraglio. « Abbiate prudenza. A questo riguardo il signor Zacomo ha dei dispiaceri da parte di
certi indiscreti. » « Lassemo star, Controllore gentilissimo, lassemo star » interruppe il signor Giacomo con-
torcendosi tutto, e l'ingegnere lo esortò a mandar i due

157

seccatori al diavolo. « Come, sior Zacomo » riprese Pasotti, imperterrito: « non è un indiscreto quel piccolo sacerdote? » « Mi ghe digo aseno » fremette il signor Giacomo. Allora Pasotti, tutto ridente e trionfante perché si trattava proprio d'una burla sua, fece tacere Pedraglio che scoppiava dalla curiosità di saper la storia e rimise in corso il tarocco.

Franco e l'avvocato studiavano un pezzo nuovo per piano e fagotto, pasticciavano, si rifacevan ogni momento da capo; ed ecco entrare in punta di piedi per non guastar le loro melodie, la signora Peppina Bianconi. Nessuno s'accorse di lei tranne Luisa che se la fece sedere accanto, sul piccolo canapè vicino al piano.

A Franco la signora Peppina, con la sua bontà cordiale, chiacchierona e sciocca, urtava i nervi; a Luisa no. Luisa le voleva bene ma stava in guardia per il Carlascia. La Peppina aveva udito dal suo giardino quella canzonetta « inscí bella, neh » e poi il fagotto, i saluti; s'era immaginata che avrebbero fatto musica e lei era « inscí matta, neh » per la musica! E poi c'è quel signor avvocato « ch'el boffa denter in quel rob inscí polito! ». E poi c'è il signor don Franco « parlèmen nanca, con quèi diavoi de dí! ». Udir suonare il piano con quella precisione era proprio come udire un organetto; e a lei gli organetti piacevano « inscí tant! ». Soggiunse che temeva recar disturbo ma che suo marito l'aveva incoraggiata. E domandò se quell'altro signore di Loveno non suonava anche lui, se si fermavano un pezzo; osservò che dovevano avere ambedue una gran passione per la musica.

"Aspetta me, birbone d'un Ricevitore" pensò Luisa e rimpinzò sua moglie delle piú comiche frottole sulla melomania di Pedraglio e dell'avvocato, infilzandone tante piú quanto piú s'irritava contro la gente odiosa da cui era forza salvarsi a furia di menzogne. La signora Peppina le inghiottí scrupolosamente tutte fino all'ultima, accompagnandovi affettuose note di lieta meraviglia:

« Oh bell, oh bell! – Figüremes! – Ma guardee! ». Poi, invece di ascoltare la diabolica disputa del piano col fagotto, parlò del Commissario di Porlezza e disse ch'egli aveva l'intenzione di venir a vedere i fiori di don Franco. « Venga pure » fece Luisa, fredda.

Allora la signora Peppina, approfittando di un uragano che Franco e l'amico suo facevano insieme, arrischiò un discorsetto intimo che guai se il suo Carlascia l'avesse udito; ma fortunatamente il buon bestione dormiva nel proprio letto col berretto da notte tirato sugli orecchi. « Mi goo inscí mai piasè de sti car fior! » diss'ella. Secondo lei, i Maironi avrebbero fatto bene ad accarezzare un poco il signor Commissario. Era intimo della marchesa e guai se gli veniva il ticchio di farli tribolare! Era un uomo terribile, il Commissario. « El mè Carlo el baia on poo ma l'è on bon omasc; quell'alter là, el baia minga, mah, neh!... » Per esempio, ella non sapeva niente, non aveva udito niente, ma se quel signor avvocato e quell'altro signore fossero venuti per qualche altra cosa invece che per la musica e il Commissario venisse a saperlo, misericordia!

La luna trascinava i suoi splendori per il lago verso le acque di ponente; il giuoco finí e il signor Giacomo si dispose a far accendere il suo lanternino, malgrado le esclamazioni di Pasotti. « Il lume, sior Zacomo? È matto? Il lume con questa luna? » « Per servirla » rispose il signor Giacomo. « Prima ghe xe quel maledeto Pomodoro da passar; e po, cossa vorla, adesso, la luna! La diga che la xe la luna d'agosto, anca; perché siben che semo de setembre, la luna la xe d'agosto. Ben! una volta, sí signor, le lune d'agosto le gera lunazze, tanto fate, come fondi di tina; adesso le xe lunete, buzarete... no, no, no. » E, acceso il suo lanternino, partí con Pasotti, accompagnato fino al cancello del giardinetto dall'impertinente Pedraglio con le solite antifone sul toro e la servente, si avviò verso gli antri di Oria, col conforto delle giaculatorie di Pasotti: « gente maleducata, sior Zacomo, gente villana! », giaculatorie dette abbastanza forte perché gli altri potessero udire e ridere.

Un sonoro sbadiglio dell'ingegnere mise in fuga la signora Peppina. Pochi momenti dopo, preso il suo solito bicchier di latte, egli tolse commiato poeticamente:

> *Crescono sul Parnaso e mirti e allori,*
> *Felicissima notte a lor signori.*

Anche i due ospiti chiesero un po' di latte: e Franco che intese il loro latino andò a pigliare una vecchia bottiglia del piccolo eccellente vigneto di Mainè.

Quando ritornò lo zio non c'era piú. Il bruno, barbuto avvocato, una quadratura di forza e di calma, alzò le due mani, chiamò silenziosamente a sé Franco da una parte, Luisa dall'altra e disse piano, con la sua voce di violoncello, calda e profonda:

« Notizie grosse. »

« Ah! » fece Franco, spalancando gli occhi ardenti. Luisa diventò pallida e giunse le mani senza dir parola.

« Sicuro » fece Pedraglio, tranquillo e serio. « Ci siamo. » « Dite su, dite su, dite su! » fremette Franco. Fu l'avvocato che rispose:

« Abbiamo l'alleanza del Piemonte con la Francia e l'Inghilterra. Oggi la guerra alla Russia, domani la guerra all'Austria. Volete altro? »

Franco abbracciò di slancio, con un singulto, i suoi amici.

I tre stettero abbracciati in silenzio, palpitando, stringendosi forte, nella ebbrezza della magica parola: guerra. Franco non si accorgeva di avere ancora la bottiglia in mano. Gliela tolse Luisa; egli allora si staccò impetuoso dagli altri due e cacciatosi fra loro a braccia aperte, li trascinò via per la vita come una valanga, li portò in loggia ripetendo: « Contate, contate, contate ».

Colà, chiuso per prudenza l'uscio a vetri che mette sulla terrazza, l'avvocato e Pedraglio misero fuori il loro prezioso segreto. Una signora inglese villeggiante a Bellagio, fervente amica dell'Italia, aveva ricevuto da un'altra signora, cugina di sir James Hudson, ministro d'Inghilterra a Torino, una lettera di cui l'avvocato possedeva la traduzione. La lettera diceva ch'erano in corso a Torino, a Parigi e a Londra segretissime pratiche per avere la cooperazione armata del Piemonte in Oriente, che la cosa era in massima decisa fra i tre Gabinetti, che restavano solamente a risolvere alcune difficoltà di forma perché il conte di Cavour esigeva i maggiori riguardi alla dignità del suo paese; che a Torino si era certi di ricevere al piú tardi in dicembre l'invito ufficiale delle Potenze occidentali per accedere puramente e semplicemente al trattato del 10 aprile 1854. Si affermava persino che il corpo di spedizione sarebbe comandato da S. A. R. il duca di Genova.

V. leggeva, e Franco teneva stretta la mano di sua moglie. Poi volle leggere egli stesso e dopo lui lesse Luisa. « Ma! » diss'ella. « La guerra all'Austria? Come? »

« Ma sicuro! » fece l'avvocato. « Vuole che Cavour mandi il duca di Genova e quindici o venti mila uomini a battersi per i turchi se non ha in pugno la guerra all'Austria? La signora crede che non passerà un anno. »

Franco scosse i pugni in aria con un fremito di tutta la persona.

« Viva Cavour » sussurrò Luisa.

« Ah! » fece l'avvocato. « Demostene non avrebbe potuto lodar il conte con efficacia maggiore. »

Gli occhi di Franco s'empirono di lagrime. « Sono uno stupido » diss'egli. « Cosa volete che vi dica? »

Pedraglio domandò a Luisa dove diavolo avesse cacciata la bottiglia. Luisa sorrise, uscí e ritornò subito col vino e i bicchieri.

« Al conte di Cavour! » disse Pedraglio, sottovoce. Tutti alzarono il bicchiere ripetendo: « al conte di Cavour! » e bevvero; anche Luisa che non beveva mai.

Pedraglio si versò dell'altro vino e sorse in piedi.

« Alla guerra! » diss'egli.

Gli altri tre si alzarono di slancio impugnando il bicchiere silenziosamente, troppo commossi per poter parlare.

« Bisogna andarci tutti! » disse Pedraglio.

« Tutti! » ripeté Franco. Luisa lo baciò con impeto, sulla spalla. Suo marito le afferrò il capo a due mani, le stampò un bacio sui capelli.

Una delle finestre verso il lago era spalancata. Si udí, nel silenzio che seguí quel bacio, un batter misurato di remi.

« Finanza » sussurrò Franco. Mentre la lancia delle guardie di finanza passava sotto la finestra, Pedraglio fece « maledetti porci! » cosí forte che gli altri zittirono. La lancia passò. Franco mise il capo alla finestra.

Faceva fresco, la luna scendeva verso i monti di Carona, rigando il lago di una lunga striscia dorata. Che strano senso faceva contemplar quella romita quiete con l'idea d'una gran guerra vicina! Le montagne, scure e tristi, parevano pensare al formidabile avvenire. Franco chiuse la finestra e la conversazione ricominciò sommessa, intorno al tavolino. Ciascuno faceva le proprie supposizioni sugli avvenimenti futuri, e tutti ne parlavano come di un dramma il cui manoscritto fosse già pronto fino all'ultimo verso, con i punti e le virgole, nella scrivania del conte di Cavour. V., bonapartista, vedeva chiaro che Napoleone intendeva vendicar lo zio demolendo uno ad uno i membri della Santa Alleanza: oggi la Russia, domani l'Austria. Invece Franco, diffidentissimo dell'imperatore, attribuiva l'alleanza sarda al buon volere dell'Inghilterra, ma riconosceva che, appena proclamata quest'alleanza, l'Austria, sacrificando i suoi interessi ai principii e agli odii si sarebbe schierata con la Russia, per cui Napoleone sarebbe stato costretto di combatterla. « Sentite » disse sua moglie, « io invece ho paura che l'Austria si metta dalla stessa parte del Piemonte. » « Impossibile » fece l'avvocato. Franco si sgomentò, ammirando la finezza dell'osservazione, ma Pedraglio esclamò: « Off! Sti zurucch chí hin trop asen per fà ona balossada compagna! » e l'argomento parve decisivo, nessuno ci pensò piú, salvo Luisa. Si misero a discorrere di piani di campagna, di piani d'insurrezione; ma qui non andavano d'accordo. V. conosceva gli uomini e le montagne del lago di Como come forse nessun altro, da Colico a Como e a Lecco. E dappertutto, lungo il lago, nella Val Menaggio, nella Vall'Intelvi, nella Valsassina, nelle Tre Pievi aveva gente devota, pronta magari a menar le mani a un cenno del « scior avocàt ». Egli e Franco credevano utile qualunque movimento insurrezionale che valesse a distrarre anche una menoma parte delle forze austriache. Invece Luisa e Pedraglio erano del parere che tutti gli uomini validi dovessero ingrossare i battaglioni piemontesi. « Faremo la rivoluzione noi donne » disse Luisa con la sua serietà canzonatoria. « Io, per parte mia, butterò nel lago il Carlascia. »

Discorrevano sempre sottovoce, con una elettricità in corpo che dava luce per gli occhi e scosse per i nervi, assaporando il parlar sommesso con le porte e le finestre chiuse, il pericolo di avere quella lettera, la vita ardente che si sentivano nel sangue, le parole alcooliche a cui tornavano ogni momento. Piemonte, guerra, Cavour, duca di Genova, Vittorio Emanuele, cannoni, bersaglieri.

« Sapete che ore sono? » disse Pedraglio guardando l'orologio.

« Le dodici e mezzo! Andiamo a letto. »

Luisa uscí a prendere delle candele e le accese, stando in piedi; nessuno si mosse e sedette anche lei. Allo stesso Pedraglio, quando vide le candele accese, passò la voglia di andar a letto.

« Un bel Regno! » diss'egli.

« Piemonte » disse Franco, « Lombardo-Veneto, Parma e Modena. »

« E Legazioni » fece V.

Altra discussione. Tutti le avrebbero volute le Legazioni, specialmente l'avvocato e Luisa; ma Franco e Pedraglio avevano paura di toccarle, temevano di suscitare difficoltà. Si riscaldarono tanto che l'allegro Pedraglio invitò i suoi compagni a gridare sottovoce: « Vosèe adasi, fiœu! ». Allora fu V. che propose di andare a letto. Prese in mano la candela ma senza alzarsi.

« Corpo di Bacco! » diss'egli, non sapeva bene se in forma di conclusione o di esordio. In fatto aveva una gran voglia di parlare, di sentir parlare, e non sapeva cosa trovar di nuovo. « Proprio corpo di Bacco! » esclamò Franco ch'era nelle stesse condizioni. Seguí un silenzio alquanto lungo. Finalmente Pedraglio disse: « Dunque? » e si alzò. « Andiamo? » fece Luisa avviandosi per la prima. « E il nome? » chiese l'avvocato. Tutti si fermarono. « Che nome? » « Il nome del nuovo Regno. » Franco posò subito la candela. « Bravo » diss'egli, « il nome! » come se fosse una cosa da decidere prima di andare a letto. Nuova discussione. Piemonte? Cisalpino? Alta Italia? Italia?

Luisa posò presto la candela anche lei, e Pedraglio, perché gli altri non volevano passargli il suo *Italia*, la posò pure. Però siccome il dibattito andava troppo per le lunghe, riprese la candela e corse via ripetendo: « Italia, Italia, Italia, Italia! » senz'ascoltar i « zitto » e i richiami degli altri che lo seguivano in punta di piedi. Si fermarono ancora tutti a piè della scala che Pedraglio e l'avvocato dovevano salire per andare a letto, e si diedero la felice notte. Luisa entrò nella vicina camera dell'alcova; Franco restò a veder salire i suoi amici. « Ehi! » diss'egli a un tratto. Voleva parlar loro dal basso ma poi pensò invece di raggiungerli. « E se si perde? » sussurrò.

L'avvocato si contentò d'uno sdegnoso « off! », ma Pedraglio voltandosi come una iena afferrò Franco per il collo. Si dibatterono ridendo sul pianerottolo della scala e poi « addio! », Pedraglio corse su e Franco precipitò abbasso.

Sua moglie lo aspettava ferma in mezzo alla camera, guardando l'uscio. Appena lo vide entrare gli andò, grave, incontro, lo abbracciò stretto stretto, e quando egli, passati alcuni momenti, fece dolcemente atto di sciogliersi, raddoppiò la stretta, sempre in silenzio. Franco, allora, intese. Ella lo abbracciava adesso come lo aveva impetuosamente baciato prima, quando si era parlato di andar tutti alla guerra. Strinse egli pure le tempie di lei fra le mani, le baciò, le ribaciò i capelli e disse dolcemente: « Cara, pensa che gran cosa, dopo, questa Italia! ». « Oh sí! » diss'ella. Alzò il viso al viso di suo marito, gli offerse le labbra. Non piangeva ma gli occhi erano un poco umidi. Vedersi guardar cosí, sentirsi baciar cosí da quella creatura briosa e fiera valeva bene alcuni anni di vita, perché mai mai ella non era stata con lui, nella tenerezza, cosí umile!

« Allora » diss'ella « non resteremo piú in Valsolda. Tu dovrai lavorare come cittadino, non è vero? »

« Sí, sí, certo! »

Si misero a discorrere con gran zelo, l'una e l'altro, di quel che avrebbero fatto dopo la guerra, come per allontanare l'idea di una possibilità terribile. Luisa si sciolse i capelli e andò a guardar Maria nel suo lettino. La bimba si era prima, forse, svegliata e s'era posto in bocca un ditino che poi pian piano, tornando il sonno, n'era scivolato fuori. Ora dormiva con la bocca aperta e il ditino sul mento. « Vieni, Franco » disse sua madre. Si piegarono ambedue sul lettino. Il visetto di Maria aveva una soavità di paradiso. Marito e moglie stettero a guardarla in silenzio e si rialzarono poi commossi, non ripresero il discorso interrotto.

Ma quando furono a letto ed ebbero spento il lume, Luisa mormorò sulla bocca di suo marito:

« Se viene quel giorno, tu vai; ma vado anch'io. »

E non gli permise di rispondere.

III. *Con i guanti*

Pasotti, per far la burla piú completa, rimproverò sua
moglie di avere riferito al signor Giacomo il discorso
di don Giuseppe circa la convenienza di quel tale matrimonio. La povera sorda cadde dalle nuvole, non sapeva
né di discorsi né di matrimoni, protestò ch'era una ca-
lunnia, scongiurò suo marito di non crederci, si disperò,
quasi, perché il Controllore mostrava conservar un sospetto. Il maligno uomo si preparava un divertimento
squisito; dire al signor Giacomo e a don Giuseppe che
sua moglie desiderava rimediare al mal fatto e metter
pace, farli trovare tutti e tre insieme a casa sua, star ad
ascoltare dietro un uscio la deliziosa scena che seguirebb-
be fra il signor Giacomo irritato, don Giuseppe atterrito, la Barborin addolorata e sorda. Ma il disegno gli
fallí perché sua moglie non poté stare alle mosse e corse
al « Palazz » a giustificarsi.
Ella trovò don Giuseppe e la Maria in uno stato di
agitazione straordinaria. Era capitato loro qualche cosa
di grosso che la Maria avrebbe voluto dire e don Giuseppe no. Cedette il padrone a patto che la Maria non
gridasse, che si facesse intendere a segni. Trovando contrasto anche su questa condizione, diventò addirittura,
nella sua prudenza, furibondo e la serva non insistette.
Siccome era corsa voce d'un caso di colèra a Lugano nella persona d'un tale venuto da Milano, dove il male c'e-
ra, don Giuseppe aveva subito disposto che le provviste
per cucina si facessero a Porlezza invece che a Lugano;
e ne aveva incaricato il Giacomo Panighèt, il postino
che portava le lettere in Valsolda non tre volte il giorno, come ora si portano, ma due volte la settimana, co-
m'era la beata consuetudine del piccolo mondo antico.
Ora, cinque minuti prima che venisse la signora Pasotti,
il Giacomo Panighèt aveva portato il solito canestro e
nel canestro s'era trovata, sotto i cavoli, una letterina
diretta a don Giuseppe. Diceva cosí:

"Lei che giuoca a primiera con don Franco Maironi, lo avverta che l'aria di Lugano è molto migliore di quella di Oria. *Tivano*"

La Maria mostrò silenziosamente alla Pasotti il canestro ancora pieno, le rappresentò con una mimica efficace la scoperta della lettera, gliela diede a leggere.

Appena la sorda ebbe letto incominciò una bizzarra, indescrivibile azione muta di tutti e tre. La Maria e don Giuseppe rappresentavano a furia di gesti e di occhiacci la loro sorpresa e il loro terrore; la Pasotti, tra sgomenta e smarrita, li guardava a bocca aperta, col foglio in mano, come se avesse capito; in fatto capiva solamente che la lettera doveva essere spaventosa. Ebbe un lampo, tese il foglio a don Giuseppe con la sinistra, puntando l'indice della destra sulla parola *Franco*, incrociò quindi i polsi con una mimica interrogativa; e poiché i due, riconosciuta la figura delle manette, si sbracciavano a far di sí col capo, diede in ismanie per l'affezione grande che portava a Luisa e, senza curarsi piú del suo proprio affare, spiegò per segni, come se anche gli altri due fossero stati sordi, che sarebbe corsa subito a Oria, da don Franco, e gli avrebbe recato lo scritto.

Si cacciò la carta in tasca e prese la corsa senza quasi salutare né don Giuseppe né la Maria che si provarono inutilmente, mezzo spiritati, di afferrarla, di trattenerla, di raccomandarle ogni precauzione possibile. Ella sgusciò loro di mano e si mise a trottare, scuotendo il suo alto cappellone, trascinando per terra la sua vecchia sottana grigia, verso Oria, dove arrivò tutta scalmanata, con la testa piena di gendarmi, di perquisizioni, d'arresti, di terrori e di pianti.

Salí le scale del giardinetto Ribera, entrò difilata in sala, vide gente, riconobbe il Ricevitore e l'I. R. Commissario di Porlezza, si sgomentò dubitando che fossero lí per il terribile colpo, ma vide pure la signora Bianconi, il signor Giacomo Puttini e respirò.

Il Commissario, seduto al posto d'onore, sul canapè grande, presso l'ingegnere in capo, parlava molto, con grande facilità e brio, guardando di preferenza Franco come se Franco fosse il solo per il quale valesse la pena di spendere fiato e spirito. Franco stava in una poltrona, muto, ingrugnato quale chi sta in casa altrui e sente un puzzo che non può convenientemente fuggire né maledire. Si discorreva della campagna di Crimea e il Commissario magnificava il piano degli alleati di attaccare il colosso in un punto vitale per le sue ambizioni, parlava della barbarie russa e persino dell'Autocrata in modo da far rabbrividire Franco per il timore di un'alleanza anglo-franco-austriaca e da far strabiliare il Carlascia che aveva le idee del 1849 e vedeva nello Czar un grosso amicone di casa. « E Lei, signor primo deputato politico » disse il Commissario volgendo il suo giallastro sorriso ironico al signor Giacomo, « cosa ne dice Lei? » Il signor Giacomo batté gli occhietti e, palpatesi alquanto le ginocchia, rispose: « Ma, signor Commissario riveritissimo, de Russia né de Franza né de Inghilterra no me ne intendo e no me ne intrigo. Lasso che i se la despàta. Ma mi, ghe digo la verità, me fa pecà el poro can del Papuzza. Lu xe quieto come un polesin e questi ghe fà momò: lu no ciama agiuto e quei core in zinquanta a giutarlo, e intanto i ghe xe adosso tuti, e magna che te magna, el poro Papuza, sia ch'el vinza, sia ch'el perda, el me resta in camisa ».

Con questo nomignolo di Papuzza (babbuccia), il signor Giacomo designava venetamente il Turco. Era la personificazione della Turchia in un turco ideale, con tanto di turbante, di barba, di pancia e di babbucce. Nella sua qualità di uomo pacifico e di semi-libero pensatore, il Puttini aveva un debole per il pigro, placido e bonario Papuzza.

« Stia tranquillo » disse ridendo il Commissario. « Il

suo amico Papuzza se la caverà benone. Siamo amici di Papuzza anche noi e non lo lasceremo mutilare né svenare. »

Franco non si tenne dal brontolare con tanto di cipiglio: « Sarebbe però una bella ingratitudine verso la Russia! » Il Commissario tacque, e la signora Peppina propose, con un tatto insolito, di andare a vedere i fiori.

« Meglio! » fece l'ingegnere, assai contento che si troncasse quel dialogo.

Nel passar dalla sala nel giardinetto, il Commissario prese familiarmente il braccio di Franco e gli disse all'orecchio: « Ha ragione, sa, dell'ingratitudine, ma certe cose noi impiegati non le possiamo dire ». Franco, a cui il tocco della Imperial Regia mano bruciava, fu sorpreso di questa uscita. Se colui avesse avuto una faccia piú italiana, gli avrebbe creduto; con quella faccia calmucca non gli credette e lasciò cader il discorso. Lo ripigliò l'altro, sottovoce, affacciandosi alla ringhiera verso il lago e fingendo di guardar il *ficus repens* che veste la muraglia.

« Si guardi anche Lei » diss'egli, « da certe parole. C'è delle bestie che possono interpretar male. » E accennò leggermente col capo al Ricevitore. « Se ne guardi, se ne guardi! » « Grazie » rispose Franco, asciutto, « ma non credo che avrò bisogno di guardarmi. » « Non si sa, non si sa, non si sa » sussurrò il Commissario, e toltosi di là, andò, seguito da Franco, dove il Ricevitore e l'ingegnere discorrevano di tinche presso la scaletta che scende al secondo ripiano del giardinetto.

Lí presso c'era il famoso vaso rosso di gelsomini.

« Questo rosso sta male, signor Maironi » disse il bestione *ex abrupto*, e diede un colpo all'aria con la mano come per dire « via! ». In quel momento Luisa si affacciò al giardino dalla sala e chiamò suo marito. Il Commissario si voltò al suo zelante accolito e gli disse bruscamente: « Lasci stare! ».

La Pasotti partiva e voleva salutare Franco. Questo de-

169

siderava farla uscire per il giardino ma ella, volendo evitare le cerimonie con quegli altri signori, preferí di scender per la scala interna e Franco l'accompagnò fino alla porta di strada, ch'era aperta. Con suo grande stupore, la Pasotti, invece di uscire, chiuse la porta e si mise a fargli una mimica concitata, affatto inintelligibile, accompagnandola di sospiri tronchi e di stralunamenti d'occhi: dopo di che si levò di tasca una lettera e gliela porse.

Franco lesse, si strinse nelle spalle e intascò la carta. Poi, siccome la Pasotti consigliava, con la sua mimica disperata, fuga fuga, Lugano Lugano, la rassicurò con un gesto sorridendo. Colei gli afferrò ancora una volta le mani, scosse ancora con un fremito di supplica, il cappellone inclinato a destra e i due lunghi riccioli neri. Poi spalancò gli occhi, porse le labbra in fuori quanto poté, si calcò l'indice sul naso nel segno del silenzio. «Anca con Pasott!» diss'ella; e furono le sole sue parole durante tutta questa spiegazione; dopo le quali scappò.

Franco risalí le scale, pensando ai casi suoi. Poteva essere un falso allarme, poteva essere una cosa seria. Ma perché mai lo si sarebbe arrestato? Cercò di ricordare se avesse in casa qualche cosa di compromettente e non trovò nulla. Pensò ad una perfidia della nonna ma cacciò subito quest'idea, se ne rimproverò e rimise ogni decisione a piú tardi, quando avrebbe parlato a sua moglie. Ritornò nel giardinetto dove il Commissario, appena lo vide, gli chiese di mostrargli certe dalie che la signora Peppina vantava. Udito che le dalie erano nell'orto, propose a Franco di accompagnarvelo. Potevano andar soli; tanto, gli altri erano profani. Franco accettò.

Il contegno di quel piccolo birro inguantato già pareva molto strano; avrebbe pur voluto capire se potesse in qualche modo accordarsi con l'avvertimento misterioso.

« Senta, signor Maironi » disse risolutamente il Commissario quando Franco ebbe chiuso dietro a sé l'uscio dell'orto, « Le voglio dire una parola. »

Franco, che stava scendendo i due scalini appoggiati alla soglia della porta, si fermò e aggrottò le sopracciglia. « Venga qua! » soggiunse l'altro, imperioso. « Ciò che sto per fare è forse contro il mio dovere ma lo faccio egualmente. Sono troppo amico della signora marchesa Sua nonna per non farlo. Lei corre un gravissimo pericolo. »

« Io? » disse Franco, freddamente. « Quale? »

Franco aveva rapida e sicura l'intuizione del pensiero altrui. Le parole del Commissario si accordavano bene con quelle portategli dalla Pasotti; pure egli sentí, in quel momento, che il piccolo birro aveva un tradimento nel cuore.

« Quale? » rispose costui. « Mantova! »

Franco udí senza batter ciglio il formidabile nome, sinonimo di segrete e di forche.

« Io non posso aver paura di Mantova » diss'egli. « Non ho fatto nulla per andar a Mantova. »

« Eppure! »

« Di che cosa mi accusano? » ripeté Franco.

« Questo lo sentirà se resta qui » rispose il Commissario, pigiando sulle ultime parole. « E adesso vediamo le dalie. »

« Non ho fatto nulla » tornò a dire Franco. « Non mi muovo. »

« Vediamo queste dalie, vediamo queste dalie! » insistette il Commissario.

Parve a Franco che avrebbe dovuto ringraziar quell'uomo e non poté farlo. Gli mostrò i suoi fiori con quel tanto di cortesia che occorreva, con perfetta tranquillità; e lo ricondusse dall'orto in casa, discorrendo di non so qual professore Maspero, di non so qual segreto per combattere l'*oïdium*.

In sala si discorreva di un altro peggiore *oïdium*. La si-

171

gnora Peppina aveva in corpo una terribile paura del colèra. Riconosceva, sí, che il colèra ammoniva ogni buon cristiano di mettersi in grazia di Dio e che quando si è in grazia di Dio è una fortuna di andar all'altro mondo: « Ma però, anca la pell, neh! Quella cara pelascia! A pensà che l'è domà vüna! ».

« Il colèra » disse Luisa, « se avesse giudizio, potrebbe fare bellissime cose; ma non ne ha. – Vede » sussurrò alla signora Peppina, mentre il Biancòn si alzava per andare incontro al Commissario di ritorno con Franco, « il colèra è capace di portar via Lei e di lasciar qui Suo marito. » A questa uscita stravagante la signora Peppina ebbe un sussulto di spavento, fece « Esüsmaria! » e poi capí di essersi tradita, di non aver mostrato per il suo Carlascia quella tenerezza di cui parlava sempre, afferrò il ginocchio della sua vicina e si piegò a dirle sottovoce, rossa come un papavero: « Citto, citto, citto! ».

Ma Luisa non badava piú a lei; un'occhiata di Franco le aveva detto ch'era successo qualche cosa.

Partita tutta quella gente, lo zio Piero si mise a leggere la *Gazzetta di Milano* e Luisa disse a suo marito: « Sono le tre, andiamo a svegliar Maria ».

Quando fu con lui nella camera dell'alcova, invece di aprir le imposte, gli domandò cosa fosse accaduto. Franco le raccontò tutto, dal biglietto della Pasotti allo strano contegno, alla strana confidenza del Commissario.

Luisa lo ascoltò molto seria ma senza dar segno di timore. Esaminò il biglietto misterioso. Ella e Franco sapevano che fra gli agenti governativi di Porlezza v'era un galantuomo il quale nel 1849 e nel 1850 aveva salvato parecchi patrioti avvertendoli segretamente; ma sapevano pure che quel galantuomo là non conosceva l'ortografia né la grammatica. Il biglietto portato dalla Pasotti era correttissimo. Quanto al Commissario, si sape-

172

va che era uno dei piú tristi e maligni arnesi del Governo. Luisa approvò la risposta di suo marito. « Giurerei che ti vogliono far partire » diss'ella.

Franco lo pensava pure ma senza trovarne un ragionevole perché. Luisa ne aveva bene in mente uno, suggeritole dal suo disprezzo per la nonna. Il Commissario era un buon amico della nonna, l'aveva detto egli stesso per un raffinamento, secondo lei, di astuzia. Nel guanto del Commissario vi era l'artiglio della nonna. Non Franco solo ma tutti si volevano colpire; e si volevano colpire nella persona di colui che sosteneva la famiglia con le proprie fatiche, col proprio generoso cuore. Ella sapeva, per discorsi riferitile dalle solite lingue odiose, che la nonna detestava lo zio Piero perché lo zio Piero aveva dato modo a suo nipote di ribellarsi a lei e di vivere nella ribellione, abbastanza comodamente. Ora si cercava un pretesto di colpirlo. La fuga del nipote sarebbe stata una confessione e, per un Governo come l'austriaco, un buon pretesto di colpir lo zio. Luisa non lo disse subito, solamente lasciò capire che aveva un'idea; allora suo marito gliela fece, poco a poco, metter fuori. Uditala, ci credette nel suo cuore ma protestò a parole, cercò difender la nonna da un'accusa troppo poco fondata e troppo mostruosa. Comunque la cosa fosse, marito e moglie si accordavano interamente nella risoluzione di non muoversi, di aspettare gli avvenimenti. Perciò non stettero piú a fare né a discutere supposizioni. Luisa si alzò, andò ad aprire le imposte, si voltò a guardar sorridendo suo marito nella luce; gli stese la mano ch'egli strinse e scosse col cuore caldo e la lingua impedita. Pareva loro di esser soldati condotti per una via quieta al rombo lontano del cannone, a Dio sa qual sorte.

IV. *Con gli artigli*

L'ingegnere in capo non si accorse di nulla, e due giorni dopo, spirata la sua licenza, se n'andò via in barca, pacifico nel suo soprabitone grigio da viaggio, insieme alla Cia, la sua governante. Passarono altri dieci giorni senza novità alcuna, cosicché Franco e Luisa si persuasero che proprio fosse stato teso loro un tranello e che la Polizia non si lascerebbe vedere. La sera del primo ottobre fecero allegramente il tarocco con Puttini e Pasotti e, partiti gli ospiti per tempo, andarono a letto. Luisa, nel baciar la bambina che dormiva, la sentí calda. Le toccò le mani e le gambe. « Maria ha la febbre » diss'ella.

Franco pigliò la candela e guardò. Maria dormiva con la testina piegata sulla spalla sinistra secondo il suo solito. Il bel visetto, sempre accigliato nel sonno, era un po' acceso, la respirazione un po' frequente. Franco si spaventò, immaginò in un momento il morbillo, la scarlattina, il gastrico, l'infiammazione cerebrale. Luisa, piú tranquilla, pensò ai vermi, preparò la santonina sul tavolino da notte. Poi padre e madre si coricarono senza rumore, spensero il lume, stettero ad ascoltar con pena il sottile respiro breve della piccina. Si assopirono e furono svegliati intorno alla mezzanotte, da Maria che piangeva. Accesero il lume e Maria si chetò, prese la santonina. Poi uscí da capo a piangere, volle esser portata nel letto grande, fra la mamma e il papà e in breve vi pigliò sonno; ma era un sonno inquieto, interrotto da pianti.

Franco tenne il lume acceso per poterla osservare meglio.

Pendevano, egli e sua moglie, sulla loro creatura quando all'uscio di strada furono precipitosamente battuti due colpi. Franco balzò a sedere sul letto. « Hai udito? » diss'egli. « Zitto! » fece Luisa afferrandogli un braccio e tendendo l'orecchio.

Due altri colpi, piú forti. Franco esclamò: « La Polizia! » e saltò a terra. « Va, va! » supplicò lei, sottovoce. « Non lasciarti prendere! Passa dal cortiletto! Scavalca il muro! »

Egli non rispose, si vestí a mezzo, in furia, e si slanciò fuori della camera, risoluto di non lasciar volontariamente la sua Luisa, la sua Maria malata, sdegnoso del pericolo. Discese le scale a salti. « Chi è? » diss'egli, prima di aprire. « La Polizia! » si rispose. « Aprite subito! »

« A quest'ora non apro a chi non vedo. »

Si udí un breve dialogo nella strada. La voce di prima disse: « Parli lei » e la voce che parlò poi era ben conosciuta da Franco.

« Apra, signor Maironi. »

Era la voce del Ricevitore. Franco aperse. Entrò un signore vestito di nero, in occhiali; dopo di lui, il bestione; dopo il bestione un gendarme con una lanterna; poi tre altri gendarmi armati, due semplici e un graduato che portava un gran sacco di cuoio. Qualcuno rimase fuori.

« Lei è il signor Maironi? » disse quel dagli occhiali, un aggiunto della Polizia di Milano. « Venga di sopra con me. » E tutta la compagnia si avviò sulle scale con uno strepito di passi pesanti, di ferramenta soldatesche.

Non erano ancora al primo piano che la scala si illuminò in alto, singhiozzi e gemiti scoppiarono al secondo piano.

« Questa è Sua moglie? » chiese l'aggiunto.

« Crede? » rispose Franco, ironico. Il Ricevitore mormorò: « Sarà la domestica ». L'aggiunto si voltò a dare un ordine, due gendarmi si fecero avanti, salirono in fretta al secondo piano. Il poliziotto domandò a Franco, piú aspramente di prima: « Sua moglie è a letto? ».

« Naturalmente. »

« Dove? Bisogna che si alzi! »

L'uscio dell'alcova si aperse, comparve Luisa, in veste da camera con i capelli sciolti e con una candela in mano, mentre un gendarme si affacciava al ripiano superiore della scala a dir che la serva era mezzo svenuta e non poteva venir giú. L'aggiunto gli ordinò di lasciar il suo compagno presso la donna e di scendere. Poi salutò la signora che non rispose al saluto. Sperando che Franco fuggisse, ella si era affrettata di uscir di camera per trattenere, per ingannare, se possibile, la Polizia. Vide suo marito, trasalí, palpitò, ma si rimise subito.

L'aggiunto si avanzò per entrar in camera. « No! » esclamò Franco. « C'è un'ammalata! » Luisa impugnò la maniglia dell'uscio chiuso guardando colui in faccia.

« Questa malata chi è? » domandò l'aggiunto.

« Una bambina. »

« Eh, cosa vogliono che le facciamo? »

« Scusi » disse Luisa scotendo nervosamente la maniglia quasi in atto di sfida. « Hanno bisogno d'entrare tutti? »

« Tutti. »

Al rumore delle voci e della maniglia la piccola Maria si mise a piangere un pianto di stanchezza desolata, che faceva male al cuore.

« Luisa » disse Franco, « lascia che questi signori facciano la loro parte! »

L'aggiunto era un giovane, alquanto elegante, dalla fisonomia fine e cattiva. Lanciò a Franco una occhiata sinistra. « Ascolti Suo marito, signora » diss'egli tanto per mordere di rimando, a qualche modo. « Lo trovo prudente. »

« Meno di lei che si fa scortare da un esercito! » rispose Luisa aprendo l'uscio. Quegli la guardò, si strinse nelle spalle e passò oltre, seguito dagli altri.

« Aprano tutto, qui! » diss'egli forte, ruvidamente, indicando la scrivania. I grandi occhi cilestrini di Franco lampeggiarono. « Parli sotto voce! » diss'egli. « Non mi spaventi la bambina! »

176

« Silenzio a Lei! » tuonò l'aggiunto calando un pugno sulla scrivania. « Apra! »

La bambina, a quello strepito, si mise a singhiozzare disperatamente. Franco, furibondo, scagliò la chiave sulla scrivania.

« A Lei! » diss'egli.

« Ella è in arresto! » gridò l'aggiunto.

« Va bene! »

Mentre Franco rispondeva cosí, Luisa, che si era chinata tutta sulla sua creatura per cercar di quietarla, rialzò impetuosamente il viso.

« Ci ho diritto anch'io, a quest'onore » diss'ella con la sua bella voce vibrante.

L'aggiunto non degnò rispondere, fece aprire e rovistare da un gendarme tutti i cassetti della scrivania, levarne lettere e carte ch'egli esaminava rapidamente e buttava parte a terra, parte nel gran sacco di cuoio. Dopo la scrivania venne la volta dei cassettoni dove tutto fu messo sossopra. Dopo i cassettoni fu visitato il lettuccio di Maria. L'aggiunto ordinò a Luisa di levar la bambina dal letto grande ch'egli intendeva pure di visitare.

« Mi metta il lettuccio in ordine » rispose Luisa fremente. Fino a quel momento il bestione Carlascia era sempre stato lí muto e duro dietro i suoi baffi, come se quella bisogna, forse da lui desiderata in astratto, non fosse stata poi, in pratica, interamente di suo gusto. Adesso si mosse e, senza parlare, si pose ad accomodar con le sue manacce enormi le materasse e le lenzuola del lettuccio. Luisa vi posò la bambina e anche il letto grande fu sfatto e frugato senza frutto. Maria non piangeva piú, guardava quella baraonda con tanto d'occhi spalancati.

« Adesso vengano con me » disse l'aggiunto. Luisa si tenne sicura d'esser condotta via con suo marito e chiese che si facesse scendere la sua domestica per affidarle la bambina. All'idea che Luisa pure fosse tratta

in arresto, che si volesse togliere a Maria malata anche
la madre, Franco, fuori di sé dalla collera e dal dolore,
mise un grido di protesta:

« Questo non è possibile! Lo dica! »

L'aggiunto non degnò rispondergli, ordinò che si facesse
venir la fantesca. La fantesca, mezza morta di paura,
entrò fra i gendarmi, gemendo e singhiozzando.

« Stupida! » mormorò Franco, fra i denti.

« La donna starà qui con la bambina » disse l'aggiunto.
« Loro vengano con me. Devono assistere alla perquisizione. » Fece prendere dei lumi, lasciò un gendarme nell'alcova e passò in sala, seguito dagli altri gendarmi, dal Bianconi, da Franco e Luisa.

« Prima di continuar la perquisizione » diss'egli « domanderò Loro ciò che avrei domandato prima se il Loro
contegno fosse stato migliore. Mi dicano se tengono
armi o pubblicazioni sediziose o carte, sia stampate che
manoscritte, ostili all'Imperial Regio Governo. »

Franco rispose forte:

« No. »

« È quello che vedremo » fece l'aggiunto.

« Si accomodi. »

Mentre l'aggiunto faceva scostar i mobili dalle pareti,
guardare e frugare dappertutto, venne in mente a Luisa
che otto o dieci anni prima lo zio le aveva fatto vedere,
nel cassettone di una camera del secondo piano, una
vecchia sciabola che vi stava sin dal 1812. Era la sciabola di un altro Pietro Ribera, tenente di cavalleria,
caduto a Malojaroslavetz. In quella camera, che stava
sopra la cucina, non ci dormiva mai nessuno, non ci
si andava quasi mai; era come se non ci fosse. Luisa aveva
dimenticato del tutto la vecchia sciabola dell'Impero.
Dio, le veniva in mente adesso! Se anche lo zio l'avesse
dimenticata! Se non l'avesse consegnata nel 48, dopo la
guerra, quando tutte le armi si dovevano consegnare,
pena la vita! Avrà pensato, lo zio, nella sua semplicità
patriarcale, che quel ricordo di famiglia, giacente da

trentasei anni nel fondo d'un cassettone, era pure diventato un arnese pericoloso e proibito? E Franco, Franco che non sapeva niente! Luisa teneva le mani sulla spalliera d'una seggiola; la seggiola scricchiolò tutta sotto una stretta convulsa; ell'alzò le mani, atterrita come se avesse parlato.

Vedeva il poliziotto passar di camera in camera con i suoi gendarmi, giungere a quella, aprire il cassettone, frugare, trovar la sciabola. Faceva ogni sforzo di ricordar il posto preciso dove l'aveva veduta, d'immaginar una via di scampo, e taceva seguendo con gli occhi, macchinalmente, la candela che un gendarme accostava, secondo i cenni del suo capo, ora ad un cassetto aperto, ora ad una cantoniera, ora ad un quadro che colui alzava per guardarvi dietro. Non le veniva in mente nessun rimedio. Se lo zio non aveva pensato di levar la sciabola, c'era solo da sperare che non si visitasse anche quella camera.

Franco, appoggiato alla stufa, seguiva, scuro nella fronte, ogni atto di quella gente. Quando cacciavano le mani nei cassetti, gli si vedeva la collera nel giuoco muto delle mascelle. Non si udiva che qualche ordine tronco dell'aggiunto, qualche risposta sommessa dei gendarmi. Nulla si moveva intorno ad essi se non le loro grandi ombre traballanti per le pareti. Il silenzio del Ricevitore, di Franco e di Luisa, pareva, in una sala da giuoco proibito, intorno alle voci brevi dei giuocatori, il silenzio di coloro che hanno puntato forte. La sinistra faccia, la sinistra voce dell'aggiunto, quantunque nulla si trovasse, non cambiavano mai. A Luisa egli pareva un uomo sicuro d'arrivare al suo scopo. E non poter far niente, neppur avvertire Franco! Ma forse era meglio che non lo sapesse, forse quest'ignoranza poteva salvarlo.

Visitate la sala e la loggia, l'aggiunto passò nel salotto. Pigliò la candela dalle mani del gendarme e fece una rapida rassegna dei piccoli uomini illustri. « Il signor ingegnere in capo Ribera » diss'egli vedendo i ritratti di Gouvion Saint-Cyr, di Marmont e di altri generali napoleonici « avrebbe fatto molto meglio a tener il ritratto di S. E. il feld-maresciallo Radetzky. Non c'è? »

« No » rispose Franco.

« Che razza d'impiegati! » fece colui con un disprezzo, con un'arroganza da non dire.

« Hanno gl'impiegati il dovere » scattò Franco « di tenere ritratti... »

« Non sono qui » lo interruppe l'aggiunto « per discutere con Lei! »

Franco voleva replicare. « Citto, Lei, con quella lingua lunga quatter brazza! » fece il Ricevitore, burbero.

L'aggiunto uscí dal salotto nel corridoio che conduce alla scala. Salirebbe, pensava Luisa, o non salirebbe? Salí ed ella gli tenne dietro senza tremare ma immaginando con una rapidità vertiginosa tante cose diverse che potevano accadere. Rotavano, per cosí dire, nella sua mente tutte le possibilità del momento, le sciagurate e le prospere. Se si fermava sulle prime, l'orrore la portava di slancio alle seconde; se si fermava su queste, la fantasia ritornava con avidità perversa alle prime.

Prima ancora di porre il piede nel corridoio del secondo piano, udí Maria piangere. Franco chiese all'aggiunto che permettesse a sua moglie di scendere dalla bambina ma ella protestò che voleva restare. L'idea di non essere con lui quando si scoprisse l'arma, l'atterriva. Intanto l'aggiunto entrò in uno stanzino dov'erano parecchi libri, trovò un'opera stampata a Capolago col titolo *Scritti letterari di un italiano vivente* e domandò: « Chi è quest'italiano vivente? ». « Il padre Cesari » rispose Franco, audacemente. L'altro, ingannato da quella prontezza e da quel nome di frate, si diede l'aria dell'uomo colto, disse: « Ah, conosco! » e ripose il libro, chiese dove dormisse l'ingegnere in capo.

Luisa era troppo soggiogata da un'angoscia sola per sentir altro, ma Franco, a veder entrare il birro e i suoi nella camera dello zio cosí pulita e ordinata, cosí piena del suo buono, pacifico spirito, a pensar che colpo sarebbe per il povero vecchio una notizia siffatta, si sentí uno struggimento, una rabbia da piangerne. « Mi pare » diss'egli « che almeno questa camera dovrebb'essere rispettata. »

« Ella si tenga le Sue osservazioni » rispose l'aggiunto, e incominciò con far buttare all'aria coperte e materasse. Poi volle la chiave del cassettone. L'aveva Franco, che discese, accompagnato da un gendarme, a prenderla nella sua camera. Lo zio gliel'aveva consegnata prima di partire dicendogli che, ad un bisogno, avrebbe trovato un po' di *cum quibus* nel primo cassetto. Aprirono. V'era un rotolo di svanziche, alcune lettere e carte, dei portafogli e dei taccuini vecchi, dei compassi, delle matite, una scodellina di legno con varie monete. L'aggiunto esaminò ogni cosa minutamente, scoperse fra le monete della scodellina uno scudo di Carlo Alberto e un pezzo di quaranta lire del Governo Provvisorio di Lombardia. « Il signor ingegnere in capo » disse l'aggiunto « ha conservato queste monete con una cura straordinaria! D'ora in poi le conserveremo noi. » Chiuse il cassetto e restituí la chiave senza aprire gli altri.

Uscí poi nel corridoio e si fermò, incerto. Il Ricevitore lo credette disposto a scendere e siccome il corridoio era quasi buio e la scala non si vedeva, s'incamminò egli, come piú pratico, a destra, verso la scala, dicendo: « Di qua ». La stanza della sciabola era a sinistra.

« Aspetti » disse l'aggiunto. « Guardiamo anche qui dentro. » E voltosi a sinistra spinse quel tale uscio. Luisa, ch'era rimasta l'ultima del seguito, giunto il momento supremo, si fece avanti. Il cuore, che durante l'indecisione dell'aggiunto le aveva martellato a furia, si chetò come per miracolo. Ora ella era fredda, intrepida e pronta.

« Chi dorme qui? » le chiese l'aggiunto.

« Nessuno. Dormivano qui i genitori di mio zio che

181

sono morti da quarant'anni. Dopo non vi ha piú dormito nessuno. »

Nella camera v'erano due letti, un canapè, un cassettone. L'aggiunto accennò ai gendarmi di aprire il cassettone. Si provarono; era chiuso a chiave. « Debbo averla io, la chiave » disse Luisa con perfetta indifferenza. Discese accompagnata da un gendarme e risalí con un cestellino pieno di chiavi, lo porse all'aggiunto.

« Non la conosco » disse, « non si adopera mai. Dev'essere una di queste. »

Colui le provò tutte inutilmente. Poi le provò il Ricevitore, poi Franco. La buona non c'era.

« Mandi a S. Mamette, faccia venire il fabbro » disse Luisa tranquillamente. Il Ricevitore guardò l'aggiunto come per dirgli: « Mi pare inutile ». Ma l'aggiunto gli voltò le spalle ed esclamò volto a Luisa: « Questa chiave ci dev'essere ».

Il cassettone, un vecchio mobile rococò, aveva maniglie di metallo ad ogni cassetto. Uno dei gendarmi, il piú robusto, si provò di aprire a forza. Non gli riuscí né col primo né col secondo cassetto. In quel punto Luisa si risovvenne che aveva veduto la sciabola nel terzo, insieme a certi disegni arrotolati. Il gendarme afferrò le maniglie del terzo cassetto. « Questo non è chiuso » diss'egli. Infatti si aperse facilmente. L'aggiunto pigliò il lume e si chinò a guardarvi dentro.

Franco si era seduto sul canapè e guardava i travicelli del soffitto. Sua moglie, quando vide il cassetto aperto, gli sedette accanto, gli prese e gli strinse una mano spasmodicamente. Udí sfogliar carte e il Ricevitore mormorar con voce benigna: « Disegni ». Poi l'aggiunto fece: « Oh! ». I satelliti si chinarono a guardare; Franco trasalí. Ella ebbe la forza di levarsi per vedere e dire: « Cosa c'è? ». L'aggiunto aveva in mano una lunga, curva busta di cartone, che portava un biglietto scritto. Egli lo aveva prima letto silenziosamente e ora lo lesse forte con un accento inesprimibile di soddisfazione e di sarcasmo. « Sciabola del tenente Pietro Ribera ucciso a Malojaroslavetz, 1812. » Franco balzò in piedi, sorpreso, incredulo, e in pari tempo l'aggiunto aperse la busta. Franco non la poteva vedere; guardò sua moglie, che la vedeva. Sua moglie aveva le labbra bianche. Lo credette spavento e non gli pareva possibile.

Era gioia: la busta non conteneva che un fodero vuoto. Luisa si trasse nell'ombra precipitosamente, cadde a sedere sul canapè, lottò contro un violento tremito interno, s'irritò con se stessa, si disprezzò e lo vinse. Intanto l'aggiunto, preso il fodero e guardatolo per ogni verso, chiese a Franco dove fosse l'arma. Franco fu per rispondere che non lo sapeva com'era vero. Ma questa potendo parere una giustificazione personale, rispose invece:

« In Russia. »

La sciabola non era in Russia, era confitta nella melma, in fondo al lago, dove l'aveva segretamente gittata lo zio Piero, invece di consegnarla.

« E perché hanno scritto *sciabola*? » fece il Ricevitore tanto per mostrare un po' di zelo anche lui.

« Chi ha scritto è morto » disse Franco.

« Questa chiave subito! » esclamò rabbiosamente il Commissario. Stavolta Luisa la trovò e gli altri due cassetti furono aperti; uno era vuoto, l'altro conteneva delle coperte di lana e della lavanda.

La perquisizione finì qui. L'aggiunto discese in sala e intimò a Franco di prepararsi a seguirlo dentro un quarto d'ora. « Ma ci arresti tutti, dunque! » esclamò Luisa.

L'aggiunto si strinse nelle spalle e ripeté a Franco: « Dentro un quarto d'ora, Lei! Vada pure nella Sua camera ». Franco trascinò via Luisa, la supplicò di tacere, di rassegnarsi per amor di Maria. Egli pareva un altro, non mostrava né dolore né collera, aveva nel viso e nella voce una dolcezza seria, una virile tranquillità.

Mise nella valigia poca biancheria, un Dante e un *Almanach du jardinier* che aveva sul tavolino da notte, si chinò un momento su Maria che dormiva e non le diede un bacio per non svegliarla, baciò invece Luisa e, perché stavano sotto gli occhi dei gendarmi posti alle due uscite della camera, si sciolse presto dalle sue braccia dicendole in francese che non conveniva dare spettacolo a quei signori. Prese la valigia, andò a porsi agli ordini dell'aggiunto.

Questi aveva la barca a cinquanta passi da casa Ribera, verso Albogasio, all'approdo che chiamano del Canevaa. Uscendo dal sottoportico cavalcato dalla casa, Franco si udí sopra la testa uno strepito d'imposte, vide batter sulla faccia bianca della chiesa il lume della sua camera e si voltò a dir verso la finestra:

« Manda a chiamar il medico, domattina! Addio! » Luisa non rispose.

Quando i gendarmi arrivarono con l'arrestato presso il Canevaa, l'aggiunto comandò loro di fermarsi.

« Signor Maironi » diss'egli, « Ella ha avuto la Sua lezione. Per questa volta ritorni a casa Sua e impari a rispettare le Autorità. »

Meraviglia, gioia, sdegno scoppiarono nel cuore di Franco. Si contenne, però, si morse le labbra e si avviò a casa senza fretta. Non aveva ancora girato il canto della chiesa, che Luisa lo riconobbe al passo e chiamò:

« Franco? » Egli saltò avanti, fu visto, vide l'ombra di lei sparire dalla finestra, entrò in casa di corsa, si slanciò sulla scala gridando « libero, libero! » mentre sua moglie la scendeva a precipizio con una furia di « come come come? ». Si cercarono con le braccia avide, si afferrarono, si strinsero, non parlarono piú.

Parlarono poi, in loggia, per due ore continue di tutto che avevano visto, udito e provato, ritornando sempre alla sciabola, alle carte, alle monete, non senza fermarsi su tante inezie, sull'accento veneto che aveva l'aggiunto, sul gendarme bruno che pareva un buon diavolo e sul gendarme biondo che doveva essere un cane. Di quando in quando tacevano, gustavano il silenzio sicuro e la dolcezza della casa; poi ricominciavano. Prima di andar a letto uscirono sulla terrazza. La notte era scura e tepida, il lago immobile. L'afa, le tenebre, le forme vaghe, mostruose delle montagne pigliavano nella immaginazione una mortale pesantezza austriaca; l'aria stessa ne pareva grave. Non avevano sonno, né Luisa né Franco, ma conveniva pure andar a letto per la fantesca che vegliava Maria. Entrarono in camera in punta di piedi. La bambina dormiva, aveva il respiro quasi regolare.

Cercarono di dormire anch'essi e non ci riuscirono.

Non potevano a meno, specialmente Franco, di parlare. Egli domandava sottovoce: «Dormi?». Ella rispondeva «no» e allora tornavano in campo le monete o le carte o la sciabola o lo sgherro dall'accento veneto. Oramai non erano piú davvero cose nuove e siccome sull'alba Maria si agitava, dava segno di svegliarsi, avendo Franco sussurrato da capo «dormi?» Luisa rispose «sí» ed egli tacque definitivamente, come se ne fosse persuaso.

Il giorno dopo la perquisizione, Oria, Albogasio, San Mamette furono pieni di bisbigli: «Avii sentii? – Oh car Signor! – Avii sentii? – O cara Madonna!». I bisbigli piú sonori, per forza, furono quelli che appresero il fatto alla Barborin Pasotti. Suo marito le gridò in bocca: «Maironi! Polizia! Gendarmi! Arresto!». La povera donna credette che un esercito avesse spazzato via i suoi amici e si mise a sbuffare «oh! oh!» come una locomotiva. Gemette, pianse, domandò a Pasotti della bambina. Pasotti, che non voleva assolutamente permetterle di scendere a Oria, di mostrare in quelle circostanze affetto ai Maironi, rispose con un gesto che pareva un colpo di scopa. Via. Via anche quella! – E la serva? Ci sarà la serva? – Il perfido uomo menò in aria un altro colpo di scopa e la Barborin capí che Sua Maestà I. R. A. avesse fatto portar via anche la serva.

Ma i bisbigli piú maligni suonarono assai lontano dalla Valsolda, in una sala del Palazzo Maironi a Brescia. Dieci giorni dopo la perquisizione, il cavaliere Greisberg di S. Giustina, cugino del Maironi, addetto al governo del feld-maresciallo Radetzky in Verona sino al 1853 e passato poi col padrone a Milano, scendeva a casa Maironi dalla carrozza dell'I. R. Delegato di Brescia, del quale era ospite da poche ore. Il cavaliere, un bell'uomo sulla quarantina, azzimato e profumato, non aveva un'aria molto gaia mentre, ritto in mezzo alla sala di ricevimento, stava guardando gli antichi stucchi del soffitto in aspettazione della marchesa, loro contemporanea. Però, quando l'uscio in faccia, spalancato da mano servile, lasciò passar lentamente la grossa persona, il viso marmoreo e la parrucca nera di Madama, il cavaliere si trasfigurò e baciò con fervore la mano grinzosa della vecchia. Una dama lombarda devota all'Austria era un animale raro e di gran pregio agli occhi dell'Imperial Regio Governo: ogni leale funzionario le doveva la piú ossequiosa galanteria. La marchesa ricevette gli omaggi del cugino cavaliere con la solita flemmatica dignità e, fattolo sedere, gli domandò notizie dei suoi, lo ringraziò della visita, sempre nello stesso tono gutturale e dormiglioso. Finalmente, posatesi le mani sul ventre, ansando un poco per la fatica di tante parole, mostrò di star ad aspettare quelle del cugino.

Aspettava che le parlasse della perquisizione e dell'ingegnere Ribera. Ella gli aveva espresso in passato il suo dispiacere che Franco subisse la influenza di sua moglie e del Ribera, il suo stupore che il Governo tenesse al proprio stipendio uno che nel 1848 aveva fatto apertamente il liberale e la cui famiglia, specialmente quella signorina della trappola, professava il piú sfac-

186

ciato liberalismo. Il cavaliere Greisberg le aveva risposto che di queste sue sagge osservazioni sarebbe tenuto conto. Poi la marchesa aveva istigato il Commissario Zérboli contro il povero ingegnere in capo. Sapeva dallo Zérboli della perquisizione; perciò, quando vide Greisberg, intese ch'era venuto a parlarle di questo. Ora ella voleva bene servirsi del Governo per i suoi rancori privati, ma, per principio, non si riconosceva obbligata mai di gratitudine a nessuno. Il Governo austriaco, saggiando un impiegato malfido, aveva fatto il proprio interesse. Ella non aveva sollecitato nulla, non toccava a lei di chieder nulla; toccava al cavaliere di parlare per primo. Ma il signor cavaliere, furbo, maligno e orgoglioso la sua parte, non la intendeva cosí. La vecchia voleva un favore e per averlo doveva piegarsi a baciar le unghie benefiche del Governo.

Tacque alquanto per raccogliersi e vedere se l'altra cedesse. Visto che stava muta e dura, si fece a un tratto molle egli stesso, sorridente, grazioso, le disse che veniva da Verona, le propose d'indovinar il giro che aveva fatto. Era passato per un paese cosí carino, aveva veduto una villa cosí deliziosa, cosí splendida, un paradiso! Indovinare non era il forte della marchesa; gli domandò s'era stato in Brianza. No, da Verona a Brescia per la Brianza non c'era venuto. Tornò a descriver la villa cosí minutamente che la marchesa non poté a meno di riconoscere il suo possesso di Monzambano. Allora il cavaliere le propose d'indovinare perché mai fosse andato a veder la villa. Ella indovinò subito, indovinò tutta la rete della commedia che le si recitava, ma il suo viso melenso non ne disse nulla. Il Delegato di Brescia l'aveva tastata un'altra volta per sapere se appigionerebbe la villa a S. E. il maresciallo; ed ella, minacciata segretamente d'incendi e di morte dai liberali di Brescia, aveva preso delle rispettose scappatoie. Sentí ora nel discorso del Greisberg la tacita offerta di un contratto e si pose in guardia. Confessò al cugino che non sapeva indovinare neppur questo. Già le pareva di diventare ogni giorno piú stupida. Anni e dispiaceri! « Ne ho avuto uno grosso anche di questi giorni! » diss'ella. « Ho saputo che la Polizia ha fatto una perquisizione in casa di mio nipote a Oria. »

Il Greisberg, sentendosi sfuggire la vecchia ipocrita, buttò via i guanti e la fermò con gli artigli. « Marchesa » diss'egli prendendo un tono che non ammetteva repliche, « Ella non deve parlare di dispiaceri. Ella ha fornito per mezzo mio e per mezzo del signor Commissario di Porlezza preziose informazioni al Governo, il quale Le tien conto delle Sue benemerenze. A Suo nipote non fu torto un capello né si torcerà se avrà giudizio. Mi rincresce invece che non si avrà modo, forse, di prendere provvedimenti severi contro un'altra persona che ha dei torti privati verso di Lei. Per trovar modo di colpire questa persona il signor Commissario di Porlezza ha fatto anche piú del suo dovere. Ella deve capire senz'altro, marchesa, che non è il caso di dispiaceri e che anzi ha un obbligo particolare verso il Governo. » La marchesa non s'era mai udita parlare cosí alto e con tanta formidabile autorità. Era forse ai battiti dispettosi del cuore che rispondeva sopra al suo rigido busto il visibile ondulamento continuo del collo e del capo; ma pareva proprio il moto d'un animale che lavorasse faticosamente a ingoiar un boccone enorme. A ogni modo ella non piegò fino a dire una parola d'acquiescenza. Solamente, quando riprese la sua placidezza obesa, osservò che non aveva mai domandato di prendere provvedimenti contro nessuno, che se nella perquisizione non si era trovato niente a carico dell'ingegnere Ribera, ne aveva piacere; che del resto in casa Ribera se n'eran dette di tutti i colori e che i discorsi era difficile trovarli. Il cavaliere rispose, piú mansueto, che non poteva dire se si fosse trovato niente o no e che l'ultima parola sarebbe stata pronunciata dal maresciallo, il quale intendeva occuparsi personalmente della cosa.

Ciò gli diede modo di ritornar al discorso della villa di Monzambano. La chiese formalmente per Sua Eccellenza che intendeva venirci dentro otto giorni. La marchesa ringraziò dell'onor grande, disse che la sua villa non meritava tanto, che le pareva troppo angusta, che aveva bisogno di riparazioni, che bisognava dirlo a Sua Eccellenza. Avrebbe voluto differire, aspettar il prezzo sciagurato della sua condiscendenza, ma il cavaliere diede un altro colpo di artiglio e dichiarò che bisognava risponder subito, risponder netto, sí o no, e convenne bene che la vecchia piegasse il capo. « Per compiacere a Sua Eccellenza » diss'ella. Greisberg tornò subito amabile, scherzò sulle misure che si potrebbero prendere contro quel signor ingegnere. Non c'era da sparger sangue, c'era da spargere, tutt'al piú, un po' d'inchiostro; non c'era da togliergli la libertà, c'era da rendergliela intera! La marchesa non fiatò. Fece portare due limonate e sorbí lentamente la sua a piccoli sorsi, non senza una fioca espressione di contentezza fra un sorso e l'altro, come se ci fosse nella limonata un sapore nuovo e squisito. Il cavaliere avrebbe pur voluto da lei una parola esplicita su questo punto del Ribera, una confessione del suo desiderio, e posando sul vassoio la tazza vuotata rapidamente, le disse: « Mi ci metterò io, sa, e ci riusciremo a questo. È contenta? ».

La marchesa continuò a sorseggiare la limonata, piano, piano, guardando nel bicchiere.

« Non va bene? » domandò ancora il cugino dopo una inutile attesa.

« Sí, è buona » rispose il sonnolento naso. « Bevo adagio per i denti. »

Gli ultimi bisbigli non furono umani. Luisa e Franco erano seduti sull'erba di Looch, presso al cimitero. Parlavano della bontà grande e squisita della mamma, la paragonavano alla bontà grande e semplice dello zio notandone le somiglianze e le differenze. Non dicevano quale delle due bontà paresse loro superiore nell'insieme, ma dai loro giudizi s'indovinavano le inclinazioni diverse. Franco preferiva la bontà tutta penetrata di fede nel sovrannaturale e Luisa preferiva l'altra. Egli soffriva di questa contraddizione segreta pur esitando di rilevarla, temendo di premere il tasto che poteva dare una nota troppo penosa. Ma la fronte sua n'era adombrata e a un certo punto gli sfuggí di dire: « Quante disgrazie, quante amarezze ha sopportato tua madre, con che rassegnazione, con che forza, con che pace! Credi tu che una pura bontà naturale le avrebbe potute sopportare cosí? ». « Non lo so » rispose Luisa. « La povera mamma aveva vissuto, io credo, in un mondo superiore prima che in questo; aveva sempre il cuore là. » Ella non disse tutto il suo pensiero. Pensava che se le anime buone di questo mondo fossero simili nella mansuetudine religiosa a sua madre, la terra diventerebbe il regno dei bricconi e dei prepotenti. E quando ai dolori che non vengono dagli uomini ma dalle condizioni stesse della vita umana, le pareva di ammirar coloro che vi resistono per una forza loro propria sopra quegli altri che invocano e ottengono aiuto dallo stesso Essere onde furono percossi. Ma ella non voleva confessar questi sentimenti a suo marito. Espresse invece la speranza che lo zio non avesse a incontrar mai afflizioni gravi. Possibile che il Signore volesse far soffrire un uomo tale? « No no no! » esclamò Franco, che in un altro momento non avrebbe osato, forse, ammonire Iddio a questo modo. Un soffio del Boglia calò per la gola di Muzài, agitò le frondi alte dei noci. A Luisa quello stormire parve legarsi con le ultime parole di Franco: le parve che il vento e i grandi alberi sapessero qualche cosa del futuro e ne bisbigliassero insieme.

V. *Il segreto del vento e dei noci*

La febbre di Maria non durò che otto giorni, eppure quando la piccina si alzò i suoi genitori la trovarono mutata nel viso e nello spirito piú che se gli otto giorni fossero stati otto mesi. Gli occhi avevan preso un colore piú oscuro, una singolare espressione di serietà e di maturità precoce. Parlava piú chiaro e spedito, ma con le persone che non le garbavano non parlava affatto; neanche le salutava. Ciò spiaceva piú a Franco che a Luisa. Franco la voleva gentile e Luisa temeva di guastarle la sincerità. Maria aveva per sua madre un affetto non tanto espansivo ma violento: fiero, quasi, e geloso. Voleva molto bene anche a suo padre; però si capiva che lo sentiva diverso da sé. Franco aveva trasporti di passione per essa, l'afferrava all'impensata, la stringeva, la divorava di baci e ella allora gittava il capo all'indietro puntando una manina sul viso di suo padre e guardandolo scura come se qualche cosa in lui le fosse straniero e ripugnante. Spesso Franco la sgridava con ira e Maria piangeva, lo fissava attraverso le lagrime senza muoversi, come affascinata, ancora con quella espressione di persona che non comprende. Egli vedeva la predilezione della bambina per sua madre e se ne compiaceva, gli pareva una preferenza giusta, non dubitava che Maria, piú tardi, avrebbe teneramente amato anche lui. A Luisa dispiaceva molto, per amore del marito, che la bambina dimostrasse maggior affetto a lei, però questo sentimento suo non era vivo e schietto come la compiacenza generosa di Franco. A Luisa pareva in fondo che Franco malgrado tanti trasporti, amasse sua figlia come un essere distinto da lui; mentre lei, che trasporti esteriori di tenerezza non ne aveva, amava la bambina come una parte vitale di se stessa; perciò non poteva trovar ingiusto d'esserne preferita. Poi ell'aveva in cuore una Maria futura probabilmente diversa da quella che aveva in cuore Franco. Anche per questo non le poteva rincrescere di aver un predominio morale sulla figliola. Vedeva il pericolo che Franco favorisse uno sviluppo forte del sentimento religioso; pericolo gravissimo, secondo lei; perché Maria, piena di curiosità, avida di racconti, aveva i germi d'un'immaginazione assai viva, assai propizia alle fantasie religiose e ne poteva venire uno squilibrio morale. Non si trattava di sopprimere il sentimento religioso; questo, Luisa non l'avrebbe fatto mai, non foss'altro per rispetto a Franco; ma occorreva che Maria, fatta donna, sapesse trovare il perno della propria vita in un senso morale sicuro e forte per sé, non appoggiato a credenze che finalmente erano ipotesi e opinioni, e potevano un giorno o l'altro mancarle. Serbar fede al Giusto, al Vero, fuor di qualsiasi altra fede, di qualsiasi speranza e paura, pareva a lei lo stato piú sublime della coscienza umana. A una tale perfezione si figurava aver rinunciato per sé poiché andava a messa e due volte l'anno ai sacramenti, e intendeva rinunciarvi per Maria, ma come uno che rinuncia alla perfezione cristiana perché si trova aver moglie e figliuoli; a malincuore e il meno possibile.

A Maria poteva essere serbata in sorte la ricchezza. Bisognava impedire assolutamente che accettasse una vita di frivolezze, compensate dalla messa alla mattina, dal rosario alla sera e da elemosine. Luisa si era provata qualche volta di tastar Franco su questo terreno di dare all'educazione di Maria un indirizzo morale disgiusto dall'indirizzo religioso e il tasto aveva sempre risposto male. Che non si credesse nella religione Franco lo capiva; che qualcuno la potesse trovare insufficiente come norma della vita, gli riusciva affatto inconcepibile. Che tutti poi dovessero aspirare alla santità, che non fosse cristiano chi amasse il tarocco, la primiera, la caccia, la pesca, i buoni pranzetti e le bottiglie fini, neanche gli passava per il capo. E questo indirizzo morale dell'educazione disgiunto dall'indirizzo religioso gli pareva una fisima perché secondo lui i galantuomini senza fede era-

no galantuomini per natura o per abitudine, non per un ragionamento morale o filosofico. Non c'era dunque modo per Luisa d'intendersi con suo marito circa questo delicato punto. Doveva operare da sé e con molta cautela per non offenderlo né affliggerlo. Se Franco mostrava alla bambina le stelle e la luna, i fiori e le farfalle come opere mirabili di Dio e le faceva della poesia religiosa buona per una ragazza di dodici anni, Luisa taceva; se invece gli avveniva di dire a Maria: « Bada, Iddio non vuole che tu faccia questo, Iddio non vuole che tu faccia quello », Luisa soggiungeva subito: « Questo è male, quello è male, non si deve mai far il male ». Qui però non poteva a meno di aprirsi qualche screzio visibile fra il padre e la madre perché non sempre il giudizio morale dell'uno si accordava col giudizio morale dell'altra. Una volta erano insieme alla finestra della sala mentre Maria giuocava sul sagrato con una bambina di Oria presso a poco della sua età. Passa un fratello di questa, un prepotentone di otto anni e intima alla sorellina di seguirlo. Questa rifiuta e piange. Maria, seria seria, affronta il prepotente con i pugni. Franco la trattiene con una chiamata imperiosa; la piccina si volta a guardarlo e scoppia in lacrime mentre quell'altro si trascina via la sua vittima. Luisa lasciò la finestra dicendo sottovoce a suo marito: « Scusa, questo non è giusto ». « Come non è giusto? » Franco si riscaldò, alzò la voce, chiese a sua moglie se voleva una Maria violenta e manesca. Ella rispondeva con dolcezza e con fermezza, senza risentirsi di qualche parola pungente, sosteneva che il sentimento di Maria era buono, che opporsi alla prepotenza e all'ingiustizia era il compito migliore per tutti, che se un bambino vi adoperava le mani, fatto adulto vi avrebbe adoperato mezzi più civili, ma che se si reprimeva in lui la espressione dell'animo, si correva rischio di schiacciare con essa anche il buon sentimento nascente.
Franco non si persuase. Secondo lui era molto dubbio che in Maria vi fossero di quei sentimenti eroici. Ella

si era arrabbiata di vedersi portar via la sua compagna di giuoco e niente altro. Ma poi, la parte della donna non era forse di opporre alle ingiustizie e alle prepotenze una debolezza mansueta, di mitigare ed emendare gli offensori piuttosto che di respinger con la forza l'offesa? Luisa diventò rossa e rispose che ad alcune donne, forse alle migliori, questa parte conveniva, ma che non poteva convenire a tutte perché tutte non potevano essere tanto miti e umili. « E tu sei di quelle altre? » esclamò Franco.

« Credo di sí. »

« Bella cosa! »

« Ti rincresce molto? »

« Moltissimo. »

Luisa gli pose le mani sulle spalle. « Ti rincresce molto » diss'ella fissandolo negli occhi « che io m'irriti come te d'aver questi padroni in casa, che io desideri come te di aiutare anche con le mie mani a cacciarli via o preferiresti che io cercassi di emendare Radetzky e di mitigare i croati? »

« Questa è un'altra cosa! »

« Come un'altra cosa? No, è la stessa cosa! »

« È un'altra cosa! » ripeté Franco; e non seppe dimostrare che fosse un'altra cosa. Gli pareva di aver torto secondo un raziocinio superficiale e di avere ragione secondo una verità profonda che non riusciva ad afferrare. Non parlò piú, fu pensieroso tutto quel giorno e si vedeva che cercava la sua risposta. Ci pensò anche la notte, gli parve di averla trovata e chiamò sua moglie che dormiva.

« Luisa! » diss'egli. « Luisa! Quella è un'altra cosa. »

« Cos'è stato? » fece Luisa svegliandosi di soprassalto.

Egli aveva pensato che la offesa del dominio straniero non era personale come le offese private e che procedeva dalla violazione d'un principio di giustizia generale; ma nell'atto di spiegar ciò a sua moglie, gli venne in mente che anche nelle offese private aveva sempre

194

luogo la violazione d'un principio di giustizia generale, si figurò di avere sbagliato.

« Niente » diss'egli.

Sua moglie credette che sognasse, e, posatogli il capo sopra una spalla, si riaddormentò. Se vi erano argomenti capaci di convincere Franco alle idee di sua moglie, erano quel dolce contatto, quel dolce respiro vicino al suo petto, che gli avevan fatto tante altre volte deliziosamente sentire un reciproco abbandono delle anime. Ora non fu cosí. Gli passò anzi nel cervello, come una lama rapida e fredda, il pensiero che questo latente antagonismo fra le idee di sua moglie e le sue avesse un giorno o l'altro a scoppiare in qualche doloroso modo e se la strinse atterrito nelle braccia come per difender sé e lei contro i fantasmi della propria mente.

Il sei novembre, dopo colazione, Franco prese le sue grosse forbici da giardiniere per fare il solito sterminio di seccumi nel giardinetto e sulla terrazza. Era un'ora di tanta bellezza, di tanta pace da stringere il cuore. Non una foglia che si movesse; purissima, cristallina l'aria da ponente; sfumanti a levante, dentro lievi vapori, le montagne fra Osteno e Porlezza; la casa sfolgorata dal sole e dai riverberi tremoli del lago; il sole assai caldo ma i crisantemi del giardinetto, gli ulivi, gli allori della costa piú visibili fra il rosseggiar delle foglie caduche, certa segreta frescura dell'aria imbalsamata d'*olea fragrans*, il silenzio d'ogni vento, le aeree montagne del lago di Como bianche di neve accordantisi malinconicamente a dire che la cara stagione moriva. Sterminati i seccumi, Franco propose a sua moglie di andar in barca a Casarico per riportare all'amico Gilardoni i due primi volumi dei *Mystères du Peuple*, divorati avidamente in pochi giorni, e averne il terzo. Fu deciso di partire a mezzogiorno, dopo aver posto a letto Maria. Ma prima che Maria fosse a letto comparve tutta ansante, col cappello e la mantiglia a sghimbescio, la

Barborin Pasotti. Era salita dal cancello del giardinetto e si fermò sulla soglia della sala. Veniva per la prima volta dopo la perquisizione; vide i suoi amici, giunse le mani, ripeté sottovoce: « Ah Signor, ah Signor, ah Signor! », si precipitò su Luisa, la coperse di baci.

« Cara la mia tosa! Cara la mia tosa! » Avrebbe volentieri fatto altrettanto con Franco, ma Franco non gradiva certe espansioni, aveva una faccia poco incoraggiante, per cui la povera donna si accontentò di prendergli e scuotergli ambedue le mani. « Car el mè don Franco! Car el mè don Franco! » Si raccolse finalmente in braccio la Maria che le puntò le manine al petto facendo un viso simile a quello di suo padre. « Son vègia, neh? Son brütta, neh? Te piasi no? L'è nient, l'è nient, l'è nient! » E si mise a baciarle umilmente le braccia e le spalle, non osando affrontare il visetto acerbo. Poi disse ai suoi amici che aveva portato loro una bella notizia e gli occhi le brillavano di questo mistero gaudioso. La marchesa aveva scritto a Pasotti e nella lettera c'era un periodo che la Barborin aveva imparato a mente: « Ho appreso con vivo dispiacere (*vivo dispiacere*, gh'è sü inscí) il triste fatto di Oria... di Oria... (spètta!) il triste fatto di Oria... (ah!) e benché mio nipote nulla meriti, (ciào, quell pacienza!) desidero non abbia cattive conseguenze ». Il periodo non ebbe un gran successo. Luisa fece il viso scuro e non parlò; Franco guardò sua moglie e non osò metter fuori il commento favorevole che aveva nella bocca ma non, per verità, nel cuore. La povera Barborin che aveva approfittato della andata di suo marito a Lugano per correre a portar il suo zuccherino, rimase assai mortificata, guardava contrita ora Luisa ora Franco e finí col togliersi di tasca uno zuccherino vero e proprio onde darlo a Maria. Poi, avendo capito che gli sposi desideravano partire in barca e struggendosi di stare un po' con Maria, tanto disse e fece che quelli se ne andarono lasciando l'incarico alla

196

Veronica di metter la bambina a letto un po' piú tardi.

Maria non parve gradir molto la compagnia della sua vecchia amica. Taceva, taceva ostinatamente e non andò molto che spalancò la bocca e scoppiò in lagrime. La povera Pasotti non sapeva che Santi invocare. Invocò la Veronica, ma la Veronica discorreva con una guardia di finanza e non udí o non volle udire. Offerse anelli, braccialetti, l'orologio, persino il cappellone da viceregina Beauharnais, ma nulla riescí gradito, Maria continuava a piangere. Ebbe allora l'idea di mettersi al piano e si mise a picchiare e ripicchiare otto o dieci battute d'una monferrina antidiluviana. Allora la principessina Maria si mansuefece, si lasciò pigliar dalla sua musicista di camera cosí delicatamente come se le sue braccine fossero state ali di farfalla e posar sulle ginocchia cosí piano come se vi fosse stato pericolo di far cader in polvere le vecchie gambe.

Udite cinque o sei repliche della monferrina, Maria fece un visino annoiato, si provò di strappar dal piano le mani rugose della suonatrice e disse sottovoce: « Cantami una canzonetta ». Poi, non ottenendo risposta, si voltò a guardarla in faccia, le gridò a squarciagola:

« Cantami una canzonetta! »

« Non capisco » rispose la Pasotti, « sono sorda. »

« Perché sei sorda? »

« Sono sorda » replicò l'infelice, sorridendo.

« Ma perché sei sorda? »

La Pasotti non poteva immaginare cosa chiedesse la bambina.

« Non capisco » diss'ella.

« Allora » fece Maria con un'aria molto grave « sei stupida. »

Dopo di che aggrottò le ciglia e riprese piagnucolando:

« Voglio una canzonetta! »

Qualcuno disse dal giardinetto:

« Eccolo, quel delle canzonette! »

Maria alzò il viso, s'illuminò tutta. « Missipipí! » diss'ella e scivolò giú dalle ginocchia della Pasotti, corse incontro allo zio Piero ch'entrava. Si alzò anche la Pasotti, stese le braccia, tutta sorpresa e ridente, verso il vecchio inaspettato amico. « Tè chí, tè chí, tè chí! » E corse a salutarlo. La Maria strillò tanto forte « Missipipí, Missipipí! » e si avvinghiò tanto stretta alle gambe dello zio che questi, quantunque paresse non averne voglia, dovette pur sedere sul canapè, pigliarsi la bambina sulle ginocchia e ripeterle la vecchia canzone:

Ombretta sdegnosa...

Dopo quattro o cinque « Missipipí » la Pasotti, temendo che suo marito ritornasse, prese congedo. La Veronica voleva porre Maria a letto. La piccina si crucciò, lo zio intervenne: « Oh lasciatela un po' qui! » e uscí con lei sulla terrazza per vedere se il papà e la mamma ritornassero.

Nessuna barca veniva da Casarico. La piccina ordinò allo zio di sedere e gli si arrampicò sulle ginocchia.

« Perché sei venuto? » diss'ella. « Non c'è mica, sai, il pranzo per te. »

« Me lo farai tu, il pranzo. Sono venuto per star con te. »

« Sempre? »

« Sempre. »

« Proprio sempre sempre sempre? »

« Proprio sempre. »

Maria tacque, pensierosa. Poi domandò:

« E cosa mi hai portato? »

Lo zio si levò di tasca un fantoccino di gomma. Se Maria avesse potuto sapere, intendere con quale animo, sotto qual colpo lo zio fosse andato a prender per lei quel fantoccino, avrebbe pianto di tenerezza.

« È brutto questo regalo » diss'ella, ricordando gli altri dello zio. « E se resti qui, non mi porti piú niente? »

« Piú niente. »

« Va via, zio » diss'ella.

Egli sorrise.

Adesso Maria volle sapere dallo zio se, quando era bambino lui, suo zio gli portasse regali. Ma questo zio dello zio, per quanto la cosa paresse impossibile a Maria, non era mai esistito. E allora chi gli portava regali? Ed era egli un bambino? Piangeva? Lo zio si mise a raccontarle cose della sua infanzia, cose di sessant'anni prima, quando la gente portava parrucca e codino. Si compiaceva di ricordare alla nipotina quel tempo lontano, di farla vivere per un momento insieme ai suoi vecchi, e parlava con gravità triste, come avendo presenti quei cari morti, come parlando piú per essi che per lei. Ella gli fissava in viso gli occhi spalancati, non batteva palpebra. Né lui né lei s'accorgevano che intanto passava il tempo, né lui né lei pensavano piú alla barca che doveva venire.

E la barca venne, Luisa e Franco salirono senza sospettare di nulla, pensando che la bambina dormisse. Franco fu il primo che vide sotto i rami cadenti delle passiflore lo zio seduto, curvo su Maria che gli stava sulle ginocchia. Mise una gran voce di sorpresa e corse là seguito da Luisa, con l'idea che fosse successo qualche cosa. « Tu qui? » diss'egli correndo. Luisa, pallida, non disse nulla. Lo zio alzò il capo, li vide: essi compresero subito che vi era una brutta novità, non gli avevano mai veduto una faccia cosí seria.

« Addio » diss'egli.

« Cosa è stato? » sussurrò Franco.

Egli fe' cenno ad ambedue di ritirarsi dalla terrazza nella loggia, ve li seguí, allargò le braccia, povero vecchio, come un crocifisso e disse con voce triste ma tranquilla:

« Destituito. »

Franco e Luisa lo guardarono un momento come istupiditi. Poi Franco esclamò: « Oh zio, zio! » e lo abbracciò. Vedendo quell'atto e il viso di sua madre, Maria scoppiò in lagrime. Luisa cercò di farla tacere, ma ella stessa, la donna forte, aveva il pianto alla gola.

Seduto sul canapè della sala lo zio raccontò che l'I. R. Delegato di Como lo aveva fatto chiamare per dirgli che la perquisizione operata nella sua casa di Oria aveva dati risultati dolorosi e inattesi; quali, non aveva voluto assolutamente dire. Aveva poi soggiunto che s'era voluto iniziare un processo contro di lui ma che in vista dei lunghi e lodevoli servigi prestati al Governo si limitava a togliergli l'ufficio. Lo zio aveva insistito per conoscere le accuse e colui l'aveva licenziato senza rispondere.

« E allora? » disse Franco.

« E allora... » Lo zio tacque un poco e poi pronunciò una frase sacramentale d'ignota origine che egli stesso e i suoi compagni tarocchisti solevano ripetere quando il giuoco andava disperatamente male: « Siamo arcifritti, o Regina ».

Vi fu un lungo silenzio; poi Luisa si buttò al collo del vecchio. « Zio, zio » gli sussurrò, « ho paura che sia stato per causa nostra! »

Ella pensava alla nonna e lo zio intese che accusasse Franco e sé di qualche imprudenza.

« Sentite, cari amici » diss'egli con un tono bonario che aveva pure qualche recondito sapore di rimprovero, « questi sono discorsi inutili. Adesso la frittata è fatta e bisogna pensare al pane. Fate conto su questa casa, su qualche piccolo risparmio che mi frutta circa quattro svanziche al giorno e su due bocche di piú: la mia e quella della Cia; la mia, speriamo per poco tempo. » Franco e Luisa protestarono. « Ci vuol altro! Ci vuol altro! » fece lo zio agitando le braccia, come a dispregio di un sentimentalismo irragionevole. « Viver bene e crepare a tempo. Questa è la regola. La prima parte l'ho fatta, adesso mi tocca di fare la seconda. Intanto mandatemi dell'acqua in camera e aprite la mia borsa. Vi troverete dieci polpette che la signora Carolina dell'Agria mi ha voluto dare per forza. Vedete che le cose non vanno poi troppo male. »

Ciò detto lo zio si alzò e se n'andò per l'uscio del salotto con passo franco, mostrando anche da tergo la sua faccia eretta, il suo modesto ventre pacifico, la sua serenità di filosofo antico. Franco, ritto sul limitare della terrazza, con le braccia incrociate sul petto e le sopracciglia aggrottate, guardava verso Cressogno. Se in quel momento egli avesse avuto fra le mascelle un fascio di Delegati, di Commissari, di birri e di spie, avrebbe tirato tale un colpo di denti da farne una melma sola.

VI. *L'asso di danari spunta*

« La barca è pronta » disse Ismaele, entrando senza complimenti con la pipa nella sinistra e una lanterna nella destra.

« Che ore sono? » domandò Franco.

« Undici e mezzo. »

« Il tempo? »

« Nevica. »

« Bene » esclamò lo zio, ironicamente, allargando le gambe davanti alla vampa del ginepro che scoppiettava nel caminetto.

Nel minuscolo salottino assediato dall'inverno Luisa stava mettendo, ginocchioni, un fazzoletto al collo di Maria, Franco aspettava col cappuccio di sua moglie in mano e la Cia, la vecchia governante, col cappello in testa e le mani nel manicotto, andava brontolando al suo padrone: « Che signore è mai Lei! Cosa vuol fare qui solo a casa? ».

« Per dormire non ho bisogno di nessuno » rispose l'ingegnere « e se sono matti gli altri non sono matto io. Mettetemi qua il mio latte e il mio lume. »

Era la vigilia di Natale e l'idea pazza di quella gente savia, la risoluzione che pareva incredibile all'ingegnere era di andare a S. Mamette per assistervi alla messa solenne di mezzanotte.

« E quella povera vittima! » diss'egli guardando la bambina.

Franco diventò rosso, osservò che desiderava prepararle dei ricordi preziosi, questa partenza notturna in barca, il lago oscuro, la neve, la chiesa piena di lumi e di gente, l'organo, i canti, la santità del Natale. Egli parlava con calore non tanto per lo zio, forse, quanto per un'altra persona che taceva.

« Sí sí sí » fece lo zio, come se si fosse aspettata questa rettorica, questa poesia buona a niente.

« Anch'io, sai, il punch! » gli disse la piccina. Lo zio sorrise: manco male! Quello sarà proprio un ricordo prezioso. Franco, sentendosi cosí demolire la sua sottile preparazione di ricordi religiosi e poetici, si fece scuro. « E questo Gilardoni? » chiese Luisa. « Sono qui adesso » fece Ismaele uscendo con la sua lanterna.

Il professore Gilardoni aveva invitato i Maironi e donna Ester Bianchi a prendere il punch in casa sua dopo la messa. Lo si aspettava dal Niscioree dov'era andato a pigliare la signorina che ci viveva sola con due vecchie serve, dopo la morte del padre avvenuta nel 1852. L'ottimo professore aveva pianto segretamente la signora Teresa per uno spazio di tempo ragionevole. Durante quella pessima convalescenza del cuore che lo tiene debole e molle, in continuo pericolo di ricadere, egli si era troppo poco guardato dal bel visino brioso, dagli occhi vivaci, dalla gaiezza scintillante della principessina del Niscioree, come la chiamavano i Maironi. Ella era cosí diversa nello spirito e nel corpo dalla signora Teresa, la sua persona vigorosa nelle forme della grazia piú squisita suggeriva l'idea di un amore cosí lontano da quell'altro, che al professore pareva di poterle volere bene senza offendere la santa immagine della madre di Luisa. Infatti egli santificò sempre maggiormente questa immagine, la spinse in su in su verso il cielo, tanto in su che qualche nuvola cominciò a passare fra lui e lei; prima eran cirri, adesso eran cumuli e stava per giungere uno strato definitivo. Egli era piú timido ancora con donna Ester che non lo fosse stato con la signora Teresa. Aveva del resto un inconscio bisogno di amare senza speranza per potersi poi compiangere, per la voluttà di un doppio intenerimento, verso una bella creatura e verso se stesso. E la sua timidezza era pure contenta di possedere una scusa in quella gran differenza d'età e di aspetto. Però col non far alcuna difesa contro gli occhi maliziosi, i folti capelli biondi, il sottile collo di neve, col bersi e ribersi nel cuore la voce fresca, il riso d'argento, l'uomo si metteva in pericolo di cuocere intollerabilmente.

Ester, che a ventisette anni ne mostrava venti salvo che nella morbidezza delle movenze e in una certa occulta, deliziosa scienza degli occhi, non aveva desiderato di pescar quell'amante rispettabile ma lo sentiva preso e se ne compiaceva, stimandolo un grande ingegno, un sapientone. Che egli osasse parlarle d'amore, ch'ella potesse sposar quella sapienza giallognola, rugosa e secca, neppure le veniva in mente; ma neanche avrebbe voluto spegnere un focherello cosí discreto che faceva onore a lei e, probabilmente, piacere a lui. S'ella ne rideva qualche volta con Luisa, non era però mai la prima a ridere e soggiungeva subito: « Povero signor Gilardoni! Povero professore! ».

Ella entrò frettolosa, con la testolina bionda chiusa in un gran cappuccio nero, come una primavera travestitasi, per chiasso, da dicembre. Dicembre le veniva dietro, affagottato il collo in una gran sciarpa sulla quale si porgeva, lucente e rosso, il naso professorale irritato dalla neve. Era tardi, tutti si accomiatarono dallo zio ed egli rimase solo con il suo lume e il suo latte, davanti alle ultime brage moribonde del ginepro.

Gli restava sul viso una leggera ombra di disapprovazione. Franco faceva troppo il poeta! Adesso la vita era dura in casa Maironi. Si faceva colazione con una tazza di latte e cicoria adoperando certo zucchero rosso che puzzava di farmacia. Non si mangiava carne che la domenica e il giovedí. Una bottiglia di vin Grimelli veniva ogni giorno in tavola per lo zio, il quale non voleva saperne di privilegi. Ogni giorno, per questa bottiglia, sorgevano le stesse nubi, scoppiava la stessa piccola burrasca e si scioglieva secondo il volere dello zio, con una brevissima pioggerella di decotto in ciascuno dei cinque bicchieri. La serva era stata licenziata; restava la Veronica per le faccende grosse, per la polenta, e qualche volta per badare a Maria. Malgrado queste ed altre economie, malgrado che la Cia avesse rinunciato al suo salario, malgrado i doni di ricotta, di *mascherpa*, di formaggio di capra, di castagne, di noci, che piovevano dalla gente del paese, Luisa non riusciva a tener la spesa dentro l'entrata. Si era procacciato qualche lavoro di copiatura da un notaio di Porlezza; molta fatica e miserabilissimi guadagni. Franco aveva cominciato a copiar con ardore anche lui, ma ci reggeva meno di sua moglie e poi non c'era lavoro per due. Avrebbe dovuto darsi le mani attorno, cercar un impiego privato, ma di questo lo zio non vedeva indizio; per cui?

Per cui, questo pensare a spedizioni poetiche gli pareva anche piú fuor di luogo. Dopo aver meditato alquanto sulla triste situazione e sulla poca probabilità che Franco sapesse uscirne, trovò che dal canto suo la prima cosa a fare era di bere il suo latte e la seconda di andarsene a letto. Ma no, gli venne un altro pensiero. Aperse l'uscio della sala, e, visto tutto buio, andò in cucina, accese una lanterna, la portò in loggia, spalancò una finestra e, poiché nevicava senza vento, posò il lume sul davanzale, onde quella gente poetica potesse dirigersi ritornando a casa per il lago tenebroso. Dopo di che se n'andò a dormire.

Nella vecchia barca di casa l'ingegnoso Franco aveva ar-

chitettato una specie di *felze* per l'inverno con due finestrini ai lati e un usciolino a prora. Ora i sei viaggiatori
vi stavano attorno a un minuscolo tavolino, sul quale
ardeva una candela. Vedendo l'espressione estatica del
professore ch'era seduto in faccia a Ester, Franco si di-
vertí a spegner il lume e osservò che la filosofia poteva
trovarsi male al buio, ma che la poesia ci si trovava benissimo.

Infatti i pensieri suoi e de' suoi compagni, prima raccolti intorno al lume, uscivano adesso per il vetro del-
l'usciolino dietro un chiaror fioco dove si vedeva la prora
della barca, già biancastra di neve sul lago immobile e nero. E le immaginazioni lavoravano. A chi pareva di andar
verso Osteno, a chi pareva di andar verso la Caravina, a
chi pareva di andar verso Cadate; e ciascuno diceva i
propri dubbi parlando piano come per non svegliare il
lago addormentato. Un po' alla volta si misero a discutere, ma le sei teste, ad ogni colpo dei remi, facevano un
cenno di completo accordo. Cosí ciascuno dei critici saliti
nella navicella d'un grande poeta si crede fare una via
differente. Chi stima dirigersi verso un ideale, chi verso
un altro, chi stima accostarsi a un modello, chi a un altro, chi andar avanti, chi tornar indietro; e il poeta li
commove, li scuote col suo verso tutti insieme, li porta
sulla propria via.

Ismaele portò fedelmente il suo carico a S. Mamette.
La neve cadeva sempre grossa e placida. Sotto i portici
della piazza v'era molta gente e un viavai di lanterne.
C'era pure il preposto che arringava un gruppo di fedeli
disposti a disertar la chiesa per l'osteria. Egli stava di-
mostrando che il Paradiso è difficile a guadagnare e che
bisogna pensarci per tempo: « Vialter credii che andà in
Paradis el sia giüsta come andà in la barca del Parella. E
sü gent! E sü gent! Gh'è semper post! Avii capí che
l'è minga inscí? ». Sulla scalinata che sale alla chiesa
Ester domandò a Luisa se il paradiso fosse proprio cosí
piccolo. Il professore che accompagnava Ester con l'om-

205

brello ebbe un'idea, palpitò, tremò e, fattosi un coraggio leonino, la mise fuori; disse che il paradiso era piú piccolo ancora e poteva stare sotto un ombrello. La cosa passò liscia, Ester non rispose e tutta la compagnia entrò, mista a una frotta di donne, nelle tenebre della chiesa.

Il professore si fermò sulla porta, incerto fra l'amore e la filosofia. La filosofia lo tirava indietro con un filo e l'amore lo tirava avanti con una fune; egli entrò e si pose accanto a Ester. Franco ebbe per un momento la crudele idea di trascinarlo avanti, fra i banchi degli uomini; ma poi mutò pensiero e si pose anche lui presso sua moglie. Giovò poco, perché Ester, fingendo voler dire qualche cosa a Luisa, le si avvicinò e spinse maliziosamente la vecchia Cia verso il professore. Questi, ancora palpitante per quella sua disperata audacia del paradiso sotto l'ombrello, alla mossa di Ester si turbò, pensò di averla offesa, si diede dell'asino e dell'asino e dell'asino.

La chiesa era già tutta piena e anche le signore dovettero star in piedi dietro la spalliera del primo banco. Ester s'incaricò di Maria, la pose a sedere sulla spalliera mentre il sagrestano accendeva le candele dell'altar maggiore. La Cia tormentava il professore, credendolo un sant'uomo, con mille domande sulle differenze tra il rito romano e il rito ambrosiano, e Maria teneva occupata Ester con altre domande ancora piú straordinarie.

« Per chi si accendono quei lumi? »

« Per il Signore. »

« Va a letto adesso, il Signore? »

« No, taci. »

« E il bambino Gesú è già a letto? »

« Sí, sí » rispose Ester storditamente, per finirla.

« Col mulo? »

Lo zio aveva portato una volta a Maria un brutto muletto di legno ch'ella odiava; e, quando si ostinava in qualche capriccio, sua madre la poneva a letto con quel mulo sotto il guanciale, sotto la testolina troppo dura.

« Citto, ciallina! » fece Ester.

206

« Io no, a letto col mulo. Io dico *scusa.* »

« Zitto! Ascolta l'organo, adesso. »

Tutti i ceri erano ormai accesi e l'organista salito al suo posto andava stuzzicando, come per risvegliarlo, il suo vecchio strumento che pareva mettere grugniti di corruccio. Nel punto in cui un campanello suonò e l'organo alzò tutte le sue gran voci e uscirono i chierici e uscí il sacerdote, Luisa prese di soppiatto, come un'amante, la mano di suo marito.

Quelle due mani, stringendosi furtivamente, parlavano di un prossimo avvenimento, di una risoluzione grave che conveniva tener segreta e che non ancora era presa in modo irrevocabile. La piccola mano nervosa disse « coraggio! ». La mano virile rispose « l'avrò ». Bisognava decidersi. Franco doveva partire, lasciar sua moglie, la bambina, il vecchio zio, forse per qualche mese, forse per qualche anno; doveva lasciar Valsolda, la casetta cara, i suoi fiori, forse per sempre, emigrare in Piemonte, cercar lavoro e guadagno con la speranza di poter chiamare a sé la famiglia quando le altre grandi speranze nazionali sfumassero. Contento che sua moglie avesse scelto la chiesa e quel momento solenne per incoraggiarlo al sacrifizio, non lasciò piú la dolce mano, la tenne egli pure come l'avrebbe tenuta un amante, non guardando mai Luisa, serbando impassibile il viso e rigida la persona. Parlava con la mano sola, con l'anima nel palmo e nelle dita, il piú vario appassionato linguaggio misto di blande carezze e di strette, di tenerezze e di ardori. Qualche volta ella si provava di ritirarsi dolcemente ed egli la tratteneva allora violento. Guardava l'altare col viso alzato, come assorto nel suono dell'organo, nella voce del sacerdote, nel canto del popolo. In fatto non seguiva le preghiere, ma sentiva la Divina Presenza, un rapimento, una effervescenza di amore, di dolore, di speranza in Dio. Luisa gli aveva presa la mano indovinando ch'egli pregava, che tutte le sue angustie, tutte le sue dubbiezze gli si agitavano nel cuore. Avea realmente voluto infondergli coraggio, convinta ch'era bene per lui di prender questo partito doloroso. Fraintese la stretta che le rispose; le parve un'appassionata protesta contro la separazione, e non la potendo, quantunque fosse dolce, approvare, accennava ogni tanto a ritrar la mano. Fu lui che all'Elevazione ritrasse, per rispetto, la propria. Egli dovette quindi prendersi in braccio Maria che s'era addormentata e continuò a dormire con la testa sulla spalla di suo padre, mostrando un bel mezzo visino pacifico. Non lo sapeva, lei, cara, che il suo papà sarebbe andato lontano lontano e il suo papà aveva il cuore tutto molle di quel piccolo tesoro caldo che vi respirava su, di quella testina dall'odore di uccelletto del bosco. Gli pareva già essere partito e che lo cercasse, che piangesse, e allora gli correva nelle braccia un desiderio di stringerla forte, fermato subito dal timor di destarla.

Il Gilardoni era uscito il primo e stava sul sagrato ad aspettare donna Ester con l'ombrello aperto. Ella venne a braccetto di Luisa, e la perfida Luisa, malgrado il pregar sommesso della compagna, disse al professore: « Ecco la Sua dama ». Ester non ebbe il coraggio di rifiutar il braccio del Gilardoni ma gli osservò ridendo che splendevano mille stelle.

Il Gilardoni guardò il cielo, mise fuori due o tre frasi senza senso comune e chiuse l'ombrello. Non nevicava piú, sopra il Boglia il cielo era lucido, s'udiva in alto un rombo continuo. « Vento, vento! » disse Ismaele raggiungendo la comitiva. « Vado a piedi! Vado a piedi! » gemette allora la Cia che aveva una gran paura del lago. Intanto la gente, uscendo di chiesa, urtò e scompose il gruppo, lo trasse giú per la scalinata. I sei viaggiatori e il barcaiuolo si riunirono da capo sulla piazza di S. Mamette e lí donna Ester dichiarò che non si sentiva troppo bene, che rinunciava al punch e che sarebbe andata a casa a piedi con la Cia.

Il professore taceva in disparte.

Franco e Luisa capirono che non c'era da insistere e le

due donne s'avviarono a Oria con la scorta d'Ismaele il quale doveva ritornar poi a prendere i Maironi e la barca.

Una lucerna *modérateur* era accesa nel salotto del Gilardoni, un bel fuoco ardeva nel caminetto, il Pinella aveva preparato ogni cosa per il punch e chi lo fece fu Luisa perché il professore pareva aver perduto la testa, non faceva che darsi dello stupido e della bestia. Sulle prime non gli si poté cavar niente; poi vennero fuori, poco a poco, la storia del paradiso sotto l'ombrello e certe infernali conseguenze di quel paradiso. Nello scendere la scalinata della chiesa c'era stato fra lui ed Ester questo dialogo: « Sa, donna Ester, temevo quasi di averla offesa. – Come? – Con quell'affare dell'ombrello. – Che ombrello? ». Qui il professore non era stato buono di ripetere il suo complimento. « Sa, Le avevo detto qualche cosa... – Che cosa? – Si parlava del Paradiso... » Silenzio di Ester. « ... e io quando mi trovo con una persona che stimo, che stimo proprio di tutto cuore, dico facilmente degli spropositi. Vorrei quasi dirne uno anche adesso, donna Ester. » « Spropositi mai, sa » aveva risposto Ester e s'era staccata da lui per andare a Oria con la Cia. Veramente il dialogo non fu riferito cosí. Il Gilardoni raccontò che aveva fatto capire la sua gran passione e che donna Ester si era sdegnata. Franco aveva una gran voglia di ridere; Luisa disse scherzando: « Lasci fare a me, lasci fare a me che farò il punch e la pace e tutto; e Lei, un'altra volta, non sia un seduttore cosí terribile! ». Il povero professore per poco non si inginocchiò a baciarle uno scarpino, e, rifatto animo, riprese le sue funzioni di ospite, serví il punch agli amici.

« Guardate Maria » disse Franco, sottovoce. La piccina si era addormentata sulla poltrona del professore, presso la finestra.

Franco prese la lucerna e l'alzò per vederla meglio. Pareva una piccola creatura del cielo, caduta lí col lume delle stelle, assopita, soffusa nel viso di una dolcezza non terrena, di una solennità piena di mistero. « Cara! » diss'egli. Raccolse sua moglie a sé con un braccio, sempre guardando Maria. Il Gilardoni venne loro alle spalle, mormorò « che bellezza! » e tornò al caminetto sospirando « beati voi! ».

Allora Franco, intenerito, sussurrò all'orecchio di sua moglie: « Glielo diciamo? ». Ella non capí, lo guardò negli occhi. « Che parto » diss'egli, sempre sottovoce. Luisa trasalí, rispose « sí, sí » tutta commossa perché non l'attendeva a questo, avendolo in chiesa creduto incerto. La sorpresa di lei non sfuggí a Franco. Ne fu turbato, si sentí scosso nel suo proposito ed ella intese, ripeté impetuosamente « sí, sí » e lo spinse verso il Gilardoni.

« Caro amico » diss'egli, « Le debbo dir una cosa. »

Il professore, assorto nella contemplazione del fuoco, non rispondeva. Franco gli posò una mano sulla spalla.

« Ah! » fece quegli trasalendo. « Scusi. Che cosa? »

« Le debbo raccomandare qualcuno. »

« A me? Chi? »

« Un vecchio, una signora e una bambina. »

I due uomini si guardarono in silenzio, uno commosso, l'altro stupefatto.

« Non capisce? » sussurrò Luisa.

No, non capiva, non rispondeva.

« Le raccomando » riprese Franco « mia moglie, mia figlia e il nostro vecchio zio. »

« Oh! » esclamò il professore, guardando ora Luisa ora Franco.

« Vado via » disse questi con un sorriso che fece doler il cuore al Gilardoni. « Allo zio non l'abbiamo ancora detto ma è cosa necessaria. Nelle nostre condizioni non posso star qui a far niente. Dirò che vado a Milano, crederà chi vorrà; invece sarò in Piemonte. »

Gilardoni giunse le mani silenziosamente, sbalordito. Luisa abbracciò Franco, lo baciò, gli tenne il capo sul petto, ad occhi chiusi. Il professore s'immaginò ch'ella piegasse con dolore alla volontà di suo marito. « Oh senta » diss'egli, volto a Franco. « Se ci fosse la guerra, capirei; ma cosí, se dà una tale afflizione a Sua moglie per ragioni economiche, ha torto! »

Luisa, tenendosi sempre al collo di suo marito con un braccio, agitò in silenzio l'altra mano verso Gilardoni per farlo tacere.

« No, no, no » mormorò, ricongiungendo le braccia intorno al collo di Franco, « fai bene, fai bene » e perché il Gilardoni insisteva, si staccò da suo marito. « Oh, ma professore! » diss'ella scotendogli le mani incontro « se glielo dico io che fa bene di partire, se glielo dico io che sono sua moglie! Ma caro professore! »

« Oh infine, signora! » proruppe il Gilardoni. « Bisogna poi anche sapere... »

Franco stese impetuoso le braccia verso di lui, gridò: « Professore! ».

« Fa male! » gli rispose questi. « Fa male! Fa male! »

« Cosa c'è, Franco? » dimandò Luisa, meravigliata. « C'è qualche cosa che io non so? »

« C'è che devo andar via, che andrò via e non c'è altro! »

Maria s'era svegliata di soprassalto a quel grido di suo padre: « Professore! » poi, vedendo la mamma cosí agitata, si dispose a piangere. Finalmente scoppiò in lagrime dirotte: « No papà, no via papà, no via papà! ».

Franco se la tolse in braccio, la baciò, l'accarezzò. Ella andava ripetendo fra i singhiozzi « papà mio, papà mio » con una voce accorata e grave che faceva male al cuore. Suo padre se ne struggeva tutto, le protestava di voler star sempre con lei e piangeva per il dolore d'ingannarla, per la commozione di quella tenerezza nuova che veniva proprio adesso.

Luisa pensava al grido di suo marito. Il Gilardoni s'accorse ch'era in sospetto di un segreto e le domandò, per toglierla da quel pensiero, se Franco intendesse partire presto. Fu questi che rispose. Dipendeva da una lettera di Torino. Fra una settimana, forse; tutt'al piú fra quindici giorni. Luisa taceva e il discorso cadde. Franco parlò allora di politica, delle probabilità che la guerra scoppiasse a primavera. Anche questo discorso morí presto. Pareva che il Gilardoni e Luisa pensassero ad altro, che ascoltassero il batter delle onde ai muri dell'orto. Finalmente Ismaele ritornò, ebbe il suo punch, assicurò che il lago non era troppo cattivo, che si poteva partire.

Appena i Maironi furono in barca, appena Maria vi riprese il sonno, Luisa domandò a suo marito se vi fosse una cosa ch'ella non sapeva e che il Gilardoni non doveva dire.

Franco tacque.

« Basta » diss'ella. Allora suo marito le passò un braccio al collo, la strinse a sé, protestando contro parole che ella non aveva dette: « Oh Luisa, Luisa! ».

Luisa si lasciò abbracciare ma non rispose all'abbraccio; onde suo marito, disperato, le promise subito di dirle tutto, tutto. « Mi credi curiosa? » sussurrò ella fra le sue braccia. No, no, egli voleva raccontarle ogni cosa subito, dirle perché non avesse parlato prima. Ella si oppose; preferiva che parlasse piú tardi, spontaneamente.

Avevano il vento in favore e il lume che brillava ad una finestra della loggia serviva bene di mira a Ismaele. Franco tenne sempre abbracciato il collo di sua moglie e guardava tacendo quel punto lucente. Né l'uno né l'altra pensarono alla mano amorosa e prudente che lo aveva acceso. Vi pensò Ismaele, affermò che né la Veronica né la Cia eran capaci di un simile tratto di genio e benedisse la faccia del signor ingegnere.

Nell'uscire di barca Maria si svegliò e gli sposi non parvero pensar piú che a lei. Quando furono a letto, Franco spense il lume.

« Si tratta della nonna » diss'egli. La voce era commossa, rotta. Luisa mormorò « caro » e gli prese una mano, affettuosamente. « Non ho mai parlato » riprese Franco « per non accusar la nonna e poi anche... » Qui seguí una pausa; quindi fu egli che mescolò al suo dire le piú

212

tenere carezze mentre sua moglie, invece, non vi rispondeva piú. « Temevo » disse « l'impressione tua, i tuoi sentimenti, le idee che ti potevano venire... » Piú le parole avevano questo dubbio sapore, piú la voce era tenera.

Luisa sentiva avvicinarsi, non un alterco, ma un contrasto piú durevole e grave; non avrebbe voluto, adesso, che suo marito parlasse, e suo marito, sentendola diventar fredda, non proseguí. Ella gli posò la fronte alla spalla e disse sottovoce, malgrado se stessa: « Racconta ».

Allora Franco, parlandole nei capelli, le ripeté il racconto fattogli dal professore nella notte del suo matrimonio. Nel riferire a memoria la lettera e il testamento di suo nonno, temperò alquanto le frasi ingiuriose verso suo padre e la nonna. A mezzo il racconto, Luisa, che non si aspettava una rivelazione simile, alzò il capo dalla spalla di suo marito. Questi s'interruppe.

« Avanti » diss'ella.

Finito ch'egli ebbe, gli domandò se si potesse dimostrare che il testamento del nonno era stato soppresso. Franco rispose prontamente di no. « Ma » diss'ella « perché allora parlavi delle idee che mi potevan venire? » Il suo pensiero era subito corso al probabile delitto della nonna, alla possibilità di un'accusa.

Ma se l'accusa non era possibile?

Franco non rispose ed ella, dopo aver pensato un poco, esclamò: « Ah, la copia del testamento? Adoperarla? Quello è un testamento che potrebbe valere? ».

« Sí. »

« E tu non l'hai voluto far valere? »

« No. »

« Perché, Franco? »

« Ecco! » esclamò Franco, pigliando fuoco. « Vedi? Lo sapevo! No, non lo voglio far valere, no, no, assolutamente, no! »

« Ma le ragioni? »

213

« Dio, le ragioni! Le ragioni si sentono, le devi sentire senza che io te le dica! »

« Non le sento. Non credere ch'io pensi ai denari. Non pigliamoli i denari, dàlli a chi vuoi tu. Io sento le ragioni della giustizia. C'è la volontà di tuo nonno da rispettare, c'è un delitto che tua nonna ha commesso. Tu sei tanto religioso, devi riconoscere che questa carta l'ha fatta venir fuori la giustizia divina. Tu ti vuoi mettere frà la giustizia divina e questa donna? »

« Lascia stare la giustizia divina! » rispose Franco, violento. « Cosa sappiamo noi delle vie che prende la giustizia divina? Vi è anche la misericordia divina! Si tratta della madre di mio padre, sai! E non li ho disprezzati sempre questi maledetti denari? Cosa ho fatto quando la nonna mi ha minacciato di non lasciarmi un soldo se sposavo te? »

La tenerezza e la collera, miste insieme, gli fecero groppo alla gola. Non potendo parlare, afferrò il capo di Luisa, se lo strinse sul petto.

« Ho disprezzato i denari per aver te » riprese con voce soffocata. « Come vuoi che adesso cerchi di riprenderli con dei processi? »

« Ma no! » lo interruppe Luisa rialzando il capo. « I denari li darai a chi vorrai! È della giustizia che parlo io! Ma non la senti, tu, la giustizia? »

« Dio mio! » diss'egli mettendo un profondo sospiro. « Era meglio che non t'avessi parlato neanche stasera! »

« Forse sí. Se non volevi rinunciare in nessun caso ai tuoi propositi, forse era meglio. »

La voce di Luisa, dicendo questo, esprimeva tristezza, non collera.

« Del resto » soggiunse Franco « quella carta non esiste piú. »

Luisa trasalí. « Non esiste piú? » diss'ella sottovoce, con ansia.

« No. Il professore deve averla distrutta, per ordine mio. »

Seguí un lungo silenzio. Luisa ritirò il capo adagio adagio, lo posò sul guanciale proprio. Poi Franco uscí a dir forte: « Un processo! Con quei documenti! Con quelle ingiurie! Alla madre di mio padre! Per i denari! ».

« Ma non ripetere questa cosa! » esclamò sua moglie, sdegnata. « Perché la ripeti sempre? Sai pure che non è vera! »

Parlavano concitati l'uno e l'altra; si capiva che durante il silenzio di prima avevano continuato a lavorar forte col pensiero su questo punto.

Egli si irritò del rimprovero e rispose alla cieca:

« Non so niente. »

« Oh Franco! » disse Luisa, addolorata. Egli si era già pentito dell'oltraggio e le domandò perdono, accusò il proprio temperamento che gli faceva dire cose non pensate, implorò una parola buona. Luisa gli rispose sospirando « sí, sí » ma egli non fu contento, volle che dicesse proprio « ti perdono », che lo abbracciasse. Il tocco delle care labbra non lo ristorò come al solito. Passarono alcuni minuti ed egli stette in ascolto per capire se sua moglie si fosse addormentata. Udí il vento, il respiro lieve di Maria, il fragor delle onde, qualche tremolío dei vetri, non altro. Sussurrò: « Mi hai proprio perdonato? » e udí rispondersi con dolcezza: « Sí, caro ». Andò poco e fu lei che stette in ascolto, che udí, insieme al vento, alle onde, agli scricchiolii delle imposte, il respiro uguale, regolare della piccina, il respiro uguale, regolare del marito. Allora mise un altro gran sospiro, un sospiro desolato. Dio, come poteva Franco essersi condotto cosí? Ciò che la feriva nel piú vivo del cuore era ch'egli paresse sentir poco le offese fatte alla povera mamma e allo zio. Ma su questo pensiero non voleva fermarsi, almeno prima di aver considerato il torto di lui altrove, di fronte all'idea di giustizia; e là lo sentiva, con amarezza eppur non senza compiacimento, inferiore a sé, governato da sentimenti che procedevano dalla fantasia, mentre il sentimento suo proprio era penetrato di ragione. Aveva tanto del bambino, Franco. Ecco, egli poteva già dormire ed ella si teneva sicura di non chiuder occhio fino alla mattina. A lei pareva di non aver fantasia perché non se la sentiva muovere, accendere cosí facilmente. Chi le avesse detto che la fantasia poteva in lei piú che in suo marito, l'avrebbe fatta ridere. Eppure era cosí. Solamente, per dimostrarlo, occorreva capovolgere ambedue le anime, perché Franco aveva la sua fantasia visibile a fior d'anima e tutta la sua ragione al fondo, mentre Luisa aveva la fantasia al fondo e la ragione, molto visibilmente, a fior d'anima. Ella non dormí infatti e pensò per tutta la notte, con la sua fantasia del fondo dell'anima, come la religione favorisca i sentimentalismi deboli, com'essa che predica la sete della giustizia sia incapace di formare negl'intelletti devoti a lei il vero concetto di giustizia.

Anche il professore, che aveva infiltrazioni sierose di fantasia nelle cellule raziocinanti del cervello come nelle cellule amorifiche del cuore, spenta la lucerna, passò gran parte della notte davanti al caminetto lavorando con le molle e con la fantasia, pigliando, guardando, lasciando cader brage e progetti fino a che gli restarono un ultimo carbone lucente e un'ultima idea. Prese allora uno zolfino e accostatolo alla bragia ne riaccese la lucerna, prese l'idea pure luminosa e scottante, se la portò a letto.
Era questa: partire, all'insaputa di tutti, per Brescia, presentarsi alla marchesa con i terribili documenti, ottenere una capitolazione.

VII. È giuocato

Tre giorni dopo, alle cinque della mattina, in Milano, il professore Gilardoni 'usciva, inferraiuolato fino agli occhi, dall'Albergo degli Angeli, passava davanti al Duomo e infilava la buia contrada dei Rastrelli dietro una fila di cavalli condotti a mano dai postiglioni, entrava nell'ufficio delle diligenze erariali. Il piccolo cortile dove ora è la Posta era già pieno di gente, di bestie, di lanterne. Voci di postiglioni e di conduttori, passi di cavalli, scosse di sonagliere; all'eremita della Valsolda pareva un finimondo.

Si stavano attaccando i cavalli a due diligenze, quattro per ciascuna. Il professore andava a Lodi perché aveva saputo che la marchesa era in visita presso un'amica di Lodi. La diligenza di Lodi partiva alle cinque e mezzo.

Faceva un freddo intenso e il povero professore girava inquieto intorno al carrozzone mostruoso pestando i piedi per riscaldarsi; tanto che un altro viaggiatore gli disse argutamente: « Freschino, eh? Freschinetto, freschinetto! ». Quando Dio volle si finí di attaccare i cavalli, un impiegato chiamò i viaggiatori per nome e il buon Beniamino sparí nel ventre del carrozzone insieme a due preti, a una vecchia serva, a un vecchio signore con una natta enorme sul viso e a un giovine elegante. Gli sportelli furono chiusi, un comando fu dato, le sonagliere tintinnarono, il carrozzone si scosse, i preti, la vecchia, il signore dalla natta si fecero il segno della croce, i sedici zoccoli dei cavalli strepitarono sotto l'androne, le ruote pesanti lo empirono di fragore, poi tutto questo fracasso si smorzò e la diligenza svoltò a destra verso Porta Romana.

Adesso le ruote correvano quasi silenziose e i viaggiatori non sentivano piú che il pestar disordinato dei sedici zoccoli sulle pietre. Il professore guardava passar le case scure, il raro chiaror dei fanali, qualche piccolo caffè illuminato, qualche garetta di sentinella. Gli pareva che il silenzio della grande città avesse qualche cosa di minaccioso e di formidabile per quei soldati, che le stesse mura delle case nereggiassero d'odio. Quando la diligenza entrò nel corso di Porta Romana, cosí allagato di nebbia che dai finestrini non si vedeva quasi piú nulla, chiuse gli occhi e si abbandonò al piacere d'immaginar le persone e le cose che aveva nel cuore, di conversar con esse.

Non era piú il viaggiatore dalla natta che gli sedeva in faccia, era donna Ester tutta chiusa in un gran mantello nero e col cappuccio in capo. Ella lo guardava fiso; i begli occhi gli dicevano: « Bravo, Lei fa una bella azione, mostra molto cuore, non l'avrei creduto. L'ammiro. Ella non è piú né vecchio, né brutto per me. Coraggio! ». A questa esortazione di aver coraggio gli veniva una stretta di paura, gli scattava in mente la immagine della marchesa; e il rumor sordo delle ruote si trasformava nella voce nasale della vecchia dama che gli diceva: « Si accomodi. Cosa desidera? ».

A questo punto la diligenza si fermò e il professore aperse gli occhi. Porta Romana. Qualcuno aperse lo sportello, domandò le carte di sicurezza, e, raccoltele, si allontanò, ricomparve dopo cinque minuti, le restituí a tutti fuorché al giovane elegante. « Lei scenda » gli diss'egli. Quegli impallidí, discese in silenzio e non ritornò. Dopo un altro minuto fu chiuso lo sportello, una voce ruvida disse « avanti! ». Il signore dalla natta collocò la sua borsa da viaggio sul sedile rimasto vuoto; nessun altro viaggiatore diede segno di accorgersi dell'accaduto. Solo quando i quattro cavalli ebbero ripreso il trotto, Gilardoni domandò al prete suo vicino se conoscesse il nome del giovine e quegli rispose bruscamente « off! », girò verso il professore due occhi sgomentati e sospettosi. Il professore guardò l'altro prete che subito trasse di tasca una corona e fattosi il segno della croce si mise a pregare. Il professore tornò a chiudere gli occhi e l'immagine del giovine sconosciuto si perdette per sempre nella nebbia come parevano perdervisi i rari fantasmi d'alberi, di pioppi e di salici, che passavano a destra e a sinistra della via.

"Come incominciare?" pensava il Gilardoni. Dalla notte di Natale in poi non aveva fatto che immaginare e discutere fra sé il modo di presentarsi alla marchesa, di entrar nell'argomento e di svolgerlo, la capitolazione da offrire. Non aveva chiara in mente che quest'ultima; ove la signora marchesa facesse un largo assegno al nipote, egli distruggerebbe le carte. Queste carte non le teneva seco; ne aveva una copia. Doveano produrre un effetto fulmineo; ma come incominciare? Nessuno dei tanti esordi pensati lo accontentava. Anche adesso, fantasticando ad occhi chiusi, si poneva il problema partendo dal solo termine conosciuto: « Si accomodi. Cosa desidera? ». Immaginava una risposta che poi gli pareva o troppo ossequiosa o troppo ardita o troppo lontana dall'argomento o troppo vicina ad esso e ricominciava la via dal solito principio: « Cosa desidera? ».

Un livido chiaror d'alba, pieno d'uggia, di tristezza e di sonno, entrò nella diligenza. Adesso che l'ora del colloquio stava per giungere, mille dubbi, mille incertezze nuove mettevano in iscompiglio tutte le previsioni del professore. La stessa base de' suoi calcoli improvvisamente crollò. Se la marchesa non gli dicesse né « si accomodi » né « cosa desidera? ». Se lo accogliesse Dio sa in quale altro modo imbarazzante? E se non lo volesse ricevere? Santo cielo, se non lo volesse ricevere? L'improvviso strepitar dei sedici zoccoli sopra un ciottolato gli fece battere il cuore. Ma non era ancora il ciottolato di Lodi; era il ciottolato di Melegnano.

A Lodi arrivò circa alle nove. Scese all'Albergo del Sole, ebbe una stanza dove non c'era né sole né fuoco. Non osando affrontare la nebbia delle vie, né le vampe della cucina, osò invece porsi a letto, mise il berretto da notte che sapeva le sue angustie, aspettò, con la sigaretta di canfora in bocca, qualche buona idea e il mezzogiorno.

Salí, al tocco, le scale del palazzo X., col savio proposito di scordar tutte le frasi meditate, di rimettersi alla ispirazione del momento. Un domestico in cravatta bianca lo introdusse in uno stanzone scuro, dal pavimento di mattoni, dalle pareti coperte di seta gialla, dal soffitto a stucchi, e, fatto un inchino, uscí. Poche antiche sedie a bracciuoli, bianche e dorate, con la stoffa rossa, stavano in semicerchio davanti al camino dove tre o quattro ceppi enormi ardevano adagio dietro la grata di ottone. L'aria aveva un odor misto di vecchie muffe, di vecchie pasticcerie, di vecchie mele cotte, di vecchie stoffe, di vecchia pelle, di decrepite idee, una sottile essenza di vecchiaia che faceva raggrinzar l'anima.

Il domestico ritornò ad annunciare, con grande emozione del Gilardoni, il prossimo ingresso della signora marchesa. Aspetta e aspetta, ecco aprirsi un grande uscio a fregi dorati, ecco un campanellino corrente, ecco Friend che trotta dentro fiutando il pavimento a destra e a manca, ecco una gran campana di seta nera sotto un cupolino di pizzo bianco, ecco fra due nastri celesti la parrucca nera, la fronte marmorea, gli occhi morti della marchesa.

« Che miracolo, professore, a Lodi? » disse la voce sonnolenta, mentre il cagnolino fiutava gli stivali del professore. Questi fece un profondo saluto e la dama che pareva appunto l'ampolla dell'essenza di vecchiaia, andò a porsi in un seggiolone accanto al fuoco e fece accomodare la sua bestiola in un altro; dopo di che accennò al Gilardoni di accomodarsi pure. « Suppongo » diss'ella « che avrà qualche parente alle Dame Inglesi. »

« No » rispose il professore, « veramente no. »

La marchesa era faceta, qualche volta, alla sua maniera. « Allora » disse « sarà forse venuto a far provvista di *mascherponi*. »

« Neanche, signora marchesa. Sono venuto per affari. »

« Bravo. È stato disgraziato col tempo. Mi par che piova, adesso. »

A questa impreveduta diversione il professore ebbe paura di perdere la tramontana. « Sí » diss'egli sentendosi diventare sciocco come lo scolaro cui l'esame piega male: « pioviggina. »

La sua voce, la sua fisonomia dovettero tradire l'imbarazzo interno, apprendere alla marchesa che egli era venuto per dirle qualche cosa di particolare. Ella si guardò bene dall'offrirgliene il bandolo, continuò a parlargli del tempo, del freddo, dell'umido, di un raffreddore di Friend che infatti accompagnava di frequenti starnuti il discorso della sua dama. La voce sonnolenta aveva un placido tono quasi ridente, una blanda benevolenza; e il professore sudava freddo al pensiero di fermare quella melliflua vena per offrir in cambio la pillola amara che aveva in tasca. Egli avrebbe potuto approfittar d'una pausa per metter fuori il suo esordio, ma non seppe farlo; e fu invece la marchesa che ne approfittò per metter fuori la sua chiusa.

« La ringrazio tanto » diss'ella « della visita, e adesso La congedo perché Ell'avrà le Sue faccende e, per dire il vero, ho un impegno anch'io. »

Qui bisognò saltare.

« Veramente » rispose il Gilardoni, tutto agitato, « io ero venuto a Lodi per parlare con Lei, signora marchesa. »

« Questo » osservò la dama, gelida, « non lo avrei potuto immaginare. »

Il professore trascorse avanti, nello slancio del salto.

« Si tratta di cose urgentissime » diss'egli « e io debbo pregare... »

La marchesa lo interruppe.

« Se si tratta di affari, bisogna ch'Ella si rivolga al mio agente di Brescia. »

« Scusi, signora marchesa; si tratta d'un affare specialissimo. Nessuno sa e nessuno deve sapere che sono venuto da Lei. Le dico subito che si tratta di Suo nipote. »

La marchesa si alzò e il cane accovacciato sul seggiolone si levò pure, abbaiando verso il Gilardoni.

« Non mi parli » disse solennemente la vecchia signora « di quella persona che per me non esiste piú. Andiamo, Friend. »

« No, signora marchesa! » ripigliò il professore. « Ella non può assolutamente immaginare cosa Le dirò! »

« Non m'importa di niente, non voglio saper niente, La riverisco! »

La inflessibile dama si mosse, cosí dicendo, verso l'uscio.

« Marchesa! » esclamò alle sue spalle il professor Beniamino, mentre Friend, saltato dal seggiolone, gli abbaiava disperatamente alle gambe: « Si tratta del testamento di Suo marito! ».

Stavolta la marchesa non poté a meno di fermarsi. Tuttavia non si voltò.

« Questo testamento non Le può piacere » soggiunse rapidamente il Gilardoni « ma io non ho l'intenzione di pubblicarlo. Mi ascolti, La supplico, marchesa! »

Ella si voltò. La faccia impenetrabile tradiva una certa emozione nelle narici. Neppur le spalle eran del tutto tranquille.

« Che storie mi conta? » rispose. « Le pare una bella convenienza di venire a nominarmi, cosí senza riguardi, il povero Franco? Cosa c'entra Lei negli affari della mia famiglia? »

« Perdoni » replicò il professore frugandosi in tasca. « Se non c'entro io, ci potrebbe entrare altri con meno riguardi di me. Abbia la bontà di vedere i documenti. Queste... »

« Si tenga i suoi scartafacci » interruppe la marchesa vedendogli levar di tasca delle carte.

« Queste sono le copie fatte da me... »

« Le dico che se le tenga, che se le porti via! »

La marchesa suonò un campanello e si avviò da capo per uscire. Il professore, tutto fremente, udendo venir un domestico, vedendo lei aprir l'uscio, gittò le sue carte sopra una seggiola, disse sottovoce in fretta e furia: « Le lascio qui, non le veda nessuno, io sono al *Sole*, ritornerò domani, le guardi, ci pensi bene! » e prima che arrivasse il domestico, scappò per la parte ond'era venuto, tolse il ferraiuolo, infilò le scale.

La marchesa rimandò il domestico, stette un poco in ascolto, poi ritornò sui suoi passi, prese le carte, andò a chiudersi nella sua stanza e, inforcati gli occhiali, incominciò a leggere presso la finestra. La faccia era oscura e le mani tremavano.

Il professore stava per andare a letto nella sua camera gelata del *Sole*, quando due poliziotti vennero a recargli l'ordine di recarsi immediatamente all'ufficio di Polizia.

Egli sentí bene un certo rimescolamento interno ma non si smarrí e partí con essi. Alla Polizia, un piccolo Commissario insolente gli domandò perché fosse venuto a Lodi e avutone risposta che c'era venuto per affari privati, fece un atto d'incredulità sprezzante. Che affari privati pretendeva avere a Lodi il signor Gilardoni? Con chi? Il professore nominò la marchesa. « Ma se nessuna Maironi sta a Lodi! » esclamò il Commissario, e perché l'altro protestava, lo interruppe subito: « Basta, basta, basta! ». La Polizia sapeva di certo che il signor Gilardoni, quantunque I. R. pensionato, non era un leale austriaco, che aveva degli amici a Lugano e ch'era venuto a Lodi con un fine politico.

« Lei ne sa piú di me! » esclamò il Gilardoni soffocando a stento la collera.

« Faccia silenzio! » gl'intimò il Commissario. « Del resto Ella non deve credere che l'I. R. Governo abbia paura di Lei. È libero di andare. Solamente deve lasciar Lodi entro due ore! »

Qui Franco avrebbe capito subito di dove veniva il colpo; il filosofo non capí.

« Son venuto » diss'egli « a Lodi per un affare urgente che non ho finito, per un interesse privato gravissimo.

223

Come posso partire dentro due ore? »

« Con una vettura. Se, trascorse due ore, Ella è ancora in Lodi, La faccio arrestare. »

« La mia salute » replicò la vittima « non mi permette di viaggiare di notte in dicembre. »

« Ebbene, La farò arrestare subito. »

Il povero filosofo prese in silenzio il suo cappello e uscí.

Un'ora dopo egli partiva per Milano in un calessino chiuso, con i piedi nella paglia, con una coperta sulle gambe, con una gran sciarpa al collo, pensando che aveva pur fatto una bella spedizione e inghiottendo saliva ogni momento per sentir se gli doleva la gola. Notte infame davvero; ma non la passò sulle rose neppur la signora marchesa.

VIII. *Ore amare*

L'ultimo dí dell'anno, mentre Franco stava scrivendo le minutissime istruzioni che intendeva lasciare a sua moglie per il governo del giardinetto e dell'orto, mentre lo zio rileggeva per la decima volta la sua favorita *Storia della diocesi di Como*, Luisa uscí a passeggio con Maria. Splendeva un tepido sole. Non v'era neve che sul Bisgnago e sulla Galbiga. Maria trovò una viola presso il cimitero e un'altra la trovò in fondo alla Calcinera. Lí faceva veramente caldo, l'aria aveva un lieve aroma di alloro. Luisa sedette con le spalle al monte, permise che Maria si divertisse ad arrampicarsi e sdrucciolar sull'erba secca dietro a lei, e pensò.

Non aveva riveduto il professor Gilardoni dopo la notte di Natale e desiderava parlargli, non per udir da capo la storia del testamento Maironi, ma per farsi raccontare il suo colloquio con Franco quando gliel'aveva mostrato, per conoscere le prime impressioni di Franco

e l'opinione del professore. Poiché il testamento era sta
to distrutto, ciò aveva solamente un'importanza psicologica. La curiosità di Luisa non era però una fredda curiosità di osservatrice. La condotta di suo marito l'aveva
gravemente offesa. Pensandoci e ripensandoci, come aveva fatto dalla notte di Natale in poi, s'era persuasa che
anche il silenzio serbato con lei fosse un peccato grave
contro il diritto e l'affetto. Ora le riusciva amaro il sentirsi diminuir la stima per suo marito, tanto piú amaro
alla vigilia della sua partenza e in un momento in cui
egli meritava lode. Avrebbe voluto almeno sapere che
quando il Gilardoni gli aveva mostrato quelle carte vi
era stata in lui una lotta, che il sentimento piú giusto si
era sollevato almeno un momento nell'anima sua. Si alzò, prese Maria per mano e si avviò verso Casarico.
Trovò il professore nell'orto, col Pinella, disse a Maria
di andar a correre, a giuocare insieme al Pinella, ma la
bambina, sempre avida di ascoltar i discorsi delle persone
grandi, non volle assolutamente saperne. Allora entrò
nell'argomento senza pronunciar nomi. Voleva parlare al
professore di quelle tali carte, di quelle vecchie lettere.
Il professore, rosso rosso, protestò che non capiva. Per
fortuna il Pinella chiamò Maria mostrandole un libro
d'immagini e Maria, vinta dal libro, corse a lui. Allora
Luisa levò al professore gli scrupoli, gli disse che sapeva
tutto da Franco stesso, gli confessò di aver disapprovato
suo marito, di aver provato e di provare ancora un gran
dolore...
« Perché perché perché? » interruppe il buon Beniamino. Ma perché Franco non aveva voluto far nulla!
« Ho fatto io, ho fatto io, ho fatto io! » disse il Gilardoni, tutto acceso e trepidante, « ma per amor del cielo
non dica niente a Suo marito! » Luisa restò sbalordita.
Ma cosa aveva fatto, il professore? Ma quando? Ma
come? Ma il testamento non era stato distrutto?
Allora il professore, rosso come una bragia, facendo degli occhi spiritati, intercalando il suo dire di « ma per

carità, neh? – ma z'tto, neh? », mise fuori tutti i suoi segreti, la conservazione del testamento, il viaggio a Lodi. Luisa lo ascoltò sino alla fine, poi fece « ah! » e si strinse forte il viso fra le mani.

« Ho fatto male? » esclamò il professore, spaventato. « Ho fatto male, signora Luisina? »

« Altro che male! Malissimo! Mi scusi, sa, Lei ha avuto l'aria di andare a proporre una transazione, un mercato! E la marchesa crederà che siamo d'accordo! Ah! »

Ella strinse e scosse le mani congiunte come se avesse voluto rimaneggiarvi, rimpastarvi dentro una testa professorale piú quadra. Il povero professore, costernato, andava ripetendo: « Oh Signore! Oh povero me! Oh che asino! » senza tuttavia comprender bene quale asinata avesse commesso. Luisa si buttò sul parapetto verso il lago, a guardare nell'acqua. Balzò su a un tratto, batté il dorso della destra sul palmo della sinistra, il suo viso s'illuminò. « Mi conduca nel Suo studio » diss'ella. « Posso lasciar qui Maria? » Il professore accennò di sí e l'accompagnò, tutto palpitante, nello studio.

Luisa prese un foglio di carta e scrisse rapidamente: « Luisa Maironi Rigey fa sapere alla marchesa Maironi Scremin che il professore Beniamino Gilardoni è un ottimo amico di suo marito e suo, ma che ne fu disapprovato per l'uso inopportuno di un documento destinato a sorte diversa: che perciò nessuna comunicazione si attende né si desidera da parte della signora marchesa. »

Com'ebbe scritto, tese silenziosamente la lettera al professore. « Oh no! » esclamò il professore dopo aver letto. « Per amor del cielo, non mandi questa lettera! Se Suo marito lo sa! Pensi che dispiacere immenso, per me, per Lei! E come Suo marito non lo avrebbe a sapere? » Luisa non rispose, lo guardò a lungo, non pensando a lui, pensando a Franco, pensando che forse la marchesa potrebbe prendere quella lettera per un artificio, per uno spauracchio. La riprese e la stracciò sospirando. Il professore, raggiante, le voleva baciar la mano. Ella protestò: non lo aveva fatto né per lui né per Franco, lo aveva fatto per altre ragioni! Il sacrificio del suo sfogo la esacerbò, anzi, contro Franco. « Ha torto! Ha torto! » ripeteva col cuore amaro. E né lei né il professore si accorsero che Maria era nella stanza. Vista partir sua madre, la piccina non aveva piú voluto restar col Pinella e il Pinella l'aveva condotta fino all'uscio dello studio, gliel'aveva aperto senza far rumore. La piccina, colpita dall'aspetto di sua madre, si fermò a fissarla con una espressione di sgomento. La vide stracciar la lettera, la udí esclamare « ha torto! » e si mise a piangere. Luisa accorse, la prese tra le braccia, la consolò e partí subito. Le ultime parole del professore nel congedarsi, furono: « Per carità, silenzio! ».

« Cosa, silenzio? » domandò subito Maria. Sua madre non le badò; tutti i suoi pensieri erano altrove. Maria ripeté tre o quattro volte: « Cosa, silenzio? ». Quando finalmente si udí rispondere « zitto, basta » tacque un poco e poi ricominciò rovesciando all'indietro la sua testolina ridente, proprio per stuzzicar la mamma: « Cosa, silenzio? ». Ne fu sgridata forte, tacque ancora, ma passando sotto il cimitero, a pochi passi da casa, ricominciò da capo, con lo stesso riso malizioso. Allora Luisa, tutta raccolta nello sforzo di comporsi una maschera indifferente, le diede solo una strappata, che però bastò a farla tacere.

Maria era molto allegra, quel giorno. A pranzo, scherzando con la mamma, si ricordò dei rimproveri toccati a passeggio, la guardò sottecchi col solito risolino timido e provocatore, mise ancora fuori il suo « cosa, silenzio? ». La mamma finse di non udire ed ella insistette. Luisa la fermò allora con un « basta! » cosí insolitamente vibrato che la boccuccia di Maria si aperse piano piano e le lagrime scoppiarono. Lo zio fece « oh povero me! » e Franco diventò scuro, si capí che disapprovava sua moglie. Poiché Maria piangeva e piangeva, si sfogò addosso a lei; la prese tra le braccia, la portò via che strillava come un'aquila. « Meglio ancora! » esclamò lo zio. « Bravissimi! » « Lasci un po' fare, Lei » gli disse la Cia mentre Luisa taceva. « I genitori devono farsi ubbidire, già. » « Ma sí, cosí mi piace » le rispose il padrone, « mettete fuori anche voi la vostra sapienza. » Ella si azzittí tutta ingrugnata.

Intanto Franco, piantata Maria in un angolo dell'alcova, ritornò e brontolò qualche parola sul voler far piangere i bambini per forza, per cui Luisa s'imbronciò alla sua volta, andò in cerca di Maria, la ricondusse lagrimosa ma silenziosa. Il breve desinare finí male perché Maria non volle piú mangiare e tutti erano imbronciati per una ragione o per l'altra, meno lo zio Piero il quale si mise ad arringar Maria con dei predicozzi mezzo serii mezzo scherzosi, tanto che le fece tornare un po' di sole in viso. Dopo pranzo Franco andò a vedere di certi vasi che teneva nel sotterraneo sotto il giardinetto pensile e prese Maria con sé, la interrogò benignamente, vedendola ormai allegra, sull'origine di tanti guai. « Che significava questa cosa, silenzio? – Non lo so. – Ma perché la mamma non voleva che tu dicessi cosí? – Non lo so. Io dicevo sempre cosí e la mamma mi sgridava sempre. – Quando? – A passeggio. – Dove sei stata, a passeggio? – Dal signor Ladroni. (Lo zio le aveva facilitato il nome del professore cosí.) – E hai cominciato in casa del signor Ladroni a dire questa cosa? – No, è stato il signor Ladroni che ha detto cosí alla mamma. – Cosa ha detto? – Ma, papà, non capisci niente! Ha detto: per carità, silenzio! » Franco non parlò piú. « La mamma ha stracciato una carta, anche, dal signor Ladroni » soggiunse Maria, stimando, adesso, far tanto maggior piacere a suo padre quante piú cose gli raccontava di questa visita. Suo padre le impose di tacere. Ritornato in casa, domandò a Luisa, con un viso poco benevolo, perché avesse fatto piangere la bambina.

Luisa lo guardò, le parve che sospettasse, gli domandò risentita se dovesse giustificarsi di queste cose. « Oh no! » fece suo marito, freddo; e se ne andò in giardinetto a veder se le foglie secche al piede degli aranci e la paglia intorno al tronco fossero in ordine perché la notte si annunziava rigida. Lavorando intorno alle piante si disse amaramente che se avessero avuto senso e parola, gli si sarebbero mostrate piú riconoscenti, piú affettuose del solito per la sua prossima partenza, mentre Luisa aveva cuore di essergli aspra. D'essere stato aspro egli stesso non gli venne in mente. Luisa, dal canto suo, si dolse subito d'avergli risposto cosí, ma non poteva trattenerlo, gittarglisi al collo e finirla con due baci; troppo le pesava sul cuore l'altra cosa! Franco finí di accomodar le fasciature a' suoi aranci e rientrò a pigliarsi il mantello per andar in chiesa ad Albogasio. Luisa che stava in cucina sbucciando delle castagne, lo udí passare pel corridoio, stette un momento in forse, lottando con se stessa, poi balzò fuori, lo raggiunse mentre stava per scender le scale.

« Franco! » diss'ella. Franco non rispose, parve respingerla. Ella lo afferrò allora per un braccio, lo trasse nella vicina camera dell'alcova. « Cosa vuoi? » diss'egli, scosso ma desideroso di tenersi il suo rancore. Luisa non gli rispose, gli cinse con le braccia il collo riluttante, gli piegò il viso sul petto e disse sottovoce:

« Non dobbiamo esser in collera, sai, in questi giorni. »

Egli, che aveva aspettato parole di scusa, si staccò dal collo le braccia di sua moglie e rispose asciutto:

« Io non sono in collera. Mi racconterai poi » soggiunse « cosa ti ha confidato il signor professore Gilardoni di tanto segreto da doverti raccomandare il silenzio. »

Luisa lo guardò attonita, addolorata. « Tu hai sospettato di me » diss'ella « e hai interrogata la bambina? Hai fatto questo? »

« Ebbene » diss'egli « e se avessi fatto questo? Del resto tu pensi sempre il peggio di me, si sa. Bene, guarda, non voglio saper niente. » Ella lo interruppe « ma te lo dirò, ma te lo dirò » ed egli allora cui la coscienza rimordeva un poco per l'interrogatorio di Maria, vedendo poi anche Luisa disposta a parlare, non· volle assolutamente udirla, le proibí di spiegarsi. Ma il suo cuore traboccava di amarezza e gli occorreva pure uno sfogo. Si dolse che dopo la notte di Natale ella non fosse piú stata con lui la solita Luisa. A che valevano le proteste? Lo aveva capito bene. Del resto era tanto tempo ch'egli aveva capito una cosa! Che cosa? Oh, una cosa naturale! Naturalissima! Meritava egli di essere amato da lei? No certo; egli era un povero disutile e niente altro. Non era naturale che dopo averlo conosciuto bene, ella lo amasse meno? Perché certo certo lo amava meno di una volta!

Luisa tremò che questo fosse vero, disse « no, Franco, no » e lo sgomento di non saperlo dire con energia bastante le paralizzò la voce. Egli che aveva sperato una smentita violenta, sussurrò atterrito « Dio mio! ». Allora fu lei che si atterrí, fu lei che lo strinse disperatamente fra le braccia singhiozzando « ma no! ma no! ma no! ». S'intesero sino al fondo con una comunicazione magnetica e stettero a lungo abbracciati, parlandosi in un muto sforzo spasmodico di tutto l'esser loro, dolendosi l'uno dell'altro, rimproverandosi, volendosi appassionatamente riprendere, gustando il piacere acuto e amaro di unirsi per un momento con la volontà e con l'amore malgrado la intima disunione delle loro idee e della loro natura; tutto senza una parola, senza una sola voce.

Franco partí per andare in chiesa. Non volle invitar Luisa ad accompagnarlo, sperando ch'ella lo facesse spontaneamente; ed ella non lo fece dubitando che gli fosse gradito.

La mattina del sette gennaio, dopo le dieci, lo zio Piero fece chiamare Franco.

Lo zio stava ancora a letto. Si alzava tardi, non potendo riscaldare la stanza e non volendo, per economia,
accendere il fuoco nel salottino troppo per tempo. Però
il freddo non gl'impediva di tirarsi su a leggere, con
mezzo il petto e ambedue le braccia fuori delle coperte.

« Ciao » diss'egli quando Franco entrò.
Dal tono del saluto, dalla bella faccia seria nella sua bon-
tà, Franco intese che lo zio aveva pronte parole inso-
lite.
Lo zio gl'indicò infatti la sedia presso il letto, e disse
il piú solenne dei suoi esordi :
« Sètet giò. »
Franco sedette.
« Dunque parti domani? »
« Sí, zio. »
« Bene. »
Parve che nel metter fuori quel « bene » il cuore dello zio gli fosse venuto in bocca, tanto la parola gli
gonfiò le guance, gli uscí piena e sonora.
« Tu » riprese il vecchio « non mi hai udito fino ad ora,
dirò cosí, approvare né disapprovare il tuo progetto. Forse avrò dubitato un poco che lo effettuassi. Adesso... »
Franco gli stese ambedue le mani. « Adesso » continuò
lo zio, tenendogliele strette fra le proprie, « visto che
sei fermo nella tua idea, ti dico: l'idea è buona, il bisogno c'è, va, lavora, il lavoro è una gran cosa. Dio ti
faccia incominciar bene e poi ti faccia perseverare, ch'è il
piú difficile. Eccò. »
Franco gli voleva baciar le mani, ma lo zio fu pronto a
ritirarle. « Lassa stà, lassa stà! » E riprese a parlare.
« Adesso senti. È possibile che non ci vediamo piú. » Proteste di Franco. « Sí sí sí » rispose il vecchio ritirando
l'anima dagli occhi e dalla voce, « tutte belle cose, cose
che bisogna dire. Lascia stare. »

Gli occhi ripresero la loro luce seria e buona, la voce il suo tono grave.

« È possibile che non ci vediamo piú. Del resto ti domando io cosa ci faccio, oramai, a questo mondo. E per voi sarebbe meglio che me ne andassi. Forse a tua nonna dispiace che io vi abbia raccolti, forse le sarà piú facile, poi, di riconciliarsi con voi. Perciò, posto che non ci vediamo piú, ti prego, appena morto io, se le cose non saranno ancora accomodate, di fare qualche passo. »

Franco si alzò, abbracciò lo zio con le lagrime agli occhi.

« Testamento » riprese lo zio « non ne ho fatto e non ne faccio. Il poco che ho è di Luisa; non occorre testamento. Vi raccomando la Cia; fate che non le manchi un letto e un tozzo di pane. Per i funerali bastano tre preti che mi cantino un *requiem* di cuore; il nostro, l'Introini e il prefetto della Caravina; c'è mica bisogno di farne cantare cinque o sei per amor del candirott e del vin bianch. Per il mio vestiario lasciamo fare a Luisa che saprà dove metterlo a posto. Il mio orologio a ripetizione lo prenderai tu per mia memoria. Vorrei lasciare un ricordo anche a Maria, ma come si fa? Potrai pigliar un pezzo della mia catena d'oro. Se hai una medaglietta, un crocifisso, glielo attacchi al collo con la mia catena. E amen. »

Franco piangeva. Era una gran commozione di sentire lo zio parlar della sua morte cosí serenamente come di un affare qualsiasi da condur con giudizio e onestà; lo zio che discorrendo con gli amici pareva tanto attaccato alla vita, che diceva sempre: « Se se pò schivà quella tal crepada! ».

« Oh, e adesso contami! » diss'egli. « Che lavoro speri di trovare? »

« Per ora, nell'ufficio d'un giornale a Torino, mi scrive T. Forse in avvenire si troverà qualche cosa di meglio. Se poi·al giornale non potessi vivere e se non trovassi

232

altro, ritornerei. Per questo bisogna tener la cosa segretissima, almeno per il primo tempo. »
Quanto al segreto, lo zio era incredulo. « E le lettere? » diss'egli.
Per le lettere era combinato che Franco scriverebbe a Lugano fermo in posta, che Ismaele porterebbe alla posta di Lugano le lettere della famiglia e ritirerebbe quelle di Franco. E che si doveva dire ai conoscenti? Si era già detto che Franco andava a Milano il giorno otto per affari e che sarebbe stato assente forse un mese, forse anche piú.
« Questo dover infinocchiar la gente non è la piú bella cosa del mondo » disse lo zio « ma insomma! – Io ti abbraccio adesso, neh, Franco, perché so che domani mattina parti per tempo e oggi difficilmente saremo soli. Dunque addio. Ti raccomando tutto da capo e non dimenticarti di me. Oh, un'altra cosa. Tu vai a Torino. Io, come impiegato, ho inteso servire il mio paese. Non ho cospirato, non vorrei cospirare neanche adesso, ma al mio paese ci ho sempre voluto bene. Insomma, salutami la bandiera tricolore. Ciao, neh! »
Qui lo zio aperse le braccia.
« Verrai anche tu, zio, in Piemonte » gli disse Franco alzandosi commosso da quell'abbraccio. « Se posso appena guadagnarmi quel che strettamente bisogna, vi faccio venire tutti. »
« E no, caro. Son troppo vecchio, non mi muovo piú. »
« Ebbene, verrò io questa primavera con duecentomila miei amici. »
« Eh sí! Düsent mila zücch! Belle idee, belle speranze! – Oh, è qui, signorina Ombretta Pipí? »
Ombretta Pipí, cosí Maria era chiamata in casa nei momenti di buon umore, entrò impettita e grave. « Buon giorno, zio. Mi dici l'*Ombretta Pipí*? »
Suo padre la prese e la posò sul letto dello zio che la raccolse a sé sorridendo, se la fece sedere sulle gambe.
« Venga qua, signorina. Ha dormito bene? E la bambo-

la, ha dormito bene? E il mulo, ha dormito bene? Ah non c'era? Tanto meglio. Sí, sí, adesso vengo con l'Ombretta. E un bacio, niente? E un altro, no? Allora bisogna proprio dire:

> Ombretta sdegnosa
> Del Missipipí,
> Non far la ritrosa
> E baciami qui. »

Maria lo ascoltò come se udisse i versi per la prima volta; e poi, fuori a ridere, a saltare, a battere le mani. E lo zio rideva come lei.

« Papà » diss'ella facendosi seria, « perché piangi? Sei in castigo? »

Si aspettavano alquante visite, in quel giorno, di conoscenti che avevan promesso di venire a congedarsi da Franco prima della sua partenza per Milano. Luisa fece il miracolo di accender la stufa in Siberia, come lo zio chiamava la sala, e vi si trovarono insieme donna Ester, i due indivisibili Paoli di Loggio, il Paolin e il Paolon, il professore Gilardoni che vi sofferse di una trepidazione, di una inquietudine continua perché Luisa, non avendo ancora allestito il bagaglio di Franco, andava e veniva dalla camera dell'alcova, chiamava Ester ogni momento ed Ester era quindi sempre in moto, quando passava dietro al professore, quando gli passava davanti, quando a destra, quando a sinistra. Al pover'uomo pareva di stare in un turbine magnetico.

Ecco capitare, molto inattesa perché dopo la perquisizione non s'era piú veduta, anche la signora Peppina. « Oh cara la mia süra Lüisa! Oh car el me sür don Franco! L'è vera ch'el vœur propi andà via? » Adesso è il Paolin che si dimena un poco sulla sedia perché ha l'idea che la süra Peppina sia mandata dal marito per vedere chi c'è e chi non c'è intorno all'uomo sospetto, nella casa scomunicata. Vorrebbe andarsene subito col suo Paolon, ma il Paolon è piú grosso. « Come se fa adèss con sto vioròn chí ch'el capiss nagott? » pensa il Paolin; e, senza guardare il Paolon, gli dice sottovoce: « Andèmm, Paol! ». « Andèmm! » Il Paolon stenta infatti molto a capire ma finalmente si alza, se ne va col Paolin, piglia la sua sulle scale.

Franco ebbe lo stesso pensiero del Paolin e salutò la signora Peppina con mal garbo. La povera donna ne avrebbe pianto perché voleva tanto bene a sua moglie e teneva in gran concetto anche lui; ma capiva la sua avversione; la scusava in cuor suo. Appena osava guardarlo di tempo in tempo, umile, con un'aria di cane bastonato. Si tolse la Maria sulle ginocchia, le parlò del suo buon papà, del suo caro papà che andava via. « Chi sa che dispiasè, neh ti poera vèggia? Chi che magòn? Poer ratin. Andà via el papà! On papà de quella sort! » Franco discorreva col professore ma udiva e fremeva d'impazienza. Fu contentissimo che la Veronica venisse a chiamarlo.

Lo volevano nell'orto. Vi discese, trovò il signor Giacomo Puttini e don Giuseppe Costabarbieri ch'eran venuti per salutarlo ma, informati dal Paolin e dal Paolon, desideravano non farsi vedere dalla süra Peppina. Anche il suolo dell'orto scottava loro i piedi. Mentre il piccolo eroe magro si difendeva, soffiando, dagl'inviti di Franco a salire in casa, il piccolo eroe grasso girava vivacemente la testa e gli occhietti come un merlo di buon umore, a guardar ora il monte ora il lago, quasi per un'abitudine di sospetto. Scorse una barca che veniva da Porlezza. Chi sa? Non potrebb'esser l'I. R. Commissario? Benché la barca fosse ancora lontana, pensò subito di cavarsela, pensò di andar col Puttini a visitar il Ricevitore per aver la fortuna di non trovar la süra Peppina in casa.

Scambiati con Franco saluti sommessi e frettolosi, i due vecchi leproni trottarono via a testa bassa e Franco rimase nell'orto. L'aria era mite, il picco di Cressogno saliva senza neve, tutto glorioso di sole, nel sereno, il sole dorava ancora le coste giallognole della Valsolda picchiettate di ulivi, mentre dall'altra parte del lago scendevano sino all'acqua, nell'ombra azzurrognola, i grandi padiglioni bianchi della Galbiga nevosa e del Bisgnago. Franco stette a guardare col cuore grosso il caro paese dei suoi sogni, de' suoi amori. "Addio, Valsolda" pensò. "E adesso voglio salutare anche voialtre."

Voialtre erano le sue piante, gli aranci amari, l'*olea sinensis*, il nespolo del Giappone, il *pinus pinea*, che verdeggiavano a giusti intervalli lungo il viale diritto, fra le aiuole degli erbaggi e il lago; erano i rosai, i capperi, le agavi che uscivano a pender sopra l'acqua dai fori praticati nel muro. Tutte piccole vite, ancora; il colosso della famiglia, il pino, non misurava tre metri; piccole, pallide vite che parevano sonnecchiare nel pomeriggio invernale. Ma Franco le vedeva nell'avvenire come le aveva pensate piantandole col suo fine sentimento del grazioso e del pittoresco. Ciascuna portava in sé una intenzione di lui.

Le nobili pianticelle del viale, sorgendo sugli erbaggi, dovevano significare una certa finezza di spirito e di cultura nella modesta fortuna della famiglia. Gli aranci avevano il compito speciale di dare al quadretto una intonazione mite e gentile; il dovere del nespolo era di alzare e allargar le braccia frondose sopra un futuro sedile; i rosai e i capperi del muro verso il lago dovevano dire a chi passava in barca la fantasia d'un poeta; le agavi vi avrebbero risposto, in un accordo minore, agli aranci, compagni di esilio; finalmente gli alti destini del pino erano di spiegar un grazioso ombrello sulla breve oasi, di porre il suo accento meridionale sopra l'accordo delle agavi e degli aranci, di incorniciar con la sua verde corona il piccolo seno azzurro di Casarico. Addio, addio! Pareva a Franco che le pianticelle gli rispondessero tristemente: "Perché ci lasci? Che sarà di noi? Tua moglie non ci ama come te".

Intanto la barca veduta da don Giuseppe aveva camminato e passava davanti all'orto, alquanto discosto dalla
riva. V'erano un signore e una signora. Il signore si
alzò in piedi e salutò con voce squillante: « Addio, don
Franco! Evviva! ». La signora sventolò il fazzoletto.
Erano i Pasotti. Franco salutò col cappello.
I Pasotti! In Valsolda di gennaio! Che ci venivano a
fare? E quel saluto! Pasotti che dopo la perquisizione
non si era fatto piú vedere, Pasotti salutar cosí? Che
voleva dir ciò? Franco, perplesso, salí in casa, diede
la notizia. Tutti stupirono e sopra tutti la süra Peppina:
« Ma comè? El dis de bon? El sür Controllòr? Poer
omasc! Anca la süra Barborin? Poera donnètta! ». Si
commentò il fatto. Chi supponeva una cosa e chi un'altra. Dopo cinque minuti Pasotti entrò strepitando, tra-
scinandosi dietro la signora Barborin carica di scialli e
di fagotti, mezza morta dal freddo. Povera creatura,
non sapeva dir altro che « dò ôr! do ôr in barca! » mentre suo marito schiamazzava ghignando negli occhi
diabolici: « Le fa bene, le fa bene! Le ho cacciato giú
un bicchierino di *ginepro* a Porlezza. Ha fatto smorfie
d'inferno, ma sta benone! ». La povera sorda, indovinando che parlava del ginepro, girava gli occhi per il
soffitto, rifaceva le smorfie di Porlezza. Pasotti non era
mai stato cosí espansivo. Baciò la mano a Luisa, abbracciò l'ingegnere e Franco accompagnando gli atti con
effusioni e profluvi di sentimento. « Carissima donna
Luisa! Signora ammirabile e perfetta! Car el me Peder!
Car el me re de cœur! Il mondo è grande ma on alter
Peder el gh'è propri no, va là! E questo don Franco!
Caro il mio Francone! Pensare come t'ho veduto io! In
sottane e grembialino. Quando andavi a rubar i fichi al
prefetto della Caravina! Sto baloss chí! »
Il « baloss » non faceva il viso piú incoraggiante del
mondo ma l'altro non se ne dava per inteso. Altrettanto
poco poteva intendersi sua moglie con le signore che
l'interrogavano.

« Come l'ha mai faa, süra Pasotti » le gridava la signora
Peppina, « a vegní in Valsolda de sto temp chí? – Oh
dèss, la capiss nient, poera donnètta. » Per quanto anche Luisa ed Ester le gridassero nelle orecchie la stessa
domanda, per quanto ella spalancasse la bocca, la sorda
non capiva, andava rispondendo a caso: « Se ho man-
giàa? Se vœui disnà chí? ». Intervenne Pasotti, disse che
in ottobre egli e sua moglie eran partiti per un richiamo di affari, senza fare il bucato, che sua moglie lo andava seccando da un pezzo per questo benedetto bucato,
che finalmente si era risolto di accontentarla e di venire.
Allora donna Ester si voltò verso la Pasotti a far l'atto
di lavare.

La Pasotti guardò suo marito che le teneva gli occhi addosso e rispose: « Sí sí, la bügada, la bügada! ». Quell-
l'occhiata, l'impero che lesse negli occhi del Controllore fecero sospettare Luisa che vi fosse sotto un mistero.
Questo mistero e le inesplicabili espansioni di Pasotti
le suggerirono un altro sospetto. Se fosse venuto per
loro? Se nelle cause di questa improvvisa venuta ci
avesse parte il viaggio del professore a Lodi? Avrebbe
voluto consultarsi col professore, dirgli di fermarsi fino
a che i Pasotti fossero partiti; ma come parlargli poi
senza che se ne avvedesse Franco? Intanto donna Ester
prese congedo e il professore che aveva ottenuto il
perdono della capricciosetta, perfidetta signorina, a patto di non domandare il paradiso, ebbe licenza di accompagnarla a casa.

I Pasotti non potevano salire ad Albogasio Superiore
fino a che il mezzadro, fatto avvertire subito, non avesse posto loro in ordine e riscaldata almeno una stanza.
Parlò subito di piantare un tarocchino in tre con l'ingegnere e Franco. Allora se ne andò anche la signora
Peppina e la Pasotti chiese a Luisa di ritirarsi un momento, la pregò di accompagnarla. Appena fu sola con
l'amica nella camera dell'alcova si guardò attorno con due
occhioni spaventati e poi sussurrò: « Sèm minga chí per

238

la bügada neh, sèm minga chí per la bügada! ». Luisa la interrogò silenziosamente, còl viso e col gesto, perché a parlar forte in sala avrebbero udito. Stavolta la Pasotti capí, rispose che non sapeva niente, che suo marito non le aveva detto niente, che le aveva imposto la storia del bucato ma che del bucato a lei non importava nulla. Allora Luisa prese un pezzo di carta e scrisse: « Cosa sospetti? ». La Pasotti lesse e poi cominciò una mimica complicatissima. Scrollamenti del capo, stralunamenti d'occhi, sospiri, invocazioni al soffitto; pareva che si combattesse dentro di lei una gran battaglia di timori e di speranze. Finalmente fece « ah! », afferrò la penna e scrisse sotto la domanda di Luisa:

« La marchesa! »

Lasciò cader la penna, stette a contemplar l'amica. « L'è a Lod » diss'ella sottovoce. « El Controlòr l'è staa a Lod. Speri comè! » E poi scappò in sala temendo esser sospettata da suo marito.

Finito il tarocco, Pasotti si accostò a una finestra, disse forte qualche cosa sugli effetti della luce crepuscolare e chiamò Franco. « Bisogna che tu venga stasera da me » gli disse piano, « devo parlarti. » Franco cercò schermirsi. Partiva l'indomani mattina per Milano, lasciava la famiglia per qualche tempo, gli era difficile passar la sera fuori di casa. Pasotti replicò ch'era assolutamente necessario. « Si tratta del tuo viaggio di domani » diss'egli.

"Si tratta del tuo viaggio di domani"! Appena partiti i Pasotti per Albogasio Superiore, Franco riferí questo colloquio a sua moglie. Egli n'era stato turbatissimo. Pasotti sapeva, dunque; non avrebbe fatto tanti misteri se non avesse inteso alludere al viaggio di Torino. E Franco era seccatissimo che Pasotti sapesse. Ma in che modo? L'amico di Torino poteva essere stato imprudente. E adesso che voleva da lui, Pasotti? C'era forse in aria qualche altro colpo della Polizia? Ma Pasotti non era l'uomo da venire ad avvertirnelo! E tutto quel voltafaccia di amabilità? Non si voleva ch'egli andasse a Torino, forse. Non si voleva che trovasse una strada buona, un modo di sottrarre sé e i suoi alla povertà, ai commissari e ai gendarmi! Pensa e ripensa, non poteva essere che questo. Luisa n'era poco persuasa, in cuor suo. Temeva altra cosa; non dubitava però neppur lei che Pasotti sapesse di Torino e ciò scompigliava tutte le sue supposizioni. Insomma non c'era che andare a udire.

Franco andò alle otto, Pasotti lo ricevette colla piú affettuosa cordialità e gli fece le scuse di sua moglie ch'era già a letto. Prima d'entrar in argomento volle assolutamente che pigliasse un bicchiere di S. Colombano e una fetta di panettone. Col vino e col dolce Franco dovette inghiottire, suo malgrado, molte dichiarazioni di amicizia, i piú sperticati elogi di sua moglie, di suo zio e di lui stesso. Vuotato finalmente il bicchiere ed il piatto, il mellifluo bargníf si mostrò disposto ad entrare in materia.

Erano seduti a un tavolino, l'uno in faccia all'altro. Pasotti, appoggiato comodamente alla spalliera della seggiola, teneva tra le mani un fazzoletto rosso e giallo di foulard, lo andava palpando.

« Dunque » diss'egli « caro Franco, come ti dicevo, si tratta del tuo viaggio di domani. Ho inteso dire oggi a casa tua che parti per affari: si tratta di vedere se io non ti porto un affare anche piú grosso di quelli che hai a Milano. »

Franco, sorpreso da questo inaspettato esordio, tacque. Pasotti chinò gli occhi sul fazzoletto senza restare di maneggiarlo e riprese:

« Il mio caro amico don Franco Maironi si può immaginare che se io entro in argomento intimo e delicato, ho una ragione grave di farlo, sento il dovere di farlo e sono autorizzato a farlo. »

240

Le mani si fermarono, gli occhi brillanti e acuti si alzarono a quelli torbidi e diffidenti di Franco.

« Si tratta, mio caro Franco, del tuo presente e del tuo avvenire. »

Ciò detto, Pasotti posò risolutamente il foulard da banda. Appoggiate le braccia e giunte le mani sul tavolino entrò nel cuore dell'argomento tenendo sempre gli occhi su Franco che, raccolto alla sua volta indietro sulla spalliera, lo guardava pallido, in una ostile attitudine di difesa.

« È dunque un pezzo che io, per l'antica amicizia verso la tua famiglia, ho in mente di far qualche cosa onde metter fine a un dissidio dolorosissimo. Anche tuo padre, povero don Alessandro! Che cuor d'oro! Che bene mi voleva! » (Franco sapeva che suo padre aveva una volta minacciato Pasotti col bastone perché s'intrometteva troppo nelle faccende di casa sua.) « Basta. Avendo saputo che tua nonna era a Lodi, domenica scorsa mi son detto: dopo tanti dispiaceri che hanno avuto i Maironi, forse questo è il momento. Andiamo, tentiamo. E sono andato. »

Pausa. Franco fremeva. Che razza d'intercessore gli era capitato? E chi aveva chiesto intercessioni?

« Debbo dirlo » riprese Pasotti, « sono contento. Tua nonna ha le sue idee, ha un'età in cui le idee difficilmente si cambiano, ha il carattere che sai, molto fermo, ma insomma il cuore c'è. Ti vuol bene, sai. Soffre. Vi è una lotta continua, dentro di lei, fra i suoi sentimenti e i suoi principii; anche, se vuoi, tra i suoi sentimenti e i suoi risentimenti. Povera marchesa! È penoso di vedere come soffre; ma insomma piega, piega. Certamente non bisogna mica aspettarsi poi troppo. Piega ma non fino a spezzare ciò che la sostiene, i suoi principii, voglio dire: sopra tutto i suoi principii politici. »

Gli occhi di Franco, le mascelle inquiete, un sussulto di tutta la persona dissero a Pasotti: non toccar questo punto, bada a te! Pasotti si fermò; gli era forse venuto in mente il bastone del fu don Alessandro.

« Ti capisco » riprese. « Credi che non ti capisca? Io mangio il pane del Governo e devo tenermi chiuso nel cuore ciò che penso, ma del resto son con te, sospiro il momento in cui certi colori cederanno il posto a certi altri. Tua nonna non è cosí e, sfido, bisogna pigliarla com'è. Se si vuol venire a un accomodamento bisogna pigliarla com'è. Si può combattere come ho combattuto io, ma... »

« Tutto questo discorso mi pare inutile! » esclamò Franco, alzandosi.

« Aspetta! » riprese Pasotti. « Il diavolo non sarà poi forse tanto brutto! Siedi, ascolta! »

Franco non volle saperne di sedersi ancora.

« Sentiamo! » diss'egli con voce vibrante d'impazienza.

« Intanto la nonna è disposta a riconoscere il tuo matrimonio... »

« Grazie! » interruppe il giovane.

« Aspetta!... e a farvi un assegno molto conveniente; per quel che ho capito, fra le sei e le ottomila svanziche all'anno. Non c'è male, eh? »

« Avanti! »

« Aspetta! Non c'è niente di umiliante. Se ci fosse una condizione umiliante non sarei venuto a proportela. La nonna desidera che tu ti occupi e che tu dia una certa guarentigia di non immischiarti in affari politici. Vi è un modo decoroso di combinare una cosa e l'altra, questo lo devo riconoscere, benché, te lo dico chiaro, io avessi proposto alla nonna un partito diverso. L'idea mia era ch'ella ti mettesse alla testa degli affari suoi. Ne avevi abbastanza per non poter pensare ad altro. Però, anche l'idea della nonna è buona. Conosco fior di giovinotti che pensano come te e che sono nella carriera giudiziaria. È una carriera molto indipendente e molto rispettata. Una parola tua e tu sei ascoltante al Tribunale. »

« Io? » proruppe Franco. « Io! No, caro Pasotti! No! Non mi si manda, taci! la Polizia in casa, non si fa bestialmente destituire un galantuomo che ha la sola colpa di essere zio di mia moglie, taci ti dico! non si cercano oggi tutte le vie di affamare la mia famiglia e me, per offrirci domani del pane sporco. No, sai, no, grida pure, per fame no, viva Dio, nessuno mi prende! Dillo pure alla nonna e tu... e tu... e tu... »

Pasotti aveva sicuramente un sangue di derivazione felina, cupido, fine, prudente, carezzevole, pronto alla simulazione ma soggetto alla collera. Era venuto interrompendo l'invettiva di Maironi con proteste sempre piú violente; a quest'ultima apostrofe, sentendo arrivar un nembo di accuse che tanto piú lo irritavano quanto piú le indovinava, balzò egli pure in piedi.

« Fermati! » esclamò. « Che maniera è questa? »

« Buona sera! » disse Franco, pigliando il cappello. Ma Pasotti non intendeva lasciarlo partire cosí. « Un momento! » diss'egli battendo e ribattendo affrettati pugni sul tavolino. « Voialtri vi fate delle illusioni, voialtri sperate molto in quel testamento e quello non è un testamento, quello è un pezzo di carta straccia, quello è il delirio di un pazzo! »

Franco, ch'era già presso all'uscio, si fermò, tramortito dal colpo. « Che testamento? » diss'egli.

« Via! » riprese Pasotti tra freddo e beffardo. « C'intendiamo bene! »

Una vampa di collera riaccese il sangue a Franco. « Ma no! » diss'egli. « Fuori! Parla! Cosa ne sai tu di testamenti? »

« Ah! » fece Pasotti con ironica dolcezza. « Adesso va benissimo. »

Franco l'avrebbe strozzato.

« Sono stato a Lodi, non te l'ho detto? Dunque so. »

Franco, fuori di sé, protestò di non capire niente.

« Oh già! » riprese Pasotti, beffardo piú di prima. « Lo informerò io il signore. Sappia dunque che il signor

243

professore Gilardoni, il quale non è affatto amico Suo, si è recato in fine di dicembre a Lodi, e si è presentato alla marchesa con una copia senza valor legale di un preteso testamento del povero Suo nonno. In questo testamento Ella, signor don Franco, è istituito erede universale con accompagnamento di offese atroci alla moglie e al figlio del testatore. Ecco che adesso Ella sa. Del resto il signor Gilardoni è stato fedele alla consegna, ha detto di esser venuto di suo capo, senza farne saper niente a voi. »

Franco ascoltò, livido come un cadavere, sentendosi oscurar la vista e l'anima, raccogliendo tutte le sue forze per non smarrirsi, per dare una risposta degna.

« Hai ragione » diss'egli. « Anche la nonna ha ragione. Chi ha torto è il professor Gilardoni. Egli mi ha mostrato quel testamento tre anni sono, la notte del mio matrimonio. Gli ho detto di abbruciarlo e ho creduto che l'avesse fatto. Se non lo ha fatto, mi ha ingannato. Se si è recato a Lodi per quella bella impresa che dice, ha commesso una indelicatezza e una stoltezza enorme. Voi avete avuto ragione di pensar male di noi. Ma sappilo bene! Io disprezzo il danaro della nonna quanto il danaro del Governo: e siccome questa signora ha la fortuna di essere la madre di mio padre, mai, capisci, mai, e adoperi ella pure contro di noi tutte le bassezze, tutte le perfidie che vuole, mai non userò una carta che la disonora! Sono troppo superiore a lei! Va e dille questo a nome mio e dille che si riprenda le sue offerte perché le sdegno! Buona sera. »

Lasciò Pasotti sbalordito e se n'andò tutto tremante di sovraeccitazione e di collera, dimenticò di ripigliar la sua lanterna, discese al buio, a gran passi, non sapendo né curando affatto dove mettesse i piedi, esclamando di tempo in tempo, buttando fuori ciò che aveva dentro di rovente: pezzi d'ira contro il Gilardoni, pezzi di accusa contro Luisa.

244

Lo zio era andato a letto per tempo e Luisa aspettava Franco nel salottino con Maria che teneva alzata perché suo padre potesse averla un poco, l'ultima sera. La povera Ombretta Pipí aveva cominciato presto a infastidirsi, a far una boccuccia grossa, un visetto piagnoloso, a domandar con una vocina dolente: « Quando viene, papà? ». Ma ell'aveva una mamma unica al mondo per consolar gli afflitti. Ombrettina non teneva da un pezzo scarpettine sane e le scarpettine, anche in Valsolda, costavano denari. Pochi, sí; e quando ce n'è pochissimi? Ma ell'aveva una mamma unica al mondo per calzare gli scalzi. Proprio il giorno prima, Luisa, cercando in granaio un pezzo di corda, aveva trovato fra vecchie ciarpe, casse vuote e seggiole rotte, uno stivale di suo nonno. Lo aveva posto a rammollire nell'acqua, s'era fatta prestare trincetto, lesina e forbice. Prese ora il venerabile stivale che fece spavento a Ombretta e lo posò sulla tavola. « Adesso gli reciteremo l'orazione funebre » diss'ella con quel brio voluto che neppure un'angustia mortale poteva togliere, se le bisognava. « Prima, però, domanderai al tuo signor bisnonno il permesso di prenderti il suo stivale. » Ella fece che Maria giungesse le mani e recitasse questa filastrocca guardando comicamente il soffitto:

> *Caro signor bisnonno benedetto,*
> *Questo stival, se Lei non se lo mette,*
> *Lo doni alla Sua Ombretta,*
> *Che aspetta con gran fretta*
> *Un paio di scarpette*
> *E Le scocca su in cielo un bel bacetto*
> *Alla pianta del piede con rispetto.*

Venne poi una poco riverente fantasia come ne nascevan tante nel cervello di Luisa, una bizzarra storia dell'angioletto che lustra gli stivali in paradiso e che un giorno, per voler pigliare senza permesso un pezzetto di pan d'oro, aveva lasciato cadere sulla Terra lo stivale del bisnonno. Maria si rasserenò, rise, interruppe la mamma con cento domande sul pan d'oro e sullo stivale rimasto in Paradiso. Che ne farebbe di quello il bisnonno? La mamma le spiegò che il bisnonno lo avrebbe applicato per di dietro all'imperatore d'Austria onde buttarlo giú dal cielo, se ve lo incontrava.

In quel momento entrò Franco.

Luisa vide subito che gli occhi e la fronte segnavano tempesta.

« Dunque? » diss'ella. Franco rispose concitato: « Metti a letto Maria ».

Luisa osservò che aveva tenuta la bambina alzata per aspettarlo, perché stesse un po' con lui. Franco replicò « ti dico di metterla a letto » tanto aspramente che Maria si mise a piangere. Luisa si fece rossa ma tacque. Accese un lume, prese la bambina in braccio, la porse silenziosamente a suo padre per un bacio, che fu freddo, e la portò via. Franco non la seguí. Si arrabbiò di veder quello stivale e lo gettò in terra. Poi sedette, piantò i gomiti sulla tavola, si strinse il capo fra le mani.

L'amara idea che Luisa fosse complice del Gilardoni gli era lampeggiata in mente subito, mentre Pasotti parlava, col ricordo di quel « cosa, silenzio? », di quel « basta! » e del racconto della bambina. Egli aveva dentro a sé come un vortice dove questa idea spariva girando e ricompariva sempre piú basso, sempre piú vicino al cuore.

« Dunque? » tornò a chiedere Luisa, rientrando. Franco la guardò un momento in silenzio, la scrutò. Poi si alzò e le afferrò le mani. « Dimmi se sai niente! » diss'egli. Ella indovinò, ma quello sguardo e quel modo la offesero. « Come, se so niente? » esclamò accesa in volto. « Me lo domandi cosí? » « Ah tu sai! » gridò Franco, gittando da sé le mani di lei e levando le braccia in alto.

Ella presentí ciò che veniva, il sospetto della sua complicità col professore, la propria smentita, l'offesa mortale, irrimediabile che Franco le avrebbe fatto se, nell'ira, non avesse creduto alla sua parola, e giunse le mani spaventata. « No, Franco, no, Franco » diss'ella sottovoce e gli gettò le braccia al collo, volle chiuder coi baci le labbra di lui. Ma egli fraintese, credette che volesse domandar perdono e la respinse. « Lo so, sí, lo so » diss'ella tornando appassionata al suo petto « ma l'ho saputo dopo, quando era cosa fatta, ne ho avuto sdegno come te, piú di te! » Ma Franco aveva troppo bisogno di sfogarsi, di offendere. « E come vuoi che ti creda? » esclamò. Ella indietreggiò con un grido, poi gli fece ancora un passo incontro, gli stese le braccia. « No » supplicò straziata, « dimmi che mi credi, dimmelo subito subito perché altrimenti tu non sai, tu non sai! »

« Cosa, non so? »

« Tu non sai come sono io che ti amerò ancora ma non vorrò piú essere moglie per te, che potrò soffrir tanto ma non cambiare, mai piú! Capisci cosa vuol dire *mai piú*? »

Egli la trasse a sé, la sottile persona ansante, le strinse le mani da romperglele e disse con voce soffocata: « Ti crederò, sí, ti crederò ». Luisa che lo guardava lagrimosa chiese una parola migliore. « *Ti crederò* » disse « *ti crederò?* »

« Ti credo, ti credo. »

Lo credeva davvero ma dov'è ira è sempre anche orgoglio. Non volle subito arrendersi del tutto; il suo accento fu piuttosto d'un uomo compiacente che d'un uomo convinto. Restarono ambedue silenziosi, tenendosi per le mani, cominciarono a sciogliersi l'un dall'altro via via con un impercettibile moto. Fu Luisa che infine, dolcemente, si staccò del tutto. Sentiva la necessità di troncar quel silenzio, parole calde non ne trovava, parole fredde non ne voleva, si mise a raccontare senz'altro come avesse saputo dal Gilardoni del malaugurato viaggio a Lodi. Parlava con voce tranquilla, non propriamente fredda ma triste, stando seduta alla tavola in faccia a suo marito. Mentre riferiva le confidenze del professore, Franco si riaccendeva, la interrompeva continuamente: « E non gli hai detto questo? – E non gli hai detto quello? – Non gli hai detto stupido? – Non gli hai detto bestia? ». La prima volta Luisa lasciò correre, poi protestò. Aveva già detto di essersi sdegnata per lo sproposito del Gilardoni; pareva quasi, adesso, che suo marito ne dubitasse! Franco si chetò ma di mala voglia.

Quando il racconto fu terminato si scagliò ancora contro il filosofo balordo, tanto che Luisa lo difese. Era un amico, aveva errato gravemente, gravissimamente, ma con buona intenzione. Dove andavano a finire le massime di Franco, la carità, il perdono delle offese, s'egli non perdonava neppure a chi aveva voluto fargli del bene? Ella pensò, qui, cose che non disse. Pensò che Franco perdonava moltissimo quando a perdonare c'era follia e gloria e perdonava pochissimo quando c'erano semplicemente ottime ragioni di farlo. Franco a udirsi parlar da lei di carità, s'irritò, non osò dire che si sentiva superiore a un attacco simile, ma ritorse poco generosamente il colpo. « Ecco! » esclamò con una reticenza piena di sottintesi. « Tu lo difendi! Già! »

Luisa ebbe un sussulto nervoso delle spalle, ma tacque.

« E perché non parlare, tu? » riprese Franco. « Perché non raccontarmi tutto subito? »

« Perché quando rimproverai Gilardoni egli mi supplicò di tacere ed io credetti, com'era anche vero, che fosse inutile, a cosa fatta, darti un dispiacere cosí grande. L'ultimo dí dell'anno, quando sei andato in collera, volevo dirtelo, volevo raccontarti ciò che mi aveva confidato Gilardoni, te lo ricordi? E tu non hai assolutamente voluto. Non ho insistito anche perché Gilardoni ha detto alla nonna che noi non ne sapevamo niente. »

« Non lo ha creduto! Naturalmente! »

« E se io parlavo cosa ci poteva far questo? Cosí Pasotti avrà ben capito che tu non sapevi niente! »

Franco non replicò. Allora Luisa gli chiese di raccontarle il colloquio e stette ad ascoltarlo senza batter ciglio. Ella indovinò, con l'acume dell'odio, che se Franco avesse accettato di entrare negl'impieghi, sarebbe venuta fuori l'ultima condizione: separarsi dallo zio, da un impiegato destituito per ragioni politiche. « Certo! » diss'ella « avrebbe voluto anche questo! Canaglia! » Suo marito trasalí come se quella scudisciata avesse toccato il sangue anche a lui... « Adagio » diss'egli « con queste parole! Prima, è una supposizione tua; e poi... » « È una supposizione mia? E il resto? E offrirti una viltà simile? »

Franco che aveva risposto a Pasotti con furore, rispose ora mollemente a sua moglie.

« Sí sí sí, ma insomma... »

Adesso era lei che diventava violenta. L'idea che la nonna osasse proporre loro l'abbandono dello zio la faceva quasi impazzire. « Almeno questo » diss'ella « mi consentirai: che pietà non ne merita! Dio mio, pensare che questo testamento c'è ancora! »

« Oh! » esclamò Franco. « Torniamo da capo? »

« *Torniamo da capo!* Hai tu il diritto di pretendere che io neanche pensi, neanche senta come non piace a te? Sarei vile, meriterei di essere una schiava, e non voglio poi essere né una cosa né l'altra. »

La ribelle intravveduta, sentita qualche volta da Franco attraverso l'amante, la creatura dall'intelletto forte sopra l'amore e orgoglioso, non potuta mai conquistare interamente, gli stava ora di fronte, tutta vibrante nella coscienza della sua ribellione.

« Va bene » disse Franco parlando a se stesso. « Sarebbe vile, sarebbe schiava. Si ricorda Ella nemmeno piú che domani vado via? »

« Non andar via. Resta. Eseguisci la volontà del tuo povero nonno. Ricordati quello che mi hai raccontato sulla origine della sostanza Maironi. Restituisci tutto all'Ospitale Maggiore. Fa giustizia. »

« No! » rispose Franco. « Chimere! Il fine non giustifica i mezzi. Il vero fine poi, per te, è colpire la nonna. Questa storia dell'Ospitale è il mezzo di giustificarlo. No, non mi servirò mai di quel testamento. L'ho anche dichiarato a Pasotti, con parole da farmi sputare in faccia se cambiassi! E parto domattina. »

Seguí un lungo silenzio. Poi le due voci ripresero il dialogo, gelate e tristi come se nell'uno e nell'altro cuore vi fosse adesso qualche cosa di morto.

« Hai pensato » disse Franco « che farei anche disonore a mio padre? »

« In che modo? »

« Prima per la forma oltraggiosa delle disposizioni e poi perché farei supporre la complicità di mio padre nella soppressione del testamento. Già, tu non le capisci queste cose. Che te ne importa? »

« Ma non è necessario parlar di soppressione. Può darsi che il testamento non sia stato trovato. »

Nuovo silenzio. La stessa candela di sego che ardeva sulla tavola aveva una espressione lugubre. Luisa si alzò, raccolse da terra lo stivale del bisnonno· e si dispose a incominciar il suo lavoro. Franco andò ad appoggiar la fronte alle invetriate della finestra. Vi rimase un pezzo, assorto nella contemplazione delle ombre della notte. Poi disse piano, senza volgere il capo:

« Mai mai l'anima tua non è stata tutta con me. »

Nessuna risposta.

Egli si voltò, adesso, e domandò a sua moglie, affatto senza collera, con la dolcezza inesprimibile che aveva nei momenti di depressione fisica o morale, se gli era accaduto, fin dal principio della loro unione, di mancare verso di lei. Gli fu risposto un impercettibile: « No ».

« Allora forse non mi amavi come ho creduto? »

« No no no. »

Franco non era sicuro di aver inteso bene e ripeté:

250

« Non mi amavi? »

« Sí sí, tanto. »

Lo spirito di lui si rialzò, un'ombra di severità gli rientrò nella voce.

« E allora » diss'egli « perché non mi hai dato tutta l'anima tua? »

Ella tacque. Aveva prima tentato invano di riprendere il lavoro. Le mani le tremavano.

E adesso veniva questa domanda terribile! Doveva o non doveva rispondere? Rispondendo, rivelando per la prima volta cose sepolte in fondo al cuore, avrebbe allargata la scissura dolorosa; ma poteva non essere leale? Il suo silenzio durò tanto che Franco le chiese ancora: « Non parli? ». Ella raccolse tutte le proprie forze e parlò.

« È vero, l'anima mia non è mai stata interamente con te. » Tremò nel dir cosí, e Franco non respirava piú.

« Mi sono sempre sentita diversa e staccata da te » riprese Luisa « nel sentimento che deve governare tutti gli altri. Tu hai le idee religiose di mia madre. Mia madre intendeva e tu intendi la religione come un insieme di credenze, di culto e di precetti, ispirato e dominato dall'amor di Dio. Io ho sempre avuto ripugnanza a concepirla cosí, non ho mai potuto veramente sentire, per quanto mi sforzassi, questo amore di un Essere invisibile e incomprensibile, non ho mai potuto capire il frutto di costringer la mia ragione ad accettare cose che non intende. Però mi sentivo un desiderio ardente di dirigere la mia vita a qualche cosa di bene secondo un'idea superiore al mio interesse. E poi mia madre mi aveva talmente penetrata, con l'esempio e con la parola, de' miei doveri verso Dio e la Chiesa, che i miei dubbi mi davano un grandissimo dolore, li combattevo quanto potevo. Mia madre era una santa. Ogni atto della sua vita corrispondeva alla sua fede. Anche questo poteva molto sopra di me e poi sapevo che la maggiore afflizione della sua vita era stata l'incredulità

251

di mio padre. Ho conosciuto te, ti ho amato, ti ho sposato, mi sono confermata nel proposito di diventare, nelle cose di religione, come te, perché tu eri come mia madre. Ma ecco, un po' alla volta, ho trovato che tu non eri come mia madre. Debbo dire anche questo? »

« Sí, tutto. »

« Ho trovato che tu eri la bontà stessa, che avevi il cuore piú caldo, piú generoso, piú nobile della terra, ma che la tua fede e le tue pratiche rendevano quasi inutili tutti questi tesori. Tu non operavi. Tu eri contento di amar me, la bambina, l'Italia, i tuoi fiori, la tua musica, le bellezze del lago e delle montagne. In questo seguivi il tuo cuore. Per l'ideale superiore ti bastava di credere e di pregare. Senza la fede e senza la preghiera tu avresti dato il fuoco che hai nell'anima a quello ch'è sicuramente vero, ch'è sicuramente giusto qui sulla terra, avresti sentito quel bisogno di operare che sentivo io. Tu lo sai, già, come ti avrei voluto in certe cose! Per esempio, chi sente il patriottismo piú di te? Nessuno. Bene, io avrei voluto che tu cercassi di servirlo proprio davvero, poco o molto, il tuo paese. Adesso vai in Piemonte ma ci vai sopra tutto perché non abbiamo quasi piú da vivere. »

Franco, accigliatissimo, fece un atto iracondo di protesta.

« Se vuoi » disse umilmente Luisa « mi fermo. »

« No, no, avanti, fuori tutto, è meglio! »

Egli rispose tanto concitato, tanto sdegnoso, che Luisa tacque e solo ripigliò il suo discorso dopo un altro « avanti! ».

« Anche senz'andare in Piemonte ci sarebbe stato da fare in Valsolda, in Val Porlezza, in Vall'Intelvi quello che fa V. sul lago di Como, mettersi in relazione colla gente, tener vivo il sentimento buono, preparare tutto ciò ch'è bene preparare per il giorno della guerra, se verrà. Io te lo dicevo e tu non ti persuadevi, mi facevi tante difficoltà. Questa inerzia favoriva la mia ripugnanza al concetto tuo della religione e la mia tendenza ad un altro concetto. Perché religiosa mi sentivo anch'io moltissimo. Il concetto religioso che mi si veniva formando sempre piú chiaro nella mente era questo, in breve: Dio esiste, è anche potente, è anche sapiente, tutto come credi tu; ma che noi lo adoriamo e gli parliamo non gliene importa nulla. Ciò ch'egli vuole da noi lo si comprende dal cuore che ci ha fatto, dalla coscienza che ci ha dato, dal luogo dove ci ha posto. Vuole che amiamo tutto il bene, che detestiamo tutto il male, e che operiamo con tutte le nostre forze secondo quest'amore e quest'odio, e che ci occupiamo solamente della terra, delle cose che si possono intendere, che si possono sentire! Adesso capisci come concepisco io il mio dovere, il nostro dovere, di fronte a tutte le ingiustizie, a tutte le prepotenze! »

Piú Luisa procedeva nel definire ed esprimere le proprie idee, piú si sentiva contenta di farlo, di esser finalmente sincera, di porsi con franchezza sopra un terreno proprio e fermo; piú si spegneva dentro di lei ogni sdegno contro il marito, piú le saliva nel cuore una tenera pietà di lui.

« Ecco » soggiunse « se si trattasse solamente di questo dispiacere circa la nonna, non credi che avrei sacrificato mille volte l'opinione mia piuttosto che affliggerti? Bisognava bene che ci fosse sotto qualche altra cosa. Adesso sai tutto, adesso l'anima mia l'ho messa nelle tue mani. »

Ella lesse sulla fronte di suo marito un dolor cupo, una freddezza nemica. Si alzò, mosse adagio adagio verso di lui, a mani giunte, fissandolo, cercando gli occhi che la evitavano e si fermò per via, respinta da una forza superiore, benché egli non avesse detto una parola né fatto un gesto.

« Franco! » supplicò. « Non mi puoi amare piú? »
Egli non rispose.

« Franco! Franco! » diss'ella, tendendogli le mani giunte. Poi fece l'atto di avanzare. Egli si tirò bruscamente indietro. Stettero cosí a fronte in silenzio, per un eterno mezzo minuto.

Franco teneva le labbra serrate, si udiva la sua respirazione frequente. Fu lui che ruppe il silenzio.

« Quello che hai detto è proprio il tuo pensiero? »

« Sí. »

Egli teneva le mani sulla spalliera d'una seggiola. La scosse con violenza e disse amaramente: « Basta ». Luisa lo guardò con tristezza indicibile e mormorò: « Basta? ». Egli rispose con ira: « Sí, basta basta basta basta! ». Tacque un istante e riprese duramente: « Sarò un neghittoso, un inerte, un egoista, tutto quello che vuoi, ma non sono poi un bambino da venirmi a quietare con due carezze dopo avermi detto tutto quello che mi hai detto! Basta! ».

« Oh Franco, ti ho fatto male, lo so, ma mi è costato tanto di farti male! Non puoi prendermi con bontà? »

« Ah, prenderti con bontà! Tu vuoi ferire e che ti si prenda con bontà! Tu sei superiore a tutti, tu giudichi, tu sentenzii, tu sei la sola che intende cosa Dio vuole e cosa non vuole! Questo no, sai, del resto. Di' pure di me quello che ti piace ma lascia stare le cose che non capisci. Occupati del tuo stivale, piuttosto! »

Egli non voleva vedere in sua moglie che l'orgoglio, e la sua stessa collera gli era nata quasi tutta d'orgoglio, di amor proprio offeso, era una collera impura che gli offuscava la mente e il cuore. Sí la moglie che il marito avrebbero creduto poter essere accusati di tutto fuorché di orgoglio.

Ella tacque, riprese il suo posto, tentò riprendere il lavoro, maneggiava nervosamente gli strumenti senza saper bene che si facesse. Franco se n'andò in sala, sbattendo l'uscio dietro di sé.

Nel buio della sala, abbandonata dopo le cinque, si gelava; ma Franco non se n'accorse. Si buttò sul canapè, si diede tutto al suo dolore, alla sua collera, a una facile, violenta difesa mentale di se stesso contro la moglie. Siccome Luisa si era levata, fosse pure con certi temperamenti, contro lui e contro Dio, gli faceva comodo di confondere in cuor suo la propria causa con quella dell'altro muto, terribile Offeso. La sorpresa, l'amarezza, l'ira, le buone e le cattive ragioni gli fecero prima una turbinosa tempesta nel cervello. Poi si sfogò a immaginare pentimenti di Luisa, domande di perdono, magnanime risposte proprie.

A un tratto udí Maria gridare e piangere. Si alzò per andar a vedere cos'avesse, ma era senza lume. Allora attese un poco pensando che andrebbe Luisa. Non udí alcun movimento e la bambina piangeva sempre piú forte. Si accostò pian piano al salotto, guardò per il vetro dell'uscio.

Luisa teneva le braccia incrociate sulla tavola e il viso appoggiato alle braccia. Non si vedevano, al lume della candela, che i suoi bei capelli bruni. Franco si sentí cadere la collera, aperse l'uscio e chiamò a mezza voce con certa severa dolcezza: «Luisa, Maria piange». Luisa levò il viso pallidissimo, prese la candela e uscí senza dir parola. Suo marito la seguí. Trovarono la bambina a sedere sul letto, tutta piangente, spaventata da un sogno. Quando vide suo padre gli stese le braccia supplicandolo con la voce grossa di pianto: «No via, papà, no via, papà!». Franco se la strinse in braccio, la coperse di baci, la chetò, la ripose nel letticciuolo. Ella si teneva stretta una mano del papà, non la voleva in alcun modo lasciare.

Luisa prese un'altra candela sul suo tavolino da notte, volle accenderla e non le riusciva, tanto le tremavano le mani. «Non vieni a letto?» le chiese Franco. Ella rispose «no» tremando piú di prima. Franco credette indovinar in lei una supposizione, un timore, e se ne offese. «Oh, puoi venire!» diss'egli sdegnoso. Luisa accese il lume e disse piú pacatamente che doveva lavorare alle scarpette. Uscí e solamente sulla soglia mormorò: « Buona notte ». Franco rispose asciutto: « Buona notte ». Ebbe un momento l'idea di spogliarsi, l'abbandonò subito poiché sua moglie stava alzata a lavorare. Tolse una coperta, si coricò vestito, dalla parte del letticciuolo onde potersi tenere una manina di Maria che non dormiva ancora, e spense il lume.

Che dolcezza, quella manina cara! Franco la sentiva, bambina, la sua figliuola, innocente, amorosa bambina e la immaginava donna, tutta sua nel cuore, tutta unita a lui nelle idee come nei sentimenti, immaginava che quella manina stretta volesse compensarlo del dolore datogli da Luisa, dirgli: papà, tu e io siamo uniti per sempre. Dio, gli venivano i brividi a pensare che forse Luisa vorrebbe educarla nelle sue idee e ch'egli sarebbe lontano, non ci potrebbe far niente! Pregò il Signore, pregò il Maestro cosí dolce ai bambini, pregò Maria, pregò la santa nonna Teresa, pregò la sua propria mamma di cui sapeva ch'era stata tanto pura e tanto religiosa: « Custodite, custodite la mia Maria! ». Offerse tutto se stesso, la felicità terrena, la salute, la vita purché Maria fosse salva dall'errore.

« Papà » disse Ombretta. « Un bacio. »

Egli si porse dal letto, si chinò a cercar con le labbra il caro visino e poi le disse di tacere, di dormire. Ella tacque un minuto e chiamò:

« Papà. »

« Cosa? »

« Non ho mica il mulo sotto il guanciale, sai, papà. »

« No, no, cara, ma dormi. »

« Sí, papà, dormo. »

Tacque un altro minuto e poi:

« La mamma è a letto, papà? »

« No, cara. »

« Perché? »

« Perché ti fa le scarpette. »

« Le porto anche in Paradiso, io, le scarpette, come il bisnonno? »

256

« Taci, dormi. »

« Contami una storia, papà. »

Egli si provò ma non aveva la fantasia né l'arte di Luisa e s'imbarazzò presto. « Oh papà » disse Maria con l'accento della compassione, « tu non sai raccontar le storie. »

Questo lo umiliò. « Senti, senti » rispose, e si mise a recitare una ballata di Carrer,

> *Al bosco nacque, povera bambina,*
> *Gerolimina,*

rifacendosi, dopo quattro strofe che ne sapeva, sempre da capo, con intonazioni sempre piú misteriose e abbassando via via la voce in un bisbiglio inarticolato, fino a che Ombretta Pipí, cullata dal metro e dalla rima, entrò con essi nel mondo dei sogni. Quando la udí dormire in pace gli parve cosí crudele di lasciarla, gli parve d'essere un tal traditore che vacillò nel suo proponimento. Si rimise subito.

Il dolce dialogo con la bambina gli aveva alquanto pacificato e rischiarato lo spirito. Incominciò ad aver coscienza di un altro dovere che oramai gl'incombeva di fronte alla moglie: mostrarlesi uomo a costo di qualsiasi sacrificio, nella volontà e nell'azione, difendere, contro lei, la propria fede con le opere, partire, lavorare e soffrire; e poi... e poi... se Iddio santo vorrà che il cannone tuoni per l'Italia, via, avanti, e venga pure una palla austriaca che la faccia piangere e pregare anche lei!

Gli sovvenne di non aver dette le sue preghiere della sera. Povero Franco, non gli era mai successo di recitarle a letto senz'assopirsi a metà. Sentendosi abbastanza tranquillo, pensando che Luisa tarderebbe forse molto a venire, ebbe paura di addormentarsi e·si domandò cosa direbbe se lo trovasse addormentato. Si alzò pian piano, disse le sue preghiere, accese quindi il lume, sedette alla scrivania, si pose a leggere e si addormentò sulla sedia.

Fu svegliato dagli zoccoli della Veronica che scendeva le scale. Luisa non era ancora venuta. Entrò poco dopo e non espresse alcuna meraviglia di veder Franco alzato.

« Sono le quattro » diss'ella. « Se vuoi partire manca mezz'ora. » Occorreva partire alle quattro e mezzo per essere sicuramente a Menaggio in tempo di pigliar il primo battello che veniva da Colico. Invece di andar a Como e quindi a Milano come s'era annunciato ufficialmente, Franco doveva scendere ad Argegno e salire a S. Fedele, calare in Svizzera per la Val Mara o per Orimento e il Generoso.

Franco accennò a sua moglie di tacere, di non svegliare Maria. Poi, ancora con un silenzioso gesto, la chiamò a sé.

« Parto » le disse piano. « Ieri sera sono stato cattivo, con te. Ti domando perdono. Dovevo risponderti diversamente, anche avendo ragione. Tu conosci il mio temperamento. Perdonami. Almeno non serbarmi rancore. »

« Per parte mia non ne sento affatto » rispose Luisa con dolcezza, come uno che facilmente è benigno perché si sente superiore.

Gli ultimi preparativi furono fatti in silenzio, il caffè fu preso in silenzio. Franco andò ad abbracciare lo zio che non aveva salutato la sera, poi entrò solo nell'alcova, si inginocchiò al lettuccio di Maria, sfiorò col labbro una manina che pendeva dalla sponda. Ritornando in salotto vi trovò Luisa con lo scialle e il cappello, le domandò se veniva a Porlezza anche lei. Sí, veniva. Tutto era pronto, la borsa a mano l'aveva Luisa, la valigetta era in barca, l'Ismaele aspettava alla scaletta della darsena con un piede sullo scalino e un piede sulla prua del battello.

La Veronica accompagnò i viaggiatori col lume, diede il

buon viaggio al padrone, tutta compunta, avendo odorata la burrasca.

Due minuti ancora e il pesante battello spinto da Ismaele con la remata lenta e tranquilla « di viaggio » passava sotto il muro dell'orto. Franco mise il capo al finestrino. Passarono, nel chiaror fioco della notte stellata senza luna, i rosai, i capperi, le agavi pendenti dal muro, passarono gli aranci, il nespolo, il pino. Addio, addio! Passarono il Camposanto, la « Zocca de Mainé », la stradicciuola fatta tante volte con Maria, il Tavorell. Franco non guardò piú. Non c'era il solito lume, quella notte, nel casottino del battello ed egli non poteva vedere sua moglie, che non parlava.

« Vieni a Porlezza per le carte del notaio » diss'egli « e proprio per accompagnar me? »

« Anche questo! » mormorò Luisa, tristemente. « Ho voluto esser leale con te fino all'estremo e tu te ne sei offeso. Mi domandi perdono e poi mi dici queste cose. Capisco che non si può esser fedeli alla verità senza soffrire molto, molto, molto. Pazienza, ormai ho preso questa strada. Se son venuta per accompagnarti, lo saprai. Non farmi abbassare a dirlo adesso! »

« Non farmi abbassare! » esclamò Franco. « Io non capisco. Siamo tanto diversi in tante cose, del resto. Dio mio! come siamo diversi! Tu sei sempre cosí padrona di te stessa, sai sempre esprimere i tuoi pensieri cosí esattamente, li conservi sempre cosí netti, cosí freddi! »

Luisa mormorò:

« Sí, siamo diversi. »

Non parlarono piú né l'uno né l'altro fino a Cressogno. Quando furono vicini alla villa della nonna, Luisa parlò e cercò che il discorso non cadesse fino a che la villa non fosse passata. Si fece ripetere tutto l'itinerario stabilito, suggerí di pigliar la sola borsa a mano perché la valigia imbarazzerebbe troppo da Argegno in poi. Ne aveva già parlato con Ismaele e Ismaele s'incaricava di portarla a Lugano e di spedirla a Torino di là. Intanto la villa della nonna con le sue suggestioni sinistre, passò.

Ecco il santuario della Caravina, adesso. Due volte, durante i loro amori, Franco e Luisa s'erano incontrati alla festa della Caravina l'otto settembre, sotto gli ulivi. E passò anche la cara piccola chiesa cinta d'ulivi sotto le rupi paurose del picco di Cressogno. Addio, chiesa, addio, tempo passato.

« Ricordati » disse Franco quasi duramente « che Maria deve dire le sue preghiere ogni mattina e ogni sera. È un comando che ti do. »

« Lo avrei fatto anche senza comando » rispose Luisa. « So che Maria non appartiene solo a me. »

Silenzio fino a Porlezza. L'uscir dalla cala placida della Valsolda, il veder altre valli, altri orizzonti e il lago segnato dalle prime brezze dell'alba, traevano i due viaggiatori ad altri pensieri, li facevano pensare, senza che ne sapessero il perché, all'avvenire incerto precorso da bisbigli annunciatori di grandi cose, che passavan di furto per il pesante silenzio austriaco. Si udì qualcuno gridare dalla riva di Porlezza e Ismaele si mise a remar di lena. Era il vetturino, il Toni Pollín, che gridava di far presto se non si voleva perdere il vapore a Menaggio.

Ecco gli ultimi momenti. Franco abbassò il vetro dell'usciolino, guardò quell'uomo come se avesse un grande interesse di udirne le parole.

Quando approdarono si voltò a sua moglie. « Esci anche tu? » Ella rispose: « Se credi ». Uscirono. Una carrettella era sulla riva, pronta. « Guarda » disse Luisa « che nella borsa troverai da far colazione. » Si abbracciarono, si scambiarono un bacio rapido e freddo davanti tre o quattro curiosi. « Fa che Maria » disse Franco « mi perdoni di esser partito cosí » e furono le ultime sue parole perché il Toni Pollín insisteva « presto, presto! ». La carrettella partí di gran trotto e con un gran fracasso di frustate per la stretta, scura viuzza di Porlezza.

Franco viaggiava sul *Falco*, da Campo verso Argegno, quando pensò di prender qualche cosa. Aperse la borsa e gli balzò il cuore vedendo una lettera con questo indirizzo di carattere di sua moglie: « per te ». L'aperse avidamente e lesse:

« Se tu sapessi cosa mi sento io nell'anima, quel che soffro, come sono tentata di lasciar qui le scarpette delle quali m'intendo assai meno che tu non creda, e di venir da te a rinnegar quello che t'ho detto, non saresti cosí duro con me. Debbo aver molto peccato contro la Verità perché mi sieno cosí difficili e amari i primi passi che faccio seguendo lei.

Tu mi credi orgogliosa e io stessa mi credevo molto suscettibile: adesso sento che le tue parole umilianti non potrebbero trattenermi dal venirti a cercare. Ciò che mi trattiene è una Voce dentro di me, una Voce piú forte di me, che mi comanda di tutto sacrificare fuorché la mia coscienza della verità.

Ah, io spero un premio di questo sacrificio! Io spero che possiamo un giorno essere uniti con tutta l'anima.

Esco in giardinetto a coglier per te la brava rosellina che abbiamo ammirata insieme ier l'altro, che ha sfidato e vinto gennaio. Ti ricordi quanti ostacoli erano fra noi quando la prima volta ebbi un fiore dalle tue mani? Io non t'amavo ancora e tu già pensavi a vincermi. Adesso sono io che spero conquistare te. »

Mancò poco che Franco lasciasse passare Argegno senza muoversi dal suo posto.

IX. *Per il pane, per l'Italia, per Dio*

Otto mesi dopo, nel settembre del 1855, Franco abitava una misera soffitta a Torino, in via Barbaroux. Aveva ottenuto nel febbraio un posto di traduttore all'*Opinione*, con ottantacinque lire il mese. Piú tardi fece anche relazioni del Parlamento e lo stipendio gli fu portato a cento lire il mese. Il Dina, direttore del giornale, gli voleva bene e gli procacciava qualche lavoro straordinario, fuori d'ufficio, tanto da fargli prendere altre venticinque o trenta lire il mese. Franco viveva con sessanta lire il mese. Il resto andava a Lugano e da Lugano, per le mani fedeli d'Ismaele, a Oria. Per vivere un mese con sessanta lire ci voleva una forza d'animo che lo stesso Franco non avrebbe creduto, prima, possedere. Le ore d'ufficio, il tradurre, assai laborioso per un uomo pieno di scrupoli e di timidità letterarie, gli pesavano piú delle privazioni; sessanta lire gli parevano ancora troppe, si rimproverava di non saper vivere con meno.

Si era legato con altri sei emigranti, parte lombardi parte veneti. Mangiavano insieme, passeggiavano insieme, disputavano insieme. Meno Franco e un Udinese, gli altri erano fra i trenta e i quarant'anni. Tutti poverissimi, non avevano mai voluto pigliar un soldo dal governo piemontese a titolo di sussidio. L'Udinese che apparteneva a una famiglia ricca e austriacante e da casa non riceveva niente, conosceva bene il flauto, dava quattro o cinque lezioni la settimana e suonava nelle orchestrine dei teatri di commedia. Un notaio padovano copiava nello studio di Boggio. Un avvocato di Caprino Bergamasco, soldato di Roma del 1849, teneva i registri di un grande negozio di ombrelli e di mazze in via Nuova, per cui gli amici lo chiamavano il « Fante di bastoni ». Un quarto, milanese, aveva fatto la campagna del '48 nelle guide di Carlo Alberto; per questo, e per una certa sua boria meneghina, il Padovano gli aveva posto nome « Caval di spade ». La professione del Caval di spade era quella di litigare continuamente col Fante di bastoni per antagonismo di provincia, d'insegnare la scherma in due convitti, e, l'inverno, di suonare il piano dietro una cortina misteriosa, nelle sale dove si ballavano polke a due soldi l'una. Gli altri vivevano con miserabili assegni delle loro famiglie. Erano tutti scapoli, meno Franco, e tutti allegri. Si chiamavano e si facevano chiamare « i sette sapienti ». Dominavano Torino, nella loro sapienza, dall'alto di sette soffitte sparse per tutta la città da Borgo San Dalmazzo a Piazza Milano.

La piú misera era quella di Franco che la pagava sette lire il mese. Meno il Padovano, a cui una sorella del portinaio di casa portava l'acqua nella soffitta, nessuno della compagnia si faceva del tutto servire; e il Padovano avrebbe espiato bene la sua devota Margà con le tormentose celie degli amici, se non fosse stato il pacifico filosofo ch'era. Tutti si lustravano le scarpe da sé. Il piú destro di mano era Franco e a lui toccava di attaccar i bottoni agli amici quando non volevano umiliarsi ricorrendo al Padovano e alla sua Margà, la quale, del resto, certe volte, « o mi povra dona! », ne vedeva capitare una processione. L'Udinese aveva bene un'amante, una piccola « tota » del primo baraccone di piazza Castello sull'angolo di Po; ma era geloso e non permetteva che attaccasse bottoni a nessuno. Gli amici se ne vendicavano chiamandola « tota bürattina », perché vendeva fantocci e bambole. Egli era del resto, grazie a « tota bürattina », il solo della compagnia che avesse gli abiti sempre in ordine e la cravatta annodata con una grazia speciale. A mangiare andavano in una trattoria di Vanchiglia battezzata « la trattoria del mal de stomi » dove per trenta lire il mese avevano colazione e pranzo. Il loro lusso era il *bicierín*, un miscuglio di caffè, latte e cioccolatte che si aveva per quindici centesimi. Lo prendevano la mattina, i veneti al caffè Alfieri, gli altri al caffè Florio. Meno Franco, però. Franco rinunciava al *bicierín* e al relativo *torcètt*, pasta da un soldo, per ammassare tanto che gli bastasse a far una corsa a Lugano e portar un regaluccio a Maria. Andavano a passeggiare, l'inverno, sotto i portici di Po, quelli della

Sapienza, dalla parte dell'Università, non quelli della Follía, dalla parte di S. Francesco; e poi sedevano al caffè dove uno della compagnia, per turno, prendeva il caffè mentre gli altri leggevano i giornali e saccheggiavano lo zucchero. Una volta alla settimana, invece che andare al caffè, si cacciavano, per accontentare il Fante di bastoni, in un buco di via Bertola dove si beveva il piú puro e squisito Giambava.

A teatro ci andava l'Udinese e in grazia sua, di tanto in tanto, qualche altro, *gratis*; sempre alla commedia, per lo piú al Rossini o al Gerbino. Per Franco il passar davanti ai manifesti del Regio e degli altri teatri di musica, era un supplizio molto maggiore che lustrarsi le scarpe o far colazione con cinque centimetri quadrati di frittata buonissima per osservare le macchie del sole. Fortunatamente aveva conosciuto certo C., veneto, segretario al Ministero dei Lavori Pubblici, il quale lo presentò alla famiglia di un distintissimo maggiore medico dell'esercito, pure veneto, che possedeva un piano, riceveva, la sera, alcuni amici e li ristorava con un caffè eccellente, quasi unico, in quei tempi, a Torino. Quando i sette sapienti, per una ragione o per l'altra, non passavano la sera insieme, Franco andava a Casa C., in piazza Milano, a far musica, a conversare d'arte con le signorine, a disputar di politica con la signora, una fiera patriota veneziana di grande ingegno e d'animo antico, che aveva tutte eroicamente affrontate le durezze e le amarezze dell'esilio, incuorando il marito i cui primi passi erano stati assai difficili e amari; perché a lui, già reputatissimo professore dell'Università di Padova, le care, benedette teste oneste e dure della rigida amministrazione piemontese avevano imposto di subire un esame se voleva diventare capitano medico, niente meno.

La corrispondenza fra Torino e Oria non rispecchiava lo stato vero degli animi di Franco e di Luisa, correva liscia, affettuosa, certo con molti ritegni e cautele da una parte e dall'altra. Luisa si era figurata che Franco avrebbe risposto alla sua letterina e sarebbe entrato nel grande argomento. Non vedendo che parlasse mai né della letterina né di ciò ch'era stato fra loro quell'ultima notte, arrischiò un'allusione. Non fu raccolta. In fatto Franco s'era messo piú volte a scrivere col proposito di affrontare le idee di sua moglie. Prima di scrivere si sentiva forte, si teneva sicuro che pensandoci avrebbe trovato facilmente argomenti vittoriosi; gliene venivano anche alla penna di quelli che gli sembravan tali ma poi, quand'erano scritti, ne scopriva subito la insufficienza, ne stupiva, se ne doleva, ritentava la prova e sempre con eguale successo. Eppure sua moglie aveva ben torto; di questo non dubitava un momento; dunque vi doveva essere modo di dimostrarglielo. Bisognava studiare. Cosa? Come? Ne domandò a un prete dal quale si era confessato poco dopo il suo arrivo a Torino. Questo prete, un piccolo vecchietto contraffatto, focoso e dottissimo, lo invitò a casa sua, in piazza Paesana, si pose ad aiutarlo con entusiasmo, gli suggerí una quantità di libri, parte da legger lui, parte da mandare a sua moglie. Forte orientalista e gran tomista, provando una vivissima simpatia per Franco, attribuendogli un ingegno e una cultura forse superiori al vero, per poco non gli suggerí di studiar l'ebraico e volle poi assolutamente che leggesse S. Tommaso. Arrivò sino a dargli un abbozzo di lettera a sua moglie con gli argomenti che doveva sviluppare. Franco s'innamorò subito del vecchietto entusiasta che aveva poi, anche nell'aspetto, la purezza d'un Santo. Si mise a studiar S. Tommaso con grande ardore e vi durò poco. Gli parve di mettersi in un mare senza fine e senza principio, di non potervisi dirigere. Il disegno scolastico della trattazione, quella uniformità nella forma dell'argomentare pro e contro, quel gelido latino denso di profondo pensiero e incolore alla superficie, gli schiacciarono in tre giorni tutta la buona volontà. Gli argomenti dell'abbozzo di lettera non li capí che in piccola parte. Se li fece spiegare, li intese meglio, si dispose a scendere in campo con essi e si trovò impacciato come David nell'armatura di Saul. Gli pesavano, non li poteva maneggiare, sentí che non erano roba sua e che non lo sarebbero diventati mai. No, egli non poteva presentarsi a sua moglie col tricorno e con la tonaca del professor G., impugnando una lancia di teologia e coprendosi con uno scudo di metafisica. Riconobbe che non era nato per filosofare in nessun modo; gli mancava persino l'organo del rigido ragionamento logico; o almeno il suo bollente cuore, ricco di tenerezze e di sdegni, voleva troppo parlare anche lui, a favore o contro, secondo la propria passione. Suonando una sera a casa C., tutto fremente e con gli occhi sfavillanti, l'andante della suonata op. 28 di Beethoven, gli capitò di dire a mezza voce: « Ah questo, questo, questo! ». Nessun Padre, pensava, nessun Dottore potrebbe comunicar il sentimento religioso come Beethoven. Metteva, suonando, tutta l'anima sua nella musica e avrebbe pur voluto esser con Luisa, suonarle il divino andante, unirsi a lei pregando in un inenarrabile spasimo dello spirito, cosí. Né gli venne in mente che Luisa, la quale del resto sentiva la musica molto meno di lui, avrebbe piuttosto dato all'andante il senso del doloroso conflitto fra il proprio affetto e le proprie idee.

Andò da G., gli riportò S. Tommaso, gli confessò tutta la sua impotenza con parole cosí umili e commosse che il vecchio prete, dopo qualche momento di silenzio accigliato e inquieto, gli perdonò. « Là là là » diss'egli riprendendosi con rassegnazione il suo primo volume della *Somma*, « ca s'raccomanda al Sgnour e sperouma ca fassa Chiel. » Cosí finirono gli studi teologici di Franco.

Tanto meditare sulle idee di sua moglie e sulle proprie e soprattutto il consiglio del professore « ca s'raccomanda al Sgnour » non furono senza frutto. Cominciò a intendere che in qualche cosa Luisa non aveva torto. Rimproverato da lei di non condurre la vita che secondo la sua fede avrebbe dovuto, egli s'era offeso di ciò piú che di tutto il resto. Adesso un generoso slancio lo portò all'altro estremo, a giudicarsi sinistramente, a esagerare le proprie colpe d'accidia, d'ira e persin di gola, a tenersi responsabile delle aberrazioni intellettuali di Luisa. E provò una smania di dirlo, di umiliarsi davanti a lei, di separar la causa propria dalla causa di Dio. Quando ebbe il posto all'*Opinione* e regolò le proprie spese per poter fare un assegno alla famiglia, sua moglie gli scrisse che l'assegno era assolutamente troppo forte in proporzione dei suoi guadagni. Il saper ch'egli viveva a Torino con sessanta lire il mese le rendeva amaro il cibo a lei. Allora egli le rispose, questo non proprio sinceramente, che, anzi tutto, non pativa mai la fame; che, del resto, sarebbe stato felice anche di digiunare perché provava un'avidità intensa di mutar vita, di espiar gli ozi passati, compreso il soverchio tempo dato ai fiori e alla musica, di espiar tutte le passate mollezze, tutte le debolezze, comprese quelle per la cucina raffinata e per i vini scelti. Soggiunse che della vita passata aveva domandato perdono a Dio e che credeva doverlo domandare anche a lei. Insomma il Padovano, cui si era legato di grande amicizia, udito recitarsi da lui, come a riprova di precedenti confessioni, questo brano di lettera, gli disse: « Ciò, la par l'orazion de Manasse re di Giuda ».

Luisa scriveva molto affettuosamente, sí, ma con minore effusione. Il silenzio di Franco circa l'argomento del colloquio doloroso le spiaceva; e cominciar lei, di fronte a un silenzio cosí ostinato, non le parve utile.

I propositi di lavoro e di sacrificio la commossero profondamente; quando lesse quella confessione da gran delinquente con la domanda di perdono a Dio e a lei, ne sorrise e baciò la lettera sentendo ch'era un atto di sottomissione e un'acquiescenza umile alle censure che tanto lo avevano a prima giunta irritato. Povero Franco, ecco gli slanci della sua nobile, generosa natura! Ma durerebbero? Rispose subito e se dalla risposta traspariva la sua commozione, ne traspariva pure il sorriso, del quale Franco non fu contento. Nella chiusa v'eran questi periodi: « Leggendo tutte le accuse che ti fai ho pensato con rimorso a quelle che t'ho fatto io, una triste notte, e ho sentito che ci pensavi anche tu quando scrivevi, benché né questa lettera né alcuna delle altre tue ne abbia parola. Di quelle accuse ho rimorso, Franco mio; ma delle altre cose a cui tanto penso nella mia solitudine, oh come vorrei che parlassimo ancora, da buoni amici! ».

Il desiderio di Luisa restò vano. Su questo punto Franco non rispose affatto; anzi la sua prima lettera fu alquanto freddina. Perciò Luisa non ritornò piú sull'argomento. Solo una volta, parlando di Maria, scrisse: « Se tu vedessi come recita il *Padre nostro*, mattina e sera, e come si comporta a Messa, la domenica, saresti contento ».

Egli rispose: « Di quanto mi scrivi circa le pratiche religiose di Maria, sono contento e ti ringrazio ».

Sí Luisa che Franco scrivevano quasi ogni giorno e spedivano le lettere una volta alla settimana. Ismaele andava alla posta di Lugano ogni martedí, portava la lettera della moglie e riportava quella del marito. In giugno Maria ebbe il morbillo, in agosto lo zio Piero perdette quasi improvvisamente l'occhio sinistro e ne fu, per qualche tempo, molto turbato. Durante questi due periodi, le lettere di Oria spesseggiavano. In settembre la corrispondenza ritornò settimanale. Tolgo dal fascio le ultime lettere scambiate fra Luisa e Franco alla vigilia degli avvenimenti onde furono colti alla fine di settembre.

Luisa a Franco

Oria, 12 settembre 1855.

Il riverito signor Ismaele ci ha fatto molto aspettare l'ultima tua, perché da Lugano invece di venire a Oria è andato a Caprino con alcuni amici suoi e delle Potenze

Occidentali a festeggiare la presa di Sebastopoli nella cantina dello Scarselon e là ha bevuto «un cicinín» e quindi è ritornato a Lugano dove un altro «cicinín» lo ha fatto dormire come un salame fino a mercoledí mattina. Ha pure dimenticato di spedirti il vasetto di lucido e cosí lo dovrai aspettare una settimana o pagare, a Torino, tanto piú caro, se la provvista è finita. Me ne rincresce assai.

Se Dina ti ha offerto di scrivere qualche appendice teatrale, tanto meglio. Cosí potrai udire gratis un po' di musica; benché sono anch'io dell'opinione del vostro Caval di spade che·bisogna ricondurre la musica italiana al tamburo. Quanto all'affare Valle Intelvi, lodo la tua prudenza. Essa è stata però cosí grande che non sono certissima d'averti inteso bene. Ho inteso che per preparare, in caso di guerra, un movimento alle spalle dei nostri signori, occorrono alcune persone sicure cui far capo con le opportune comunicazioni da Torino, sia direttamente sia per mezzo del Comitato di Como. A ogni modo andrò io stessa domani a Pellio Superiore dove c'è un medico condotto grande amico di V. e sicurissimo. Parlerò con lui, intanto. Per quella tale fodera sdrucita non ti crucciare. Basta che porti l'abito a Lugano quando verrai. Ci penserò io e posso anche promettere di foderarti le maniche di seta, grazie ad una sottana che mia madre mi diceva essere venuta in casa Ribera da casa Affaitati nel secolo scorso, una sottana gialla a fiorami rossi che né io né Ombretta porteremo certo mai.

Ombretta sta benissimo. Da tre giorni, declinando il caldo, ha ripreso i suoi colori. Stamattina le ho dato la prima lezione di lettura col metodo Lambruschini.

Tutto si trasforma e progredisce nella nostra casa! Questa sorte è toccata ieri all'antico cartellone della tombola, con dolore muto ma palese della Cia. Ne ho fatto strage per tagliarne fuori, oltre a cinque quadratini per le vocali, parecchi altri quadrati piú grandi, dove ho disegnato, immagina come! le figure di so-le, lu-na, ca-ne, bu-e, ecc. Maria ha imparate le vocali con prontezza sufficiente. A mezza lezione è entrato lo zio Piero e ha esclamato: « Oh povero me! ». Poi, malgrado le mie proteste, ha molto compianto Maria. Ella ha risposto che studiava per scrivere a papà. « Scrivere a papà » è la sua idea fissa e io credo che se la facessi scrivere conducendole la mano, perderei forse il piú forte stimolo che posso adoperare con lei come maestra di lettura, poiché sa che prima di scrivere deve imparare a leggere. Il suo affetto per te vien sempre fuori con una mistura di amor proprio. Parla come se fosse un bisogno, non suo ma tuo, mio, dell'universo intero che Ombretta Pipí scriva a papà. Uno di questi giorni mi udí sgridar la Veronica perché ha la cattiva abitudine di buttar dalla cucina l'acqua sporca sul carrubo che n'è instristito. Ricordai alla Veronica, naturalmente, quanto il carrubo è caro a te. Maria l'udiva che brontolava tra sé contro il povero carrubo perché manda ombra in cucina e gli augurava di crepare. « Taci! » le intimò Maria con una forza inesprimibile. « Ti mando via se non taci. » L'altra la rimbeccò e Maria fuori a piangere. Io udii e accorsi. – Perché piangi? – Perché la Veronica dice brutte parole alla pianta di papà. – Bisognava vedere che visetto irritato! Adesso fa lei la guardia al carrubo, non se ne allontana senza una predica alla Veronica e prende un'aria d'importanza come se la vita del carrubo fosse affidata a lei. Ogni mattina, quando va in giardinetto, corre lí e dice: « Stai bene, pianta? ». Oggi ha versato molte lacrime perché la *breva* soffiava scotendo forte il carrubo, e poi ch'ella gli ebbe fatta la solita domanda, io le dissi: « Vedi che non sta bene il carrubo? Vedi che risponde di no? ». Piú tardi mi domandò se il carrubo, quando muore, va in Paradiso. Le risposi che siccome il carrubo disturba la Veronica mandando l'ombra in cucina, non può andare in Paradiso. Tacque mortificata.

Lo zio Piero è ormai rassegnato del tutto alla perdita del suo occhio. Si paragona ad un altare dove si dice messa e il chierico ha spento, durante l'ultimo vangelo, una delle due candele. Dopo pranzo egli e Maria fanno in loggia delle conversazioni senza fine, non piú interrotte dal corso del Missipipí, oramai dimenticato. Lo zio le racconta tante vecchie cose che non ha mai raccontate neppure a me. Io non entro, allora, in loggia, perché credo che si apra piú volentieri con la piccina sola. Si vogliono un gran bene e non si fanno mai o quasi mai baci né carezze, come se Maria fosse una persona grande.

13.

Stamattina ho preso con me la Leu, la sorella della Veronica, ch'è clorotica, per condurla a consultare il medico di Pellio; capisci! Abbiamo impiegato due ore e mezzo da Osteno. Tu avresti goduto con entusiasmo la bellezza dei luoghi e della mattina. Io invece non me ne commossi che un momento fra i vecchi castagni di Pellio Superiore, dove voltandosi a guardar giú la valle si scopre, in fondo a quel grande imbuto verde, Porlezza e un pezzetto di lago, una piccola coppa di acqua viva, verde anche quella. Ti ricordi che abbiamo fatto colazione insieme lassú, nel tempo in cui ero ancora signorina e che l'Ester si è accorta di qualche cosa quando mi hai parlato di mia madre?

Ho trovato il mio medico condotto alla fontana di « Pèll sora », fra le pecore, come un patriarca. Gli ho fatto visitare la Leu e poi, allontanata questa, abbiamo parlato. Non sapeva che sei a Torino e al solo nome di Torino mi afferrò e mi strinse le mani come se la moglie d'uno ch'è a Torino fosse già una specie di eroina. Credeva poi che corrispondendo con Torino io avessi il piano di Cavour in una tasca e quello di Napoleone nell'altra. È un bonapartista cosí sfegatato che gli è amara l'alleanza inglese e dice « la perfida Albione ». Si teneva sicurissimo, del resto, della guerra a primavera e non gli piacque udire che vi sono dei dubbi. Credo che mi abbia subito ammirata meno. Quanto ad agire nel momento buono, dice che in Vall'Intelvi si faranno tagliare a pezzi, se occorre, « come micch ». Perché parla sempre in plurale, dice « nün chí ». Non ha l'aria d'uno spaccamonti. Parlando di venire alle mani coi Croati diventò piú rosso dell'asso di cuori e vibrava tutto come un bracco quando gli si mostra un pezzo di pane. « Nün chí » mi disse « gh'emm pœu anca el Brenta. » Sai, hanno a vendicare il Brenta, fucilato dagli austriaci. Insomma, se la parte mia, quando scoppierà la guerra, non fosse di liberare la « süra Peppina » e di buttare ai cavedini il suo Carlascia, andrei volentieri a battermi insieme al dottore di Pellio.

Ritornammo alle tre. Lo zio giuocava a tarocchi col curato, con Pasotti e col signor Giacomo. Il curato aveva la *Gazzetta Ticinese* e si era molto parlato di Sebastopoli. Si capisce che Pasotti ha una gran rabbia come tutti i tedesconi. Invece il signor Giacomo era tutto intenerito per il suo Papuzza e il curato propose di bere una bottiglia alla salute di Papuzza. Allora lo zio Piero gli domandò se non aveva vergogna, egli prete, di festeggiare le buone fortune di Papuzza. « Mi l'era per bev » brontola il curato. « L'è ben che ghe n'è minga » rispose lo zio. Il curato brontolò peggio di prima e lo zio, per consolarlo, gli fece una dotta dissertazione sui dialetti lombardi, concludendo: « Ghe n'è no, ghe n'è minga e ghe n'è miga ».

14.

Non credo che Pasotti verrà piú in casa nostra. Me ne rincresce per quella povera Barborin che non potrà piú venirci neppur lei, temo; ma non mi pento di quel che ho fatto.

Egli sa benissimo che sei a Torino da un pezzo, come qui lo sanno tutti. Ne ha parlato persino col Ricevitore,

272

me lo disse la Maria Pon che stando alla cappella del Romít li udí mentre scendevano discorrendo ad Albogasio Superiore. Quando è venuto da noi ha affettato sempre d'ignorarlo e ha domandato le tue notizie con quelle sue solite smancerie di premura e di amicizia. Oggi mi trova sola in giardinetto, mi domanda quanto ancora starai assente e se adesso sei a Milano. Io gli rispondo netto che mi meraviglio della sua domanda. Egli diventa pallido. « Perché? » dice. « Perché Lei va dicendo che Franco è in ben altro luogo. » Si confonde, protesta, freme. « Protesti pure » dico io. « Tanto è inutile. Lo so. Del resto Franco sta benissimo dov'è. Lo dica pure a chi crede. » « Lei mi offende! » diss'egli. Io non stetti tanto a riflettere e risposi: « Sarà! ». Allora se n'andò precipitosamente, senza salutarmi, nero come l'asso di picche, poiché sono in vena di simili paragoni. Sono sicura che stasera andrà a Cressogno.

Il Cüstant ci ha mandato a regalare una magnifica tinca presa da lui stamattina con gran dispetto del Biancòn che pesca tutto il giorno, non prende niente e si arrabbia perché le tinche, brave! se ne impipano di S.M.I.R.A. e del suo Carlascia. « Poer omàsc! » dice la süra Peppina. « El se mangia el fidegh! » Gli passerà, gli passerà.

Miti sensi, pace amica
Tornan presto a nobil cor;
Dio conservi e benedica
Ferdinando Imperator.

15

Ho raccontato allo zio l'episodio Pasotti e n'è stato assai malcontento. « Bel profitto » ha detto « che ne caverai! » Povero zio, parrebbe un utilitario. Invece è un filosofo. In fondo, di fronte agli sdegni miei per tante brutte cose che sono nel mondo, il suo argomento capitale è « ghe vœur alter! ».

Oggi la messa parrocchiale è statá ad Albogasio Superiore. Nell'uscire di chiesa con Maria ho avuto uno sguardo desolato della povera Pasotti che aveva evidentemente l'ordine di evitarmi. Invece è discesa con noi Ester e poi è anche salita in casa e mi ha tenuto, a quattr'occhi, un discorso che da qualche tempo mi aspettavo. Ha cominciato pregandomi di non ridere e ridendo lei. Insomma capisci che il professore, dàlli e dàlli, ha fatto un po' di breccia. È cosí, quantunque Ester affermi di non poter decifrare i propri sentimenti. Io vedo tutto il cammino ch'egli ha fatto nel suo cuore. Sulle prime, te ne ricordi? lo chiamava valsoldesemente el vecc, el veggiòn, el zücca pelada, l'oreggiàt, el nasòn, el barbarostí. Quando s'accorse della simpatia di lui un sentimento di gratitudine le fece smettere questi titoli, senza riconciliarla però né con il cranio lucido né con le orecchie a ventaglio né col pelo rossiccio né col naso fiorito dell'adoratore. Adesso de' primi tre guai non si parla piú; su questi tre punti l'amico ha vinto la battaglia e può portarli in trionfo. Solo intorno al quarto punto vi è ancora del combattimento. « Mi l'è quel nas! » diceva Ester stamattina e rideva rideva, si nascondeva il bel visetto brillante. Il naso scandaloso mi pare che fatalmente prosperi, si colori e ingrossi sempre piú.

Quel semplice uomo mi confidò poco fa, forse perché lo ripetessi a Ester, che ha sempre bevuto solamente acqua anche in gioventú e che il rossore e il turgore del suo naso dipendono da frequenti sofferenze viscerali. Ho paura che questo nuovo aspetto delle cose non migliori la situazione.

Credo però che l'amica finirà con superare anche un cosí grande e grosso ostacolo. Il fatto è che la passione di lui è all'apice. Egli le ha scritto trenta pagine di confessione generale, vuotandosi proprio il cuore e rivoltandone la fodera, per modo da intenerire un croato. Io lo aiutai presso Ester che deciderà entro due giorni e vuole che la risposta gli sia fatta da me. Io poi capisco che la letteratura del professore le mette soggezione e che ha un gran timore di fare sbaglietti di ortografia. Buon segno!

Sono stata tre giorni senza scrivere temendo non esser padrona della mia penna, non saper comprimere il mio pensiero dentro parole che devono avere una data misura e non piú. Adesso lo posso fare e lo faccio. Sappi però, Franco, che non rispondo esser padrona di me sempre!

È venuto dunque da me, la sera del 15, l'agente di tua nonna. Poiché la rata semestrale de' tuoi interessi scade il 16 ho creduto che avesse le cinquecento svanziche e gli ho detto senz'altro che andavo a preparargli la ricevuta. Allora il gentilissimo signor Bellini mi disse che la ricevuta mia non gli poteva bastare. « Come » rispondo, « se Le è bastata il 16 marzo? » « Ma! » dice. « I miei ordini! » « Ma Franco non c'è. » « Lo so. » « E allora, cosa è venuto a fare? » « Sono venuto a dirle che il signor don Franco, per avere il denaro deve presentarsi all'agenzia della signora marchesa in Brescia. » « E se non potesse andare a Brescia? » Qui il signor Bellini fece un gesto come per dire: pensateci voi. Io gli risposi che andava bene, gli feci portare il caffè e gli dissi che avrei desiderato comperare dalla signora marchesa le librerie del tuo antico studio di Cressogno. Il Bellini diventò giallo e partí mogio mogio come il nostro vecchio cane Patò di casa Rigey quando aveva rubato.

È certo che in questa immondizia vi ha un dito del signor Pasotti.

Ieri è venuto qua il prefetto della Caravina e ha raccontato che il 14 sera Pasotti è andato a Cressogno assai tardi ed è capitato in casa della nonna mentre si diceva il rosario, per cui gli toccò pure di rosarieggiare. Questo faceva ridere il prefetto; secondo lui il Pasotti va a messa perché è I. R. pensionato ma di preghiere dice solo « el Patèr d'i ratt », che io non so cosa sia. Soggiunse poi che quando gli altri partirono, Pasotti restò a confabulare con la nonna e che c'era anche il Bellini. Bellini era arrivato il 15 stesso, da Brescia. Probabilmente aveva recati i denari per te.

Fino all'ottobre, quando arriverà il denaro tuo, c'è da vivere. Altro non dico.

Il ciclamino che troverai qui dentro te lo manda Maria. Devo pure raccontarti questa cosa! Puoi pensare in quale stato d'animo ella mi vede. Mi ode anche spesso discorrere dell'argomento con lo zio. Lo zio è sempre lo zio. In vita sua ha solamente giudicato birbanti quegli appaltatori che gli offrivano quattrini e un altro zio, il suo antipodo, che dopo di essersi servito del nipote per anni, non gli ha lasciato un fico secco. Altri birbanti non ha mai voluto vedere e neanche adesso vuol vederne. Ora, quando io discorro con lui, Maria vorrebbe ascoltare sempre. Io la mando via ma poi tante volte mi accorgo che piano piano ritorna. Stamattina si mette a recitare le sue orazioni. Oh, Franco, tua figlia è ben religiosa nel senso tuo! L'ultima che recita è il *requiem* per la povera nonna Teresa. « Mamma » dice allora, « voglio recitare il *requiem* anche per la nonna di Cressogno. » Ho risposto quel che ho risposto, parole amare; avrò fatto anche male, se vuoi, lo confesso. Maria mi guarda e fa: « È proprio cattiva la nonna di Cressogno? ». « Sí. » « E perche lo zio dice che non è proprio cattiva? » « Perché lo zio è tanto buono. » « E tu, allora, non sei mica tanto buona? » Cara la mia innocente, me la mangiai di baci, non ne potei proprio a meno. Appena fu libera di parlare, riprese subito: « Non vai mica, sai, in Paradiso, se non sei tanto buona ». Quella del Paradiso è la sua fissazione. Povero Franco, non averla con te, tu che saresti cosí contento di lei! Fai un gran sacrificio! Se ti può far piacere ti dirò che la sola possibilità per me di amare Iddio la trovo in questa bambina perché in essa Iddio mi diventa visibile, intelligibile.

Addio, Franco; ti abbraccio.   *Luisa.*

P. S. - Sappi che ho licenziato la Veronica per il 1° ottobre. Per economia, prima; e poi perché mi sono accorta che fa all'amore con una guardia di finanza. Oh, mi scordavo quest'altra! Mezz'ora fa è venuta Ester a dirmi che si è decisa per il sí ma che desidera di aspettare ancora un giorno a vedere il professore. Si capisce che il naso è inghiottito ma non ancora passato giú nello stomaco.

Franco a Luisa

Torino, 12 settembre 1855.

Iersera Dina mi ha mandato al d'Angennes dove si è data male un'opera vecchiotta che non mi garba, *Marin Faliero.* Aggiungi l'idea tormentosa di dover scrivere l'appendice e intenderai che non è stato un invitarmi a nozze. Un collega mi propose di presentarmi in un palco dov'erano due dame sfoggiatamente eleganti. Credo l'abbia fatto per desiderio del Dina perché esitava, gittava qualche rapida occhiata ai miei panni i quali mostrano aperto il canchero della borsa. Pensa se mi fu agevole il trarmi d'impiccio!

> *Panni vetusti*
> *Fedeli e frusti*

vi debbo anche per questo una gratitudine che non rifiuto.

In teatro non si parlava che di Sebastopoli. I piú credono che la pace non si farà, che l'Inghilterra non vorrà posare le armi prima d'aver levato ai russi per cinquant'anni il prurito delle conquiste. Uscendo dal teatro udii il deputato B., un fiero avversario della spedizione, dire a qualcuno: « Hanno preso la loro tomba. Un piccolo Napoleone, una piccola Mosca! ». Io dissi: « Hanno preso Verona ». B. mi guardò con due occhi fulminei e io guardai lui senza abbassare i miei. Egli si strinse nelle spalle e se n'andò. Salii nella mia soffitta e mi posi a scrivere l'appendice sui margini di un giornale onde non sciupare carta.

Scrivi, cancella, riscrivi e ricancella, ne son venuto a capo alle quattro del mattino. Qui mi dicono che i miei periodi hanno una forma troppo classica e che adopero troppi vocaboli e modi toscani. « Già, Lei, col Suo Giusti! » mi ha detto D. Il guaio è ch'io non so scrivere un italiano piemontese come forse piacerebbe a lui. Intanto mi son buscato un bellissimo e lucentissimo scudo nuovo di zecca con un Vittorio Emanuele cosí parlante che potrebbe farvi svenire dalla commozione, come svenne ier l'altro all'hôtel della Liguria una signora veneta vedendo passare alla testa d'una colonna di fanteria il generale Giannotti che scambiò, in grazia de' baffi maiuscoli, per il Re. Io serberò lo scudo, ve lo porterò a Lugano, tu lo porrai da parte e sarà la prima pietra della dote di Ombretta. Va bene? L'idea me n'è venuta per un sogno che feci stamattina, appena addormentato, nell'ora in cui l'anima

Alle sue vision quasi è divina.

Sognai ch'ero nella chiesa di S. Sebastiano di Oria, con te e Maria, grande, bella, vestita da sposa; che lo sposo era Michele Steno e che lo zio Piero si stava mettendo cotta e stola per celebrar lui il matrimonio e che Michele Steno si alzò dall'inginocchiatoio per venirmi a dire: « Sí, tutto va bene, ma e la dote, e la dote? ».
Maria mia dolcissima, verrà pure per te il gran giorno della dote; quand'anche tu tenessi allora in serbo molti pezzi d'oro sopra lo scudo d'argento, avresti tuttavia lo scudo piú caro!

14.

Il Fante di bastoni è in pericolo di essere licenziato dal suo principale per le condizioni veramente miserevoli del suo vestito. Il Fante è per verità uno sciupone e non ha ancora appreso, *duris in rebus*, a maneggiare una spazzola; ma insomma gli altri sapienti hanno deciso che non faranno colazione per una settimana ond'egli si possa rimpannucciare. Vedi bassezza del cuore umano! Il Fante si è sbracciato a ringraziare e poi si disponeva a far colazione lui, come se nulla fosse. Questo gliel'abbiamo proibito. Cosí oggi invece di andar al « Mal de stomi » passammo una mezz'oretta sulla via del Po, verso il Valentino, a veder l'acqua scendere. L'Udinese portò seco il flauto, perché ad una colazione ideale dove si offrivano le piú trimalcioniane idee di cibi e di vivande, la musica non poteva mancare. Egli aveva una lettera de' suoi con magnifiche proposte di ritorno all'ovile. Persino il cavallo da sella gli offrono. Ci narrò di avere risposto che lo vedranno presto arrivare sopra un cavallo del Re Vittorio Emanuele. Allora il Padovano, gran motteggiatore, gli ha detto con tutta flemma: « Ciò, eroe, sonistu anca el trombon, ti? ». (Vedi che t'imito, poiché la ferula de' pedanti mi è lontana, nelle tue scandalose familiarità col dialetto.) L'Udinese si è arrabbiato alquanto ma poi vi ha fatto su la sua brava sonatina di flauto. Il fatto strano è che nessuno di noi ha sentito fame. Però, levando la seduta, abbiamo deciso che l'abbigliamento del Fante verrà semplificato e ch'egli potrà benissimo fare a meno del giustacuore, modernamente detto sottoveste.

Ah noi faremmo a meno anche del pranzo per poter passare il Ticino col Re nell'aprile del 1856! Ne parlavamo tornando in città dalla colazione ideale. Il Padovano ha osservato che in aprile l'acqua è troppo fredda e che sarebbe meglio aspettare fino a giugno. Si diceva che gran cosa sarà l'Italia senza tedeschi. Ti assicuro ch'eravamo tutti entusiasti malgrado il vuoto dello stomaco. Tutti mèno il Padovano, sempre; del quale va pur detto, a sua scusa, che patisce la fame, o quasi, per non vedere austriaci, e che quantunque bussi all'uscio de' quaranta si batterà meglio di qualche giovane che adesso si mangia un caiserlicchio a colazione e due a pranzo. Egli crede che torneremo un paese di cani e gatti. « Per esempio » diceva, « intendiamoci bene. Par-

titi i tedeschi, ciascuno a casa sua e guai a voi se venite a rompermi le scatole a Padova! » Mi pareva di udire lo zio Piero, quando noi pure, a Oria, s'è parlato della grandezza, dello splendore futuro d'Italia. « Eh sí sí! » diceva. « Eh sí sí! Il lago diventerà di latte e miele e la Galbiga de formagg de grana! »
Vedremo, vedremo!

21.

La tua lettera mi suscita un tumulto di sentimenti che non si scrivono.

Mi addolorano, senza dubbio, l'atto della nonna e la obliqua malevolenza del Pasotti ma piú mi affligge lo sdegno tuo troppo forte. Quando un mio procuratore si presenterà a Brescia, il pagamento non potrà venire rifiutato. È vero, tu sei donna e non hai l'obbligo di conoscere queste cose. Anche la collera ti perdono poiché freddo non rimasi, nemmeno io, da principio. Quindi mi son detto: Di che ti sdegni e che ti sorprende? Non conoscevi tu quel malanimo e non ne avesti offese maggiori?

Infinitamente mi rattrista che tu non abbia saputo celare i tuoi sentimenti a Maria, infinitamente mi commove che tu ne sia pentita e infinitamente mi consola che tu ami il Signore nella bambina, che tu me lo scriva. A dir vero, cara, non dovrei appagarmene cosí perché ad amare Iddio ne invitano i cieli e la terra ed Egli ci è visibile in ogni luce, intelligibile in ogni vero! Ma insomma tu incominci a udire la voce Sua! Nelle mie lettere non ho mai toccato questo punto per sentirmi troppo inetto a parlartene degnamente, efficacemente. E ora lascio che Iddio ti parli nella bambina, torno nel mio silenzio. Sappi soltanto che ascolto palpitante, che prego e spero.

Posso io dirti quello che sento per Maria? Chi potrebbe dire questa commozione, questa tenerezza immensa, questo desiderio che mi strugge di tenermela almeno un momento, un solo momento, sul cuore? Credi tu che io possa attendere fino a novembre? No no no, scriverò appendici, copierò, monterò qualche guardia per altri ma verrò a Lugano prima! Coprila di baci per me, intanto, dille che Papà ha sempre nel cuore la sua Ombretta e che la benedice, domandale cosa le farebbe piacere ch'io le portassi e poi scrivimelo senza pensar poi troppo alla mia povertà.

Ti abbraccio, Luisa mia, con l'anima.   *Franco.*

Luisa a Franco

24 settembre 1855.

Finalmente! Da quando sei partito io desiderai sempre, che tu toccassi quel punto. Come mi sarò spiegata, quella notte, nella mia commozione dolorosa? Come mi avrai intesa tu nella tua? Da mesi e mesi sento il bisogno di parlarne con te e non l'ho fatto mai per mancanza di coraggio.

Vedi, per esempio. Tu mi hai accusata d'orgoglio, quella notte. Ti supplico di credere che non sono orgogliosa; non posso neanche comprendere un'accusa simile!

Mi par di capire dalla tua lettera che tu mi supponga ritornata alla fede in Dio. Ma t'ho io mai detto di non credere in Dio? Non posso averti detto questo perché la storia de' pensieri miei mi è tutta scritta nella mente, e lo spavento, l'angoscioso pensiero di non poter forse piú credere in Dio mi sono venuti dopo la tua partenza; ne so il giorno e l'ora. Avevo udito parlare a S. Mamette di un gran pranzo dato da tua nonna a Brescia e io non potevo assolutamente procurare al nostro diletto zio quel regime di cibi e di vino che il medico, temendo per l'occhio destro, prescriveva. Ho lottato con quelle tenebre spaventose, Franco, e ho vinto. È vero, la vittoria è in gran parte della nostra Maria. Vorrei dire che se tante nere nuvole mi nascondono l'esistenza di una Giustizia Superiore, me ne trapela però un raggio in Maria; e questo raggio mi fa credere e mi fa sperare nell'Astro. Perché sarebbe orribile che l'universo non avesse un governo di giustizia!

Quella notte, dunque, io ti ho potuto solamente dire che intendevo la religione in un modo diverso da te, che gli atti di fede cristiana e le preghiere non mi parevano essenziali all'idea religiosa ma l'amore e l'azione per quelli che soffrono, sí! Ma lo sdegno e l'azione contro coloro che fanno soffrire, sí!

E tu vuoi ritornare nel tuo silenzio? Ma no, non lo devi. Ti senti debole, dici. Debole te o il tuo *Credo*? Ragioniamo, discutiamo. Confessa che voialtri credenti amate le vostre credenze anche perché sono un comodo riposo dell'intelletto. Vi adagiate in esse come in un'amaca sospesa in aria per tante fila lavorate dagli uomini, annodate dagli uomini a diversi uncini. Voi vi state bene e se si va tentando, saggiando con la mano anche uno solo di questi fili, ve ne turbate e avete paura che si spezzi, perché poi molto facilmente si spezzerà il suo vicino e dopo questo un altro e tutto il vostro letto fragile rovinerà dall'aria in terra con vostro spavento e dolore. Conosco questo spavento e questo dolore, so che si paga cosí la compiacenza di camminar poi sul solido e perciò non mi trattiene dal discutere teco una pietà che sarebbe falsa. Ma forse mi inganno e sarai tu che mi solleverai a te nel tuo letto di fragili fili e d'aria. Maria non può far tanto. Se Maria mi fa credere in Dio non vuol dire che possa farmi credere anche nella Chiesa. E tu credi sopra tutto nella Chiesa, tu! Cerca di persuadermi dunque e io pure ti ascolterò palpitando; e se non prego, almeno spero, perché adesso piú che mai desidero pienamente unirmi a te. Adesso con l'antico affetto sento per te un'ammirazione nuova, una gratitudine nuova.

Ti offenderai di questo mio sfogo? Pensa che otto mesi sono devi aver trovato una mia lettera nella tua borsa da viaggio e che da otto mesi aspettavo risposta!

Il professore ed Ester si vedono in casa nostra, oramai come fidanzati. Quelli son felici, almeno. Ella va in chiesa, egli non ci va, e né l'uno né l'altro si dànno pensiero di ciò piú che del colore diverso de' loro capelli. E cosí fanno novecentonovantanove sposi su mille, credo!

Ti abbraccio. Scrivi a lungo, a lungo.   *Luisa.*

Questa lettera non partí da Lugano che il 26 settembre e Franco l'ebbe il 27. Il 29, alle otto della mattina, ricevette il seguente telegramma pure da Lugano:

« *Bambina malata gravemente. Vieni subito.*   Zio. »

X. *Esüsmaria, sciora Lüisa!*

Nelle prime ore pomeridiane del 27 settembre Luisa ritornava da Porlezza con alcune carte da copiare per il notaio. In quel tempo gli scogli fra S. Michele e Porlezza erano affatto selvaggi, non avevano la sottile briglia che ora li doma. Luisa s'era fatta tragittare in barca per quel breve tratto e poi aveva preso, a piedi, la stradicciuola che, come tutte quelle del mio piccolo mondo, antico e moderno, non comporta altri metodi di viaggiare; la stradicciuola graziosa e perfida che cerca ogni mezzo di non arrivare mai dove il viandante vorrebbe. A Cressogno passa sopra la villa Maironi che nemmanco si vede.

"Se la incontrassi!" pensava Luisa con un ribollimento del sangue; ma non incontrò nessuno. Sull'erta da Cressogno al Campò il sole bruciava. Quando si trovò nel fresco, alto vallone che chiamano il Campò, sedette all'ombra del colossale castagno che vive ancora, ultimo di tre o quattro venerabili patriarchi. Guardava le case del suo nativo Castello appollaiate a tondo sopra un alto spuntone di scogli ombrosi e pensava alla povera mamma compiacendosi che almeno ella fosse in pace, quando sentí esclamare: « Oh cara Madonna! ». Era la süra Peppina che veniva pure da Cressogno, disperata di non aver potuto trovare uova né a S. Mamette né a Loggio né a Cressogno. « Adess el me coppa, el Carlo! El me mazza addirittúra, cara Lee! » Avrebbe voluto andare anche a Puria, ma era mezza morta di stanchezza. Che paesi da cani! Che strade! Quanti sassi! « Quand pensi al me Milan, cara Lee! » Sedette anche lei sull'erba presso Luisa, le disse un mondo di tenerezze e volle che indovinasse con chi avesse parlato di lei, allora allora. Ma con la signora marchesa! Ma sicuro! « Ah cara Lee! S'ciao! » Pareva che la Peppina avesse gran cose da dire e non osasse e ne provasse una molestia in gola, volesse pur farsele strappare. « Che roba! » esclamava ogni tanto. « Che roba! Che discors! S'ciao, s'ciao! » Luisa taceva sempre. Allora l'altra cedette a quel gran prurito e buttò fuori ogni cosa. Era andata dal cuoco della signora marchesa, per farsi prestare delle uova, e la signora marchesa, udita la sua voce, aveva voluto assolutamente vederla, trattenerla a chiacchierare, e lei si era sentita nel cuore come una ispirazione del cielo che le diceva: « Parla di quella povera gente! Forse è il momento buono. Parla della Maria, "de quel car belee, de quel car ratin, de quel car strafoi!" ». Ah era stata una ispirazione del diavolo e non del cielo. Aveva cominciato a parlarne, voleva dire quanto era bella, quanto era cara, e quella gran meraviglia di un gran talento cosí spropositato; e lei, la bruttona, con una faccia « che ghe disi nagòtt », a interrompere: « Lasci stare, signora Bianconi; so ch'è molto male educata e altro non può essere ». Aveva provato allora a toccare un altro tasto, la disgrazia del signor ingegnere rimasto cieco d'un occhio. E la marchesa: « Quando non si è onesti, signora Bianconi, il Signore castiga ». Qui la Peppina, guardando Luisa, si pentí delle sue chiacchiere, si pose ad accarezzarla, ad accusarsi d'aver parlato, a dirle che si desse pace. Luisa l'assicurò ch'era tranquillissima, che di nulla si sorprendeva piú da parte di quella persona. La Peppina volle ad ogni modo darle un bacio e partí brontolando fra sé molti « poer a mi! » col vago sospetto di aver fatto, senza uova, una gran frittata.

Luisa si alzò, si voltò a guardar verso Cressogno stringendo il pugno. « Almeno uno scudiscio! » pensò. « Almeno frustarla! » L'idea di un incontro, la vecchia idea che l'aveva fatta balzar di passione quattro anni prima la sera del funerale di sua madre, la stessa idea che le era balenata testé, nel passar da Cressogno, la riafferrò violenta, le fece dare un passo verso la discesa. Si fermò subito e ritornò lentamente indietro, si avviò verso S. Mamette, arrestandosi ogni tanto a riflettere, con la fronte scura e le labbra strette, a sciogliere qualche nodo nelle fila di una tela che veniva tessendo nel suo segreto.

A Casarico andò dal professore per offrirgli un ritrovo a casa sua con la fidanzata per l'indomani alle due. Nel congedarsi gli domandò se possedesse ancora le carte Maironi. Il professore, meravigliato della domanda inattesa, rispose di sí e ne aspettava una spiegazione; ma Luisa partí senz'altro. Le premeva di esser a casa, non potendo far conto per la custodia di Maria né sullo zio né sulla Cia e fidandosi poco della servetta licenziata. Trovò la Maria sul sagrato, sola, e sgridò la Veronica. Poi andò in camera, si pose a scrivere a Franco.

Scriveva da cinque minuti quando udí un bussar leggero alla finestra dello stanzino attiguo. Quella finestra guarda sopra una scaletta che mette dal sagrato a certe stalle e quindi ad una scorciatoia per Albogasio Superiore. Luisa andò nello stanzino e vide all'inferriata il viso rosso, scalmanato della Pasotti che le fece segno di tacere e le domandò se avesse visite. Udito che no, la signora Barborin diede due frettolose occhiate in alto e in basso, corse giú per la scaletta ed entrò in casa tutta trepidante.

Povera donna, era in terreno proibito e non aveva in mente che lo spettro di Pasotti furibondo. Pasotti era a Lugano. Oh Signore, sí, era a Lugano! Dato a Luisa quest'annuncio, la disgraziata creatura cominciò a stralunar gli occhi e a contorcersi. Pasotti era a Lugano per il gran pranzo dell'indomani, per le provviste. Come, Luisa non sapeva di questo pranzo? Non sapeva chi ci sarebbe venuto? Ma la marchesa, la signora marchesa Maironi! Luisa trasalí.

La Pasotti fraintese l'espressione dei suoi occhi, credette leggervi un rimprovero e si mise a piangere con le mani sul viso, a dirsi nelle mani, scotendo quei due poveri riccioloni neri, che ci aveva una rabbia, una rabbia! Avrebbe vissuto un anno a pane ed acqua piuttosto che invitar a pranzo la marchesa! Questa del pranzo era certo una gran croce per lei, in causa di tanti pensieri, della fatica di preparar tante cose e delle tremende strapazzate di Pasotti; ma la croce suprema era di far dispiacere a Luisa! Almeno fosse una croce buona da offrire al Signore! Ma no, ci aveva troppa rabbia. Era venuta apposta per dire alla sua cara Luisa quanto soffriva per questo pranzo.

« Perdònem, Lüisa » diss'ella con la sua voce velata che pareva venire da una vecchia spinetta chiusa. « Ghe n'impodi propri no, propri no, propri no! »

Eran sedute accanto sopra un canapè. La Pasotti si levò di tasca un fazzolettone, se ne coperse gli occhi con una mano e con l'altra cercò, senza volgere il capo, quella di Luisa. Ma Luisa si alzò, andò alla scrivania e scrisse sopra un pezzo di carta: « A che ora viene la marchesa? Che via tiene? ». La Pasotti rispose che il pranzo era alle tre e mezzo, che la marchesa doveva scendere verso le tre allo sbarco della Calcinera, che Pasotti vi si sarebbe trovato a riceverla con quattro uomini e la famosa portantina che aveva servito nel secolo scorso per un arcivescovo di Milano.

Luisa ascoltò attentissimamente ogni cosa, in silenzio. Prima di andarsene, la Pasotti le disse che sarebbe stata felice di baciare quel caro amore della Maria ma che temeva non sapesse poi tacere. Qui la buona donna si cacciò mezzo il braccio sinistro in tasca, ne cavò una barchetta di metallo, pregò Luisa di darla alla sua figliuola nel nome di un'altra vecchia barca sdruscita che non voleva essere nominata. Poi scappò giú per le scale e scomparve.

Luisa tornò alla lettera incominciata per Franco e dopo aver meditato lungamente con la penna in mano, la ripose senz'avervi scritto parola, prese le carte del notaio, si mise a copiare.

A pranzo non parlò mai. Il pranzo fu triste anche perché la Cia fece un'osservazione inopportuna sulla mancanza di formaggio nella minestra che cosí non poteva piacere al suo padrone; e il suo padrone s'arrabbiò, le disse ch'era una fatua e che se la minestra era senza formaggio, lei era senza sale. « Già » mormorò la Cia, « s'arrabbia solo con me. » L'argomento suggeriva tante cose amare e inutili a dire che nessuno parlò piú. Solo Maria uscí, dopo qualche minuto, a osservare con una piccola aria di sapienza: « Perché non abbiamo denari, non è vero, mamma, non bisogna mettere il formaggio nella minestra? ». Sua madre la baciò e le disse di tacere. La piccina tacque, contenta di se stessa. La finestra era aperta, si udirono alcune voci schiamazzar forte nella strada verso la scalinata del Pomodoro e Luisa riconobbe quella di Pasotti che certo ritornava allora da Lugano con le provvigioni e parlava cosí forte apposta per farsi udire a casa Ribera.

Dopo pranzo lo zio Piero sedette nella sua poltrona, in loggia, e si prese Maria sulle ginocchia. Luisa uscí sola in terrazza. In faccia al Bisgnago dorato dal sole, la costiera della Valsolda era quasi tutta nell'ombra. Lon-

287

tano lontano il santuario della Caravina brillava sulla punta verde protesa oltre i sassi del Tentiòn e gli oliveti di Cressogno, fuori dell'ombra, nel lago ceruleo. Luisa guardava laggiú con una espressione di contentezza fiera. Ah signor Pasotti, se il vostro pranzo è una vendetta, l'avete pensata male!

La sua risoluzione era presa. Glielo offriva il destino questo incontro con la vecchia canaglia! Non ebbe un dubbio né uno scrupolo. La passione da tanto tempo concepita, accarezzata e covata, aveva accumulato in lei quella forza che, quando è piena, trasforma di colpo il pensiero in atto, per modo che ne par tolta la responsabilità dell'agente e n'è invece solamente risospinta piú indietro, ad un primo interno moto di consenso alla tentazione.

Sí, l'indomani, o allo sbarco, o sulla Calcinera, o sul sagrato dell'Annunciata ell'affronterebbe la marchesa, con disprezzo, le romperebbe la guerra in faccia, la consiglierebbe di guardarsi perché si volevano adoperare contro di lei tutte le legittime armi. Sí, le direbbe cosí e cosí farebbe, da sé, da sola, poiché Franco non voleva. Se Franco aveva promesso qualche cosa, ella non aveva promesso niente. Rientrò in loggia, si mise a discorrere con lo zio, a scherzare con Maria, piú allegramente che non avesse fatto da molti mesi. Piú tardi scrisse un biglietto all'amico avvocato V. pregandolo di venire appena gli fosse possibile. Voleva saper da lui come avrebbe potuto usare delle carte possedute dal Gilardoni. Quindi si rimise a copiare per il notaio di Porlezza. Maria non era contenta di tanto scrivere che faceva la mamma; però, quando la mamma le disse che scriveva per mettere il formaggio nella minestra dello zio, s'affrettò a dire: « e anche nella mia, non è vero, mamma? ». Appena fu posta a letto, vedendo che la mamma tornava a scrivere, le venne in mente di chiedere se la nonna di Cressogno avesse il formaggio nella minestra. « Ne ha troppo » rispose Luisa « e bisogna cavarglielo perché non le faccia male. »

« Oh no, cavarglielo, poveretta! »

« Taci, dormi. »

Ma la bambina non si addormentò.

Dopo un pezzetto parve a Luisa di udirla piangere. Si alzò, andò a vedere. Piangeva veramente, sottovoce.

« Cos'hai? »

« Il papà! » singhiozzò la povera piccina. « Il mio papà! »

« Verrà, cara, verrà presto il tuo papà. Dormi e fa un bel sogno che viene papà insieme col Re Vittorio Emanuele e che la mamma e la Cia fanno un gran risotto, che ti piace tanto, e che tu dici: viva il Re! e che il Re dice: niente affatto, viva invece Ombretta Pipí e il suo papà! Fa questo sogno, sai. »

« Sí, mamma, sí. »

L'indomani il professore Beniamino capitò a Oria un'ora prima di quella che Luisa gli aveva indicato. Dopo il sí di Ester l'uomo era trasfigurato. Pareva molto piú giovane di prima. Il colore giallognolo della sua pelle, irradiato da una rosea luce interiore, era scomparso quasi del tutto, non gli si vedeva piú che sul cranio dove Luisa si attendeva che tornassero a spuntare, un giorno o l'altro, i capelli. Egli non camminava, non respirava piú come prima. Il passo e il respiro erano sempre inquieti, nervosi, rotti da sussulti che rispondevano al balenar d'immagini, Dio sa di quali immagini, sotto quel cranio lucido. Gli occhi non è a dire come brillassero. Solo quando guardavano Ester si stringevano, si velavano di una tenerezza pia, come se il professore avesse avuto paura d'incenerire la diletta saettandole addosso senza precauzioni tutto il fuoco dell'anima. Esser guardata a quel modo non piaceva a Ester; e Luisa, la consigliera del professore, ebbe il coraggio di dirgli che non bisognava guardar la sua fidanzata stringendo gli occhi come fanno i cani affettuosi.

Il pover'uomo promise che avrebbe cercato di non farlo piú e lo fece ancora. Luisa era sempre il suo nume tutelare, l'oracolo che interrogava persino per sapere come dovesse comportarsi nei colloqui con la fidanzata. Nella sua umiltà egli era felice di venir accettato per un sentimento di stima. Pensare ch'Ester potesse amarlo d'amore gli pareva una presunzione ridicola. Per questo egli temeva sempre di sbagliare, con lei, di offenderla. Un dubbio che lo tormentava era questo: sarebbe o non sarebbe da arrischiare un bacio? Appena venutogli questo dubbio, l'aveva sottoposto a Luisa e Luisa, la sapienza incarnata, gli aveva risposto: « No, adesso è troppo presto. Bisogna che il primo bacio non venga né troppo presto né troppo tardi ». La possibiltà del « troppo tardi » parve terribile e insopportabile al professore, il quale, ne' suoi colloqui con l'oracolo, dopo averlo consultato su cento diverse cose, capitava regolarmente ogni volta alla domanda fatale: « E sto basín? ». Luisa in parte ci si divertiva per la sua propensione a cogliere il comico anche nelle persone cui voleva bene; in parte dubitava realmente di una ripugnanza fisica che si manifestasse in Ester, data l'occasione, con violenza e mandasse tutto a monte. Ella si accorse, per fortuna, che il professore pareva sempre meno brutto alla sua fidanzata. Perciò quando lo vide comparire cosí per tempo, sapendo che piú tardi lo avrebbe lasciato solo con Ester per andare a incontrar la nonna, le venne subito in mente che quello poteva essere il giorno del « basín ». Ma il professore si presentò tutto accigliato. Aveva cattive notizie. A San Mamette si diceva che fosse stato arrestato e condotto a Como il medico di Pellio, che gli avessero trovato lettere e note compromettenti per altre persone fra le quali si nominava don Franco Maironi.

« Per Franco non ho angustie » disse Luisa. « Del resto, senta, professore: vuol dire che porremo nel conto dell'imperatore d'Austria anche il dottore di Pellio ch'è bello grosso e pesa un mucchio di libbre, ma non pensiamo a malinconie in un giorno come questo. Oggi è il giorno del Suo *basín*. »

« Ah sí? Ah sí? » fece il professore tutto rosso e ansante. « Dice davvero, signora Luisina? Dice davvero? »

Sí, ell'aveva parlato sul serio. Gli spiegò che se Ester veniva come aveva detto, alle due, li avrebbe, dopo una mezz'ora, lasciati soli. In loggia c'era sempre lo zio ma non conveniva seccarlo. Potevano restare in sala.

« E allora, con buon garbo, si fa il colpo » diss'ella. « Ma prima io voglio avere da Lei una promessa. »

« Che promessa? »

« Mi occorrono le famose carte. »

« Quando vorrà. »

« Guardi che le domando io, non Franco. »

« Sí, sí, quello che Lei fa è tutto bene. Domani Le porterò le carte. »

« Bravo. »

Luisa discorreva con la sua calza fra le mani, sferruzzando sempre, con un'apparenza di tranquillità ilare che non riusciva a coprir del tutto la sovreccitazione interna, predisposta dal giorno prima, cresciuta coll'insonnia, crescente a misura che si avvicina il momento di partire. Nello stesso tono scherzoso della sua voce vibrava una corda insolita. Ne' suoi capelli, sempre correttissimi, era un'ombra di disordine, come il tocco di un lieve soffio che le avesse sfiorata la fronte. Il professore non si accorse di nulla e andò in loggia a discorrere con l'ingegnere, a prendere consiglio anche da lui per una darsena che intendeva costruire in capo al suo giardino onde potervi tenere una barchetta. Maria era pure in loggia e pigliò molto interesse a questa futura barchetta del signor Ladroni. Gli raccontò che ne possedeva una anche lei, corse a prenderla per fargliela vedere e il professore scherzò, la pregò di accompagnarlo a Lugano con la sua barca. « Sei troppo grande, tu! » dis- s'ella. « La mia bambola sí che la condurrò a spasso in barca! » « Ma cosa mai! » fece lo zio. « Quella barca lí è buona per andare al fondo. »

« No! »

« Sí! »

Ombretta si impazientí e corse in camera per provar la barchetta nel catino, ma nel catino non c'era acqua e la piccina ritornò in sala, mogia mogia, con la sua barchetta in braccio, e non andò piú dallo zio.

Ester capitò al tocco e tre quarti. Disse che aveva udito il tuono e che perciò era venuta prima. Il tuono? Luisa uscí subito sulla terrazza a guardar il cielo. Minacce grosse non ne vide. Sopra il Picco di Cressogno e sopra la Galbiga il cielo era tutto sereno fino ai monti del lago di Como. D'altra parte, sopra Carona, sí, era scuro, ma non poi tanto. Se la marchesa non venisse per paura del tempo! Prese il piccolo vecchio cannocchiale che stava sempre in loggia! Non si vedeva niente. Già, era troppo presto. Per arrivare alla Calcinera alle tre, la marchesa, colla pesante gondola, doveva partire verso le due e mezzo; Luisa ritornò in sala dov'erano Ester, il professore e Maria. Avrebbe preferito che Maria restasse in loggia con lo zio, ma la signorina Ombretta, quando veniva gente, si appiccicava sempre a sua madre, stava lí tutta occhi, tutta orecchi. Luisa pensò che al momento di partire l'avrebbe mandata via e intanto la tenne con sé. Già, i fidanzati stavan da parte e discorrevano quasi sotto voce.

Alle due Luisa uscí ancora sulla terrazza, guardò col cannocchiale se per caso la gondola spuntasse al Tentiòn. La marchesa poteva forse anticipare, per il cattivo tempo. Nulla. Guardò poi a ponente. Il cielo non era piú scuro di prima. Solamente, fra il monte Bisgnago e il monte Caprino, sopra la leggera insenatura che chiamano la Zocca d'i Ment, era fumato su dalla Vall'Intelvi e si affacciava fermo un nuvolone azzurrognolo, sinistro come un sopracciglio aggrottato sopra un occhio cieco. Pareva aver veduto il branco dei compagni torvi che si affacciavano al lago sopra Carona e voler essere della partita anche lui. Luisa cominciò a sentirsi inquieta, ad aver paura che la marchesa non venisse. Andò in giardinetto a guardar il Boglia. Il Boglia non aveva che nuvole bianche, leggere. Ritornò in sala e trovò Maria piantata davanti al professore e ad Ester, che ridevano, molto rossi in viso, l'uno e l'altra. « Sei malata? » aveva detto la piccina ad Ester. « No; perché? » « Perché vedo che ti tasta il polso. » Le cose erano avviate bene, pareva. Luisa portò via la piccina, le proibí di avvicinarsi mai piú a quei signori. Un momento dopo passò lo zio Piero, disse che andava di sopra a scrivere alcune lettere e avvertí Luisa di badare alle finestre della loggia, perché veniva un temporale. « Addio, signorina Ombretta! » diss'egli. « Addio, signor Pipí » rispose la bambina, petulante. Egli se ne andò, ridendo.

Luisa, che ormai durava fatica a star ferma, uscí per la terza volta sulla terrazza, guardò col cannocchiale. Il cuore le diede un balzo; la gondola spuntava al Tentiòn.

Erano le due e un quarto.

Una persona che veniva da Albogasio s'era fermata a discorrere sul sagrato con qualcuno che scendeva dalla scaletta sul fianco di casa Ribera. Diceva: « È passata giú in questo momento col signor Pasotti, la portantina. C'era dietro una quantità di ragazzi ».

Il cielo era coperto, adesso, anche sul Picco di Cressogno e sulla Galbiga. Solo i monti del lago di Como avevano ancora un po' di sole. La minaccia del furioso vento temporalesco che in Valsolda si chiama *caronasca* si era fatta piú seria. Sopra Carona il color delle nuvole andava confondendosi a quello dei monti. Il nuvolone della Zocca d'i Ment era diventato turchino cupo e anche il Boglia cominciava ad aggrottar le ciglia. Il lago era immobile, plumbeo.

Luisa aveva stabilito di partire quando la gondola fosse arrivata in faccia a S. Mamette. Ritornò in sala. Maria le aveva obbedito in parte, non s'era mossa dal suo posto, ma vedendo che il professore faceva ad Ester un discorso lungo e animato, gli aveva chiesto:

« Le racconti una storia? »

In quel punto entrò Luisa.

« Sí, cara » fece Ester ridendo, « mi racconta una storia. »

« Oh anche a me, anche a me! »

Un sordo fragor di tuono. « Va, Maria cara » disse Ester. « Va nella tua camera, va a pregar il Signore che non venga un brutto temporale, una brutta grandine! »

« Oh sí sí, vado a pregar il Signore! »

La piccina se n'andò, con la sua barchetta, nella camera dell'alcova, impettita e seria, come se in quel momento la salvezza della Valsolda dipendesse da lei. La preghiera, per lei, era sempre una cosa solenne, era un contatto col mistero, che le faceva prendere un'aria grave e attenta come certe storie d'incantesimi e di magie. Ella salí sopra una sedia, disse le poche orazioni che sapeva e poi si atteggiò come vedeva atteggiarsi in chiesa le piú devote del paese, si mise a muover le labbra com'esse, a dire una preghiera senza parole. Colui che allora l'avesse veduta conoscendo il terribile segreto dell'ora imminente avrebbe pensato che l'angelo della bambina fosse in quel momento supremo accanto a lei e le sussurrasse di pregare per qualche altra cosa che i vigneti e gli uliveti della Valsolda, per qualche altra cosa piú a lei vicina, ch'egli non diceva, ch'ella non sapeva e non poteva mettere in parole: avrebbe pensato che negl'inarticolati bisbigli di lei vi fosse un riposto senso tenero e tragico, il docile abbandono di un'anima dolce ai consigli dell'angelo suo, al voler misterioso di Dio.

Alle due e mezzo i nuvoloni torvi di Carona diedero un altro tuono cupo a cui subito risposero gli altri nuvoloni del Boglia e della Zocca d'i Ment. Luisa corse sulla terrazza. La gondola era in faccia a S. Mamette e veniva dritta alla Calcinera. Si vedevano benissimo i barcaiuoli far forza di remi. Mentre Luisa posava il cannocchiale, il primo colpo di vento strepitò per la loggia sbattendo usci, vetri e imposte. Atterrita all'idea di indugiarsi troppo, Luisa chiuse in fretta e in furia, passò correndo per la sala, tolse l'ombrello, uscí senz'avvertir nessuno, senza chiuder la porta di casa e prese la via di Albogasio Inferiore. Passato il cimitero, nel luogo che chiamano Mainè, incontrò Ismaele.

« Dove la va, sciora Lüisa, con sto temp? »

Luisa rispose che andava ad Albogasio e passò oltre. Dopo cento passi le venne in mente che non aveva avvertito la Veronica della sua partenza, che non le aveva detto di chiuder le finestre nella camera da letto e di badare a Maria. Pensò di mandarglielo a dire da Ismaele. Egli era già scomparso dietro la svolta del Camposanto. Si sentí nel cuore un impulso a tornar indietro ma non c'era tempo. Il rombo del tuono era continuo, radi goccioloni battevano qua e là sul granturco, colpi di vento stormivano per i gelsi, a intervalli, precorrendo i turbini della *caronasca*. Luisa aperse l'ombrello e affrettò il passo.

La furia della pioggia la colse nelle viuzze scure d'Albogasio. Non pensò a riparar dentro una porta, andò avanti imperterrita. Incontrò una frotta di ragazzi che scappavano dalla pioggia dopo aver inutilmente atteso sul sagrato dell'Annunciata il passaggio della marchesa in portantina. Nel breve tratto di via ch'è tra la casa comunale di Albogasio e la chiesa, il vento le rovesciò l'ombrello. Ella si mise a correre, raggiunse quella lista di sagrato che guarda, dietro la chiesa, sulla cala della Calcinera. Là, protetta dalla chiesa contro l'impeto della pioggia e del vento, raddrizzò alla meglio l'ombrello e si affacciò al parapetto.

La chiesa dell'Annunciata posa sulla testa d'uno scoglio che dalle radici del Boglia sporge, male avviluppato di rovi e di caprifichi, sopra il lago e chiude da ponente la piccola cala della Calcinera. La lista di sagrato dov'era Luisa corre appunto su quel ciglio dello scoglio. Ell'avrebbe potuto seguir di lassú il cammino della gondola dalle acque di Cressogno fino allo sbarco; ma ora, infuriando l'acquazzone, un baglior bianco le nascondeva ogni cosa. Però se la marchesa non ritornava a Cressogno, doveva pure, in qualunque punto approdasse, passar poi di là, perché lí, dov'è l'attacco dello scoglio sporgente con la costa, monta sul sagrato la scalinata della Calcinera, unica via per salire ad Albogasio Superiore sí dallo sbarco sottoposto che da S. Mamette o da Casarico o da Cadate.

In pochi minuti la violenza dell'acquazzone diminuí, i foschi fantasmi delle montagne cominciarono a disegnarsi nel fondo bianco. Luisa guardò giú allo sbarco. Non v'era gondola, non v'era portantina sulla riva, non v'era niente. Questo le diede noia. Possibile che la gondola fosse ritornata a Cressogno? Il fumo si diradò rapidamente, apparve Cadate, apparve sulla bocca della darsena del Palazz, bianca nella nebbiolina grigia, la poppa della gondola. Ecco, la marchesa si era rifugiata al Palazz e cosí aveva fatto anche Pasotti con la sua portantina e i portatori. Il temporale si poteva dir cessato, la portantina non tarderebbe a comparire.

Invece tardò dieci lunghi minuti. Luisa teneva fissi gli occhi sulla stradicciuola che svolta da Cadate nel seno della Calcinera. Non vi era dentro a lei nessun movimento di pensieri. Tutta l'anima sua guardava e aspettava; niente altro. Della gente le passò a sinistra salendo dalla Calcinera o venendo da Albogasio; ogni volta ella si coperse piegando l'ombrello, per non esser conosciuta o almeno per evitar saluti e conversazioni. Finalmente un gruppo di persone comparve sulla svolta. Luisa distinse la portantina, dietro la portantina Pasotti e don Giuseppe, poi, ultimi, i due barcaiuoli della marchesa.

Non si mosse ancora, seguí con gli occhi la portantina che avanzava molto lentamente e chiuse l'ombrello perché non pioveva quasi piú. Ricomparvero cinque o sei ragazzi d'Albogasio. Ella disse loro bruscamente di andarsene. Indugiavano a obbedire ma un improvviso scroscio di pioggia, senza vento né tuoni, li pose in fuga. La portantina toccava allora il piede della scalinata. Luisa si mosse.

Aveva l'occhio freddo, la persona eretta. Raccolta in un solo pensiero, disprezzò la pioggia scrosciante che le batteva sul capo e sulle spalle, che la cingeva d'un torbido velo e di strepito. Le piaceva, forse, quella passione delle cose intorno alla sua propria. Discendeva lenta lenta, con l'ombrello chiuso, stringendone forte il manico, come fosse stato la impugnatura d'un'arma. La scalinata è un po' tortuosa, bisogna scendere alquanti scalini prima di vederne il fondo. Giunta sulla svolta, scorse la portantina, ferma. I due barcaiuoli pigliavano il posto di due portatori. Luisa discese fin dove si spandono sopra la scalinata i rami d'un gran noce.

Lí si fermò, proprio nel momento in cui i portatori della marchesa cominciavano a salire. Tutto andava bene. Pasotti e don Giuseppe, salendo dietro la portantina con l'ombrello aperto, non potevano vederla. I portatori, giunti che fossero a lei, bisognava che si fermassero, che si facessero da banda per lasciarle il passo. Quando si avvicinarono, riconobbe i due ch'erano alla testa della portantina, un fratello d'Ismaele e un cugino della Veronica. A quattro passi accennò loro, con un gesto imperioso, di fermarsi. Obbedirono immediatamente, posarono la portantina a terra e cosí fecero, senza saperne il perché, i due portatori che seguivano. Pasotti alzò l'ombrello, vide Luisa, fece un atto di sorpresa, un cipiglio nero; afferrò don Giuseppe, lo trasse da banda per lasciarla passare, non sospettando che l'incontro fosse premeditato.

Ma Luisa non si mosse. « Ella non credeva incontrarmi, signor Pasotti » disse a voce alta. La marchesa mise il capo fuori, la ravvisò, si ritrasse dicendo con qualche vigor nuovo nella sua voce floscia:

« Avanti! »

In quel momento partirono dall'alto del sagrato acute, disperate grida: « Sciora Lüisa! Sciora Lüisa! ». Luisa non udí. Pasotti aveva irosamente gridato ai portatori « avanti! » e i portatori riprendevano le stanghe.

« Avanti pure! » diss'ella, risoluta di mettersi a fianco della portantina. « Non ho a dire che due parole. »

Se Pasotti e la vecchia marchesa avevano prima immaginato lagrime e suppliche, dovettero attendersi allora dal fiero viso, e dalla vibrante voce ben altro.

« Parole, adesso? » fece Pasotti avanzandosi quasi minaccioso.

« Sciora Lüisa! Sciora Lüisa! » si gridò da vicino con accento di strazio; e venne con le grida un rumor di passi precipitosi. Ma Luisa non parve udir niente. « Sí, adesso! » rispose a Pasotti con alterezza inesprimibile.

« Io avverto, per mia bontà, questa signora... »

« Sciora Lüisa! »

Ella dovette pure interrompersi e voltarsi. Due, tre, quattro donne le furono addosso, stravolte, scarmigliate, singhiozzanti: « Che La vegna a cà sübet! Che la vegna a cà sübet! ». Le facce, i pianti, le voci la strapparon d'un colpo fuori della sua passione, del suo proposito.

Si avventò fra quelle donne esclamando: « Cosa c'è? ». Ed esse sapevano solo ripetere con gli occhi schizzanti dall'orbita: « Che La vegna a cà! Che La vegna a cà! ».

« Ma cosa c'è, stupide? »

« La Soa tosa, la Soa tosa! »

Ella gridò come pazza: « La Maria? La Maria? Cosa? Cosa? », udí fra i singhiozzi nominar il lago, cacciò uno strido e, apertasi la via come una fiera, si slanciò su per la scalinata. Quelle donne non poterono tenerle dietro. ma sul sagrato ce ne erano altre, malgrado la pioggia, che strillavano e piangevano.

Luisa si sentí mancare, precipitò a terra sull'ultimo scalino.

Le donne accorsero a lei, dieci mani la presero, la sollevarono. Urlò: « Dio, è morta? ». Qualcuno rispose: « No, no! ». « Il medico? » diss'ella ansando. « Il medico? » Molte voci risposero che c'era.

Ella parve riaver tutta la sua energia, riprese lo slancio e la corsa. Otto o dieci persone si precipitarono dietro a lei. Due sole poterono seguirla. Volava. Al cimitero incontrò Ismaele e un altro, gridò appena li vide:

« È viva? È viva? » Il compagno d'Ismaele ritornò indietro di corsa per andar ad avvertire che la madre veniva. Ismaele piangeva, seppe solamente rispondere: « Esüsmaria, sciora Lüisa! » e fece atto di trattenerla. Luisa lo urtò freneticamente via, passò oltre, seguita da lui che aveva perduta la testa e adesso le gridava dietro, correndo: « L'è forsi nient! L'è forsi nient! ». Pareva che la pioggia dirotta, continua, eguale, lo smentisse piangendo.

Giunta ansante sul sagrato di Oria, Luisa ebbe ancora la forza di gridare: « Maria! Maria mia! ». La finestra dell'alcova era aperta. Udí la Cia che piangeva ed Ester che la sgridava. Alcune persone fra le quali il professor Gilardoni le uscirono incontro. Il professore teneva le mani giunte e piangeva silenziosamente, pallido come un cadavere. Gli altri bisbigliavano: « Coraggio! Speriamo! ». Ella fu per cadere, esausta. Il professore le cinse la vita con un braccio, la trasse su per le scale che eran gremite di gente, come pure il corridoio, al primo piano.

Luisa passò, quasi portata di peso, fra voci affannose di conforto: « Coraggio, coraggio! Chi sa! Chi sa! ». All'entrata della camera dell'alcova, si sciolse dal braccio del professore, entrò sola.

Avevan dovuto accendere il lume perché nell'alcova, causa la pioggia, faceva scuro. La povera dolce Ombretta posava nuda sul letto cogli occhi semiaperti e la bocca pure semiaperta. Il viso era leggermente roseo, le labbra nerastre, il corpo di una lividezza cadaverica. Il dottore, aiutato da Ester, tentava la respirazione artificiale, portando le piccole braccia sopra il capo e lungo i fianchi, alternativamente; facendo pressioni all'addome.

« Dottore? Dottore? » singhiozzò Luisa.

« Facciamo il possibile » rispose il dottore, grave. Ella precipitò col viso sui piedi gelati della sua creatura, li coperse di baci forsennati. Allora Ester fu presa da un tremito. « No no! » fece il dottore. « Coraggio, coraggio! » « A me » esclamò Luisa. Il dottore l'arrestò con un gesto e fece segno ad Ester di sostare. Si chinò sul visino di Maria, le mise la bocca sulla bocca, respirò piú volte profondamente, si rialzò. « Ma è rosea, è rosea! » sussurrò Luisa ansando. Il dottore sospirò in silenzio, accese un cerino, lo accostò alle labbra di Maria.

Tre o quattro donne che pregavano ginocchioni si alzarono, si accostarono al letto palpitanti, trattenendo il respiro. L'uscio della sala era aperto; altri volti si affacciarono di là, silenziosi, intenti. Luisa, inginocchiata accanto al letto, teneva gli occhi fissi alla fiamma. Una voce mormorò:

« Si muove. »

Ester, dritta dietro Luisa, scosse il capo. Il dottore spense il cerino. « Lana calda! » diss'egli. Luisa si precipitò fuori e il dottore riprese i movimenti delle braccia. Poi, quando Luisa ritornò con la lana riscaldata, egli da un lato, ella dall'altro si diedero a strofinar forte il petto e il ventre della piccina. Dopo un po', vedendo il pallore, il viso contraffatto di Luisa, il medico fece segno ad una ragazza di pigliarne il posto. « Ceda, ceda », diss'egli perché Luisa aveva fatto un gesto di protesta. « Sono stanco anch'io. Non è possibile. » Luisa scosse il capo senza parlare continuando l'opera sua con energia convulsa. Il dottore alzò silenziosamente le spalle e le sopracciglia, cedette il proprio posto alla ragazza e ordinò a Ester di far riscaldare dell'altra lana per coprirne le gambe della bambina. Ester andò, fece lei, perché la Veronica, appena successo il caso, era sparita, non si trovava piú. Nel corridoio e sulle scale la gente discuteva il fatto, il come, il dove. Quando passò Ester tutti le domandarono: « E cosí? E cosí? ». Ester fece un gesto sconsolato, passò senza rispondere. Poi le discussioni ricominciarono a mezza voce.

Non si sapeva per quanto tempo la bambina fosse rimasta nell'acqua. Durante la furia del temporale un tale Toni Gall si trovava nelle stalle dietro casa Ribera. Gli venne in mente che il battello del signor ingegnere fosse legato male e potesse fracassarsi ai muri della darsena. Discese a salti, vide aperto l'uscio della darsena ed entrò. Il battello ballava spaventosamente, inondato dagli sprazzi delle onde che si frangevano sui muri; ballava, si dimenava fra le catene e s'era posto di traverso, avendo la poppa quasi addosso al muro. In faccia all'uscio che mette dalla via pubblica nella darsena, corre un andito dal quale due scalette scendono all'acqua, la prima di fianco alla prora della barca, la seconda di fianco alla poppa. Il Toni Gall discese per la scaletta seconda onde accorciare la catena di poppa. Là, fra la barca e l'ultimo scalino, dov'eran sessanta o settanta centimetri d'acqua, vide fluttuare il corpicino di Maria col dorso a galla e il capo sott'acqua. Nel trarla dall'acqua scorse nel fondo una barchetta di metallo. Portò su la bambina gridando con la sua terribile voce, fece correre tutto il paese e, per fortuna, anche il medico, che si trovava a Oria, aiutò Ester a spogliar la povera creatura che non dava piú segni di vita.

Con chi era ella stata prima di scendere in darsena? Con la Veronica no, perché la Veronica era stata veduta entrar nel ripostiglio dei vasi dietro la casa con la sua guardia di finanza prima che Luisa uscisse. Con Ester o con il professore neppure. Ester l'aveva mandata a pregare nella camera dell'alcova e poi non l'aveva veduta piú. La Cia stava a lavorare e l'ingegnere a scrivere quando avevano udito le grida formidabili del Toni Gall. Maria doveva esser discesa in darsena dalla camera dell'alcova per mettere la sua barchetta nell'acqua e fatalmente avea trovato aperta la porta di casa, aperto l'uscio della darsena. Il Toni Gall era d'opinione che avesse passato qualche minuto nell'acqua perché galleggiava discosto dal luogo dove la barchetta giaceva nel fondo. Egli descriveva per la centesima volta la sua scoperta spaventosa stando in sala con la Cia, con l'ingegnere, il professore ed altri del paese. Tutti singhiozzavano, meno lo zio Piero. Seduto sul canapè dove prima stavano il Gilardoni ed Ester, pareva impietrato. Non aveva una lagrima, non aveva una parola. Le chiacchiere del Toni Gall gli davan evidentemente noia, ma taceva. La sua nobile fisonomia era piuttosto solenne e grave che turbata. Pareva ch'egli vedesse davanti a sé l'ombra del Fato antico. Neppure domandava notizie; si capiva che non aveva speranza. E si capiva che il suo dolore era ben diverso da quelle chiassose nervosità passeggiere che gli si agitavano intorno. Era il dolore muto, composto, dell'uomo savio e forte.

Dall'uscio aperto dell'alcova venivan voci ora d'interrogazione ora di comando. Nessuno però poté dire, per un'ora e mezzo, di aver udita la voce di Luisa. Qualche volta venivan pure voci trepide, quasi liete. Pareva a qualcuno, là dentro, notare un moto, un alito, un tepor di vita. Allora tutti quelli che eran fuori accorrevano. Lo zio Piero volgeva il capo verso l'uscio dell'alcova e solo in quei momenti si disordinava un poco nel viso. Pur troppo vide ogni volta la gente ritornarsene lentamente, in un silenzio accorato. Passarono le cinque. Il tempo durando piovoso, la luce mancava.

Alle cinque e mezzo si udí finalmente la voce di Luisa. Fu uno strido acuto, inenarrabile, che agghiacciò il sangue nelle vene di tutti. Rispose la voce del dottore con un accento di premurosa protesta. Si seppe che il dottore aveva fatto un gesto come per dire: «oramai è inutile: desistiamo» e che al grido di lei aveva ripreso il lavoro.

Poi, nel lamento monotono che la pioggia minuta e fitta metteva a tutte le finestre aperte, il silenzio della casa parve divenuto piú sepolcrale. La sala, il corridoio andavano diventando bui, vi si andò avvivando il debole chiaror di candele che usciva dall'alcova. La gente cominciò a ritirarsi, un'ombra dopo l'altra, silenziosamente, in punta di piedi. Si udivano poi sul ciottolato della via gli scarponi pesanti, passi senza voci. La Cia si avviò pian piano al suo padrone, gli sussurrò all'orecchio se non volesse prendere qualche cosa. Egli la fece tacere con un gesto brusco.

Dopo le sette, essendo partiti tutti gli estranei alla famiglia meno il Toni Gall, Ismaele, il professore, l'Ester e tre o quattro donne ch'erano nell'alcova, si udirono dei gemiti lunghi, sommessi, che quasi non parevano umani. Il dottore entrò in sala. Non ci si vedeva. Urtò in una sedia e disse forte: «C'è qui il signor ingegnere?». «Scior sí» rispose il Toni Gall e andò a pigliar un lume. L'ingegnere non parlò né si mosse.

Il Toni Gall ritornò presto con un lume e il dottor Aliprandi, che mi piace ricordar qui come un franco galantuomo, una bella mente e un nobile cuore, si avvicinò al canapè dove sedeva lo zio Piero.

«Signor ingegnere» diss'egli con le lagrime agli occhi, «adesso bisogna che faccia qualche cosa Lei.»

«Io?» rispose lo zio Piero alzando il viso.

«Sí, bisogna almeno cercare di condurla via. Bisogna che venga Lei e ci metta una parola. Lei è come un padre. Questi sono i momenti del padre.»

«Lo lasci stare, il mio padrone» brontolò la Cia.

« Non è buono per queste cose. Ci soffre e niente altro. »

Adesso si udivano, insieme ai gemiti, voci tenere e baci.

L'ingegnere puntò i pugni sul canapè e rimase un momento a capo chino. Poi si alzò, non senza stento, e disse al medico:

« Debbo andar solo? »

« Desidera che ci sia anch'io? »

« Sí. »

« Va bene. Del resto sarà inutile. Forzare non vorrei ma tentare bisogna. »

Il dottore mandò via le donne ch'erano ancora nell'alcova, poi si volse dall'entrata all'ingegnere e gli fe' segno di venire.

« Donna Luisa » diss'egli dolcemente. « C'è lo zio, il Suo caro zio, che viene a pregarla. »

Il vecchio entrò con viso pacato ma vacillando. Fatti due passi nella camera si fermò. Luisa era seduta sul letto con la sua bambina morta in braccio, la stringeva, la baciava sul viso e sul collo, gemeva, premendovi su le labbra, gemiti lunghi, inesprimibili.

« Sí sí sí sí » diss'ella, quasi con un sorriso tenero nella voce. « È tuo zio, cara, è il tuo zio che viene a trovar il suo tesoro, la sua Ombretta, la sua Ombretta Pipí che gli vuol tanto bene. Sí sí sí sí. »

« Luisa » disse lo zio Piero, « quietati. Tutto è stato fatto quel che si poteva fare, adesso vieni con me, non star piú qui, vieni con me. »

« Zio zio zio » fece Luisa con una voce grossa di tenerezza, senza guardarlo, stringendosi il cadavere sul seno, cullandolo. « Vieni qua, vieni qua, vieni qua dalla tua Maria. Vieni, vieni qua da noi che sei il nostro zio, il nostro caro zio. No, cara, no, cara, non ci abbandona mica il nostro zio. »

Lo zio tremò, il dolore lo vinse un momento, gli strappò un singhiozzo. « Lasciala in pace » diss'egli con voce

304

soffocata. Essa non parve udirlo, riprese: « Andiamo noi, cara, andiamo noi dal nostro zio. Che ci andiamo, Maria? Sí, sí, andiamo, andiamo ». Si lasciò sdrucciolare dal letto a terra, si avviò verso lo zio stringendosi al petto col braccio sinistro la sua dolce morta, passò l'altro al collo del vecchio, gli sussurrò: « un bacio, un bacio, un bacio alla tua Ombretta, un bacio solo, uno solo ».

Lo zio Piero si chinò, baciò il visetto già deturpato amaramente dalla morte, lo bagnò di due grosse lagrime. « Guarda, guarda, zio » diss'ella. « Dottore, porti qua il lume. Sí sí, non sia cattivo, dottore. Guarda, zio, che tesoro. Dottore! »

L'Aliprandi era riluttante e tentò resistere ancora; ma quel dolore folle aveva qualche cosa di sacro che si impose. Obbedí, prese il lume e lo accostò al piccolo cadavere che faceva con quegli occhi semiaperti e quelle pupille dilatate una pietà immensa ed era stato la Maria, la Ombretta gentile, la dolcezza del vecchio, il riso e l'amore della casa.

« Guarda, zio, questo piccolo petto come l'abbiamo maltrattato, povero tesoro, come gli abbiamo fatto male con tanto strofinare. La tua mamma è stata, sai, Maria, la tua brutta mamma e quel cattivo dottore lí. »

« Basta! » disse il dottore risolutamente, posando il lume sulla scrivania. « Parli pure alla Sua bambina, ma non a questa, a quella ch'è in Paradiso. »

L'impressione fu terribile. Ogni tenerezza sparí dal viso di Luisa. Ella indietreggiò cupa, stringendosi la sua morta sul seno. « No! » stridette « no! non in Paradiso! È mia! È mia! Dio è cattivo! No! Non gliela do! »

Indietreggiò indietreggiò sin dentro all'alcova, tra il letto matrimoniale e il lettuccio, ricominciò i lunghi gemiti che non parevano umani. L'Aliprandi fece uscire l'ingegnere che tremava. « Passerà, passerà » diss'egli. « Bisogna aver pazienza. Adesso resto io. »

In sala c'era Ismaele che prese il professore a parte.
« E' avvertire il signor don Franco? » diss'egli. Si parlò
allo zio, si decise di mandar un telegramma da Lugano,
l'indomani mattina perché oramai era troppo tardi, a
nome dello zio, parlando di malattia grave. Ester scrisse
il telegramma. In sala c'era un'altra persona, la povera
Pasotti corsa lí mentre suo marito era andato ad accom-
pagnare la marchesa a Cressogno. Ella singhiozzava, disperata d'aver dato quella barchetta a Maria. Voleva entrare da Luisa ma il dottore, udendo pianger forte, uscí,
raccomandò quiete, silenzio. La Pasotti andò a piangere in loggia. Con lei erano venuti il curato don Brazzova e il prefetto della Caravina che avevan pranzato
a casa Pasotti. Piú tardi venne il curato di Castello,
l'Introini, piangendo come un ragazzo. Volle assolutamente entrare da Luisa malgrado il medico e s'inginocchiò in mezzo alla camera, supplicò Luisa di donar la
sua bambina al Signore. « Che la guarda » soggiunse
« che La guarda, sciora Lüisa, se La vœur propi minga
donàghela al Signor, che ghe La dona a la Soa nonna
Teresa, a la Soa mammin de Lee, che ghe l'avarà inscí
cara, sü in Paradis! »
Luisa fu intenerita, non dalle parole, ma dal pianto
e rispose con dolcezza: « L'à capii che ghe credi minga,
mi, al So Paradis! El me Paradis l'è chí! ».
L'Aliprandi fece al curato un gesto di preghiera e quegli uscí singhiozzando.

Il medico partí da Oria verso la mezzanotte insieme
al professore. Tutta la casa taceva, neppur dall'alcova
usciva piú alcuna voce. L'Aliprandi aveva passate le
ultime due ore in sala, col professore ed Ester, senza
udir mai un grido né un gemito né un movimento qualsiasi. Era andato due volte a guardare. Luisa stava seduta sulla sponda del suo letto con i gomiti sulle ginocchia e la faccia tra le mani, contemplando il lettuccio
che l'Aliprandi non poteva vedere. A lui questa immo-

bilità nuova dispiaceva quasi piú che la sovreccitazione di prima. Poiché Ester intendeva restare tutta la notte, le raccomandò che tentasse, con discrezione, di scuoter la sua amica, di farla piangere e parlare.

A vegliare con Ester si trattenevano altre donne del paese e Ismaele che doveva partir per Lugano alle cinque. Lo zio Piero era andato a letto.

L'Aliprandi e il professore si fermarono sul sagrato a guardar la finestra illuminata dell'alcova, ad ascoltare. Silenzio. « Maledetto lago! » fece il dottore, pigliando il braccio del suo compagno e rimettendosi in via. Certo egli pensava, cosí dicendo, alla dolce creaturina che il lago aveva uccisa, ma v'era pure nel suo cuore il dubbio che altri guai fossero in cammino, che l'opera sinistra delle acque perfide non fosse ancora compiuta; e v'era una pietà immensa per il padre, per il povero padre che non sapeva ancora niente.

XI. *Ombra e aurora*

Franco, appena ricevuto il telegramma, corse all'ufficio dell'*Opinione* in via della Rocca. Dina, vedendolo torbido, gli disse: « Oh! Lo avete saputo? ». Franco si sentí gelare il sangue, ma Dina, quando udí del telegramma, fece un atto di stupore. No no, non sapeva nulla di questo. Era stato informato da parte del Presidente del Consiglio che la Polizia austriaca aveva fatto perquisizioni ed arresti in Vall'Intelvi e che fra le carte di un medico si era trovato il nome di don Franco Maironi con indicazioni assai compromettenti. Dina soggiunse che in un momento cosí angoscioso per un padre non osava quasi dirgli perché il conte di Cavour si interessasse a lui. Gliene aveva parlato egli stesso, Dina, e il conte s'era mostrato dispiacente che un gentiluomo lombardo di cosí bel nome si trovasse a Torino in condizioni dure e oscure. Dina credeva ch'egli avesse intenzione di offrirgli un impiego al Ministero degli Esteri. Ora Franco doveva partire, certo. La bambina guarirebbe ed egli ritornerebbe nel piú breve tempo possibile. Intanto si fermerebbe a Lugano, non è vero?, in attesa di notizie; e se non fosse proprio necessario non si arrischierebbe mica di entrar in Lombardia. Con quest'affare di Vall'Intelvi sarebbe un'imprudenza enorme. Franco tacque e il suo direttore, nel congedarlo, insistette: «Abbia prudenza! Non si lasci prendere!» ma non ebbe alcuna risposta.

Dal momento in cui aveva ricevuto il telegramma, Franco aveva camminato su e giú per Torino come in sogno, senza udire il suono dei propri passi, senza coscienza di ciò che vedeva, di ciò che udiva, andando macchinalmente dove gli occorreva, in quella congiuntura, di andare, dove lo portava una facoltà inferiore e servile dell'anima, quel misto di ragione e d'istinto che ci sa guidare per il labirinto delle vie cittadine, mentre lo spirito nostro, fisso in un problema o in una passione, niente se ne cura. Vendette orologio e catena per centotrentacinque lire a un orologiaio di Doragrossa, comperò una bambola per Maria, passò dal caffè Alfieri e dal caffè Florio per far avvertire gli amici e, dovendo pigliar il treno delle undici e mezzo per Novara, fu alla stazione alle undici. Vi capitarono alle undici e un quarto il Padovano e l'Udinese. Essi cercarono di rincorarlo con ogni sorta di supposizioni rosee e di ragionamenti vani, ma egli non rispondeva parola, aspettava con una avidità immensa il momento di partire, di esser solo, di correre verso Oria, perché, qualunque ne fosse il pericolo, era ben deciso di andare a Oria. Entrò in una carrozza di terza classe e quando la locomotiva fischiò, quando il treno si scosse, mise un gran sospiro di sollievo, e si diede tutto al pensiero della sua Maria. Ma v'era troppa gente, troppo rozza e chiassosa gente intorno a lui. A Chivasso, non potendo resistere a quei discorsi, a quelle risate, passò in una carrozza vuota di seconda classe dove si mise a parlar solo, guardando il sedile di faccia.

Dio, perché non mettere nel telegramma una parola di piú? Oh, Signore, una parola sola! Il nome della malattia, almeno!

Un nome orribile gli attraversò la mente: croup. Stese le braccia avanti, contro il fantasma, in uno stiramento convulso, aspirando aria con tutta la forza sua e le lasciò ricader con un soffio che parve vuotargli il petto d'anima e di vita. Perché doveva trattarsi di un male subitaneo, altrimenti Luisa avrebbe scritto. Altro lampo nella mente: congestione cerebrale? Egli stesso, da bambino, era stato a morte per una congestione cerebrale. Signore, Signore, questa era una luce buona. Era Dio che gliela mandava! Fu preso da singhiozzi nervosi, senza lagrime. Maria, tesoro, amore, gioia! Doveva esser questo, sí. La vide ansante, accesa, vegliata dal medico e dalla mamma, immaginò in un minuto lunghe lunghe ore al suo capezzale, lunghe angosce, il rinascer della speranza, il primo sussurro della dolce voce:

« Papà mio. »

Si alzò in piedi, giunse e strinse le mani in uno sforzo muto di preghiera. Poi ricadde a seder esausto, volse gli occhi senza sguardo alla campagna fuggente, sentendo quasi un legame fra le grandi Alpi velate, ferme all'orizzonte di settentrione e il pensiero dominante, fermo, assopito, nell'anima sua. Ogni tanto lo strepito del treno lo toglieva dal suo torpore suggerendogli l'idea di una corsa angosciosa, richiamando il suo cuore a correre, a batter cosí. Egli chiudeva poi gli occhi per vedersi meglio arrivare a casa. Subito gli venivan immagini su dal cuore alle palpebre, ma si muovevano, mutavano continuamente, non poteva arrestarle piú d'un momento. Era Luisa che gli correva incontro sulle scale, era lo zio che gli stendeva le braccia sull'entrata della sala, era il dottor Aliprandi che gli apriva l'uscio dell'alcova e gli diceva « bene bene », era, nella camera buia, un moto di ombre silenziose, era Maria che lo guardava con gli occhi lucidi di febbre.

A Vercelli, parendogli già essere a mille miglia da Torino, l'impero della realtà lo riprese. Quando sarebbe a Lugano, come, per qual via andrebbe a Oria? Scopertamente, per il lago, facendosi vedere alla Ricevitoria? E se non lo lasciassero passare perché non aveva sul passaporto il visto dell'uscita, o se, peggio, vi fosse un ordine di arresto per quest'affare del medico di Pellio? Meglio prendere la montagna. Poteva venire arrestato dopo, ma con la pratica dei luoghi che aveva fatto prima del 1848, cacciando, era quasi sicuro di arrivare a casa. Questo faticoso lavoro di fare e disfare piani lo distrasse alquanto, gli tenne occupata la mente sin oltre Arona, sul battello del Lago Maggiore. Aveva fatto il conto di arrivare a Lugano nel cuore della notte. Se vi fosse qualcuno ad aspettarlo? Se non v'era nessuno, poteva darsi che alla farmacia Fontana, dove andavano molti valsoldesi, si sapesse qualche cosa. Se Iddio volesse fargli trovare a Lugano notizie rassicuranti potrebbe rimettere all'indomani ogni decisione circa l'andata a Oria. Prese dunque il partito di non far progetti sino a Lugano e pregò fervorosamente Iddio che gli facesse trovare queste buone notizie. Il cielo era coperto, le montagne avevano già una tinta autunnale triste, il lago era leggermente nebbioso, le campane di Meina suonavano, sul vapore non c'era quasi nessuno e la preghiera di Franco gli morí nel cuore sotto una tristezza pesante, gli occhi suoi si smarrirono dietro uno stormo di gabbiani bianchi che volavan lontano verso le acque di Laveno, verso il paese nascosto dov'era l'anima sua.

Arrivò a Magadino dopo le sette, fece il monte Ceneri a piedi, per il sentiero che mette alla Cantoniera, prese una vettura a Bironico e arrivò a Lugano dopo la mezzanotte. Discese in piazza presso il caffè Terreni. Il caffè era chiuso, la piazza deserta, scura; tutto taceva, anche il lago di cui s'intravvedeva un palpitar lento nell'ombra. Franco si fermò un momento sulla riva con la speranza che qualcheduno fosse venuto ad aspettarlo e comparisse da qualche parte. Non poteva veder la Valsolda nascosta dietro il monte Brè; ma quella era l'acqua stessa che rispecchiava Oria, che dormiva nella darsena della sua casa. Gli si allargò un poco il cuore in un sentimento di pace, gli parve essere ritornato tra familiari suoi. Tacendo ogni voce umana, gli parlavano le grandi montagne oscure, sopra tutte il monte Caprino e la Zocca d'i Ment che vedevano Oria. Gli parlavano dolcemente, gli suggerivano un presentimento buono. Diciannove ore eran passate dalla data del telegramma; il male poteva esser vinto.

Non comparendo nessuno, si avviò alla farmacia Fontana, suonò il campanello. Egli conosceva da molti anni quell'ottimo, cordiale galantuomo del signor Carlo Fontana, passato anche lui col mondo antico. Il signor Carlo venne alla finestra e si meravigliò molto di vedere don Franco. Non aveva alcuna notizia della Valsolda, era stato due giorni a Tesserete, n'era ritornato da poche ore, non sapeva niente. Il suo assistente, il signor Benedetto, era partito anche lui da poche ore, per Bellinzona. Franco ringraziò e si avviò verso Villa Ciani, risoluto di andare subito ad Oria.

Poteva scegliere fra due vie: o salire da Pregassona il versante svizzero del Boglia, toccar l'Alpe della Bolla, attraversare il Pian Biscagno e il gran bosco dei faggi, uscirne sul ciglio del versante lombardo, al faggio della Madonnina, calare ad Albogasio Superiore e Oria; o prendere la comoda via di Gandria verso il lago, e poi il sentiero malvagio e rischioso che da Gandria, ultimo villaggio svizzero, taglia la costa ertissima, passa il confine a un centinaio di metri sopra il lago, porta alla cascina di Origa, cala nei burroni della Val Malghera e ne risale alla cascina di Rooch, vi trova là stradicciuola selciata che passa sopra il Niscioree e discende a Oria. La prima via era assai piú lunga e faticosa ma in compenso migliore per eludere al confine la vigilanza delle guardie. Partendo dalla farmacia Fontana, Franco decise di appigliarsi a quella. Ma quando fu a Cassarago, dove mettono la strada di Pregassona e quella di Gandria, quando vide la punta di Castagnola cosí vicina e pensò che da Castagnola si va a Gandria in meno di mezz'ora, che da Gandria si può andare a Oria in un'ora e mezza, l'idea di salire il Boglia, di camminare sette od otto ore gli divenne intollerabile. Salendo il Boglia sarebbe poi anche arrivato di giorno; questo era, per la sicurezza, uno scapito grande. Prese risolutamente la via di Castagnola e Gandria. Il cielo era tutto coperto di nuvole pesanti. Sotto i grandi castani ove passava il sentiero di Castagnola, non si sapeva dove mettere il piede; ma che sarebbe poi stato nel gran bosco del Boglia, se Franco avesse presa quella via? Cosí fu dentro Castagnola e peggio di cosí nel labirinto delle viuzze di Gandria. Dopo averle fatte e rifatte piú volte, sbagliando, Franco riuscí finalmente sul sentiero del confine e si fermò a riposare. Sul punto di cimentarsi nel fitto delle tenebre ai pericoli di un sentiero difficile, di un incontro con le guardie austriache, per giungere poi a quell'altro pauroso passo dell'entrar in casa, del far la prima domanda, dell'udir la prima risposta, alzò la mente a Dio, raccolse tutti i suoi pensieri in un proposito di fortezza e di calma.

Si ripose in cammino. Gli occorreva ora dare tutta la sua attenzione al sentiero per non smarrirlo, per non precipitare. I campicelli di Gandria finiscono presto. Poi vengono fratte folte, pendenti sopra il lago, valloncelli franosi, mascherati dal bosco, che ruinano diritti al basso. In quei passaggi bui Franco era costretto di menar le braccia alla cieca per abbrancar un ramo, poi un altro, cacciar il viso nel fogliame che almeno aveva l'odore della Valsolda, trascinarsi di pianta in pianta, tastar coi piedi il suolo, non senza terrori di sprofondare, cercar le tracce del sentiero. Il suo fardello era piccino ma pure gli dava impaccio. E gli dava noia quello stormir delle frasche al suo passaggio; gli pareva che dovesse udirsi lontano, sui monti e sul lago, nel silenzio religioso della notte. Allora si fermava e stava in ascolto. Non udiva che il remoto rombo della cascata di Rescia, qualche lungo ululato di allocchi nei boschi di là del lago e talvolta giú nel profondo, sull'acqua, un secco tocco, Dio sa di che. Non impiegò meno di un'ora per arrivare al confine. Là, fra la valle del Confine e la Val Malghera, il bosco era stato tagliato di recente, il pendío sassoso era nudo, maggiore perciò il pericolo di precipitare, maggiore il pericolo di venire scoperto. Attraversò quel tratto pian piano, fermandosi spesso, mettendosi carponi. Prima di arrivare a Origa udí, giú abbasso, un rumor lieve di remi. Sapeva che la barca delle guardie passava qualche volta la notte alla riva di Val Malghera. Eran le guardie, certo. Sotto i castagni di Origa respirò. Là era coperto e camminava sull'erba, senza rumore. Scese la costa occidentale di Val Malghera e risalí dall'altra parte senza intoppi. Nell'avvicinarsi a Rooch il cuore gli martellava a furia. Rooch è come un avamposto di Oria. Ivi mette capo la stradicciuola ch'egli aveva salita tante volte con Luisa nei tepidi pomeriggi invernali, cogliendo violette e foglie d'alloro, discorrendo dell'avvenire. Si ricordò che l'ultima volta avevano avuto una piccola disputa sullo sposo desiderabile per Maria, sulle qualità che dovrebbe avere. Franco avrebbe preferito un agricoltore e Luisa un ingegnere meccanico.

Rooch è una cascina posta a ridosso di pochi campicelli scaglionati sul monte che fanno una chiara piccola macchia nella boscaglia. Una stanza sopra, la stalla sotto, un portichetto davanti alla stalla, una cisterna nel portichetto; non c'è altro. Il portichetto s'affaccia sulla viottola ciottolata che passa da due a tre metri piú basso. Dal ciglio del burrone di Val Malghera a Rooch ci son pochi passi. Salito sul ciglio, Franco udí qualcuno parlare sommessamente nella cascina.

Sostò e, fattosi da banda, si stese bocconi sull'erba fuori del sentiero, lungo un cespuglietto di castagni. Non udí piú parlare, ma udí venire un rapido passo d'uomo e stette immobile, trattenendo il respiro. L'uomo si fermò quasi accanto a lui, aspettò un poco, poi ritornò indietro adagio e disse ad alta voce, con accento forestiero: « Non c'è niente. Sarà stata una volpe ».

Le guardie. Seguí un lungo silenzio durante il quale non osò muoversi. Le guardie ricominciarono a discorrere ed egli si propose d'indietreggiare senza far rumore, di calarsi da capò in Val Malghera per girare dietro la cascina, in alto. Si levò adagio adagio le scarpe. Stava per muoversi quando udí le guardie, tre o quattro, uscire dalla cascina discorrendo e venire verso di lui. Ne intese una dire: « Non resta qui nessuno? » e un'altra rispondere: « È inutile ».

Quattro guardie gli passarono accanto una dopo l'altra senza vederlo. Non avevano sospetti perché discorrevano di cose indifferenti. Uno diceva che si può restare sott'acqua dieci minuti senz'affogare, un altro ribatteva che dopo cinque minuti bisogna morire. La quarta passò in silenzio ma, appena passata, si fermò; Franco rabbrividí udendola fregar un fiammifero. Quegli accese la pipa, tirò due o tre boccate di fumo, e poi domandò ai compagni, alquanto forte perché s'eran già dilungati, scendevan la costa di Val Malghera:

« Quanti anni aveva? »

Uno di coloro rispose, pure forte:

« Tre anni e un mese. »

Allora la quarta guardia tirò altre due boccate di fumo e sí rimise in cammino. Franco, che stava bocconi, all'udir « tre anni e un mese », l'età di Maria, si alzò sulle braccia stringendo l'erba convulsivamente. Il rumor dei passi si perdeva già in Val Malghera.

« Dio, Dio, Dio, Dio! » diss'egli. Si rizzò ginocchioni,

ripeté lentamente dentro a sé, come istupidito, la parola terribile: « *aveva* ». Si torse le mani, gemette ancora: « Dio, Dio, Dio, Dio! ».

Di quel che fece in seguito non ebbe quasi coscienza. Scese a Oria con la sensazione vaga d'esser diventato sordo, con un gran tremito nel braccio che portava la bambola. Arrivò alla Madonna del Romít, attraversò il paese e invece di scendere per la scalinata del Pomodoro continuò diritto per il sentiero che raggiunge la scorciatoia di Albogasio Superiore, discese per la stessa scaletta che aveva presa la Pasotti il giorno prima della catastrofe. Vide sulla faccia della chiesa un chiaror debole che usciva dalla finestra dell'alcova, non si fermò sotto la finestra illuminata, non chiamò, entrò nel sottoportico e spinse l'uscio.

Era aperto.

Entrò dal fresco della notte in un'afa pesante, in un odore strano di aceto bruciato e di incenso. Si trascinò a stento su per le scale. Davanti a lui, sul pianerottolo a mezza scala, veniva lume dall'alto. Giunto là vide che la luce usciva dalla camera dell'alcova. Salí ancora, mise il piede sul corridoio. L'uscio della camera era spalancato; molti lumi dovevano arder là dentro. Sentí, con l'odor d'incenso, odor di fiori, fu preso da un tremito violento, non poté avanzare. Dalla parte della cucina si udiva qualcuno dormire, dalla parte dell'alcova non si udiva niente. A un tratto la voce di Luisa parlò, tenera, quieta: « Vuoi che venga anch'io, domani, dove vai tu, Maria? La vuoi la tua mamma, in terra con te? ». « Luisa! Luisa! » singhiozzò Franco. Si trovarono nelle braccia l'uno dell'altro, sulla soglia della loro camera nuziale che aveva la memoria degli amori ancor viva e il dolce lor frutto, morto.

« Vieni, caro, vieni vieni vieni » diss'ella e lo trasse dentro.

Nel mezzo della camera, fra quattro ceri accesi, giaceva nella bara aperta, sotto un cumulo di fiori recisi e lan-

315

guenti come lei, la povera Maria. Erano rose, vainiglie, gelsomini, begonie, gerani, verbene, frondi fiorite di *olea fragrans*, e altre frondi non fiorite, egualmente scure, egualmente lucenti: le frondi del carrubo già tanto caro a lei perché tanto caro al suo papà. Fiori e frondi erano sparsi anche sul viso.

Franco s'inginocchiò singhiozzando: « Dio, Dio, Dio! » mentre Luisa prese due roselline, le pose in una manina di Maria e poi la baciò sulla fronte.

« Tu puoi baciarla sui capelli » diss'ella. « Sul viso no. Il dottore non vuole. »

« Ma tu? Ma tu? »

« Oh, per me è un'altra cosa. »

Egli posò invece le labbra sulle labbra gelide che trasparivano tra le foglie di carrubo e fiori di geranio. Ve le posò lievemente, come per un addio tenero, non disperato, alla veste caduta e vuota della diletta creatura sua partita per altra dimora.

« Maria, Maria mia » sussurrò fra i singhiozzi, « che cosa è stato? »

Egli non aveva inteso affatto che il primo discorso delle guardie sugli annegati avesse un nesso col secondo.

« Non lo sai? » gli chiese la moglie senza sorpresa, pacatamente. Gliel'avevano detto com'era stato telegrafato; ma ella sapeva pure che Ismaele doveva recarsi a Lugano per incontrarvi Franco e ignorava che Ismaele, arrivata la posta dal Ceneri senza nessuno, era andato a dormire.

« Povero Franco! » diss'ella baciandolo sul capo, quasi maternamente. « Non c'è mica stata malattia. »

Egli si rizzò in piedi, esclamò atterrito: « Come? Non c'è stata malattia? ».

La persona che Franco aveva udito dormire, la Leu, entrò in quel momento per far suffumigi, vide Franco, rimase sbalordita. « Va » le disse Luisa, « posa il fuoco lí fuori, mettici quel che vuoi e poi va in cucina, dormi, povera Leu. » Quella obbedí.

« Non c'è stata malattia? » ripeté Franco.

« Vieni » gli rispose sua moglie, « ti racconterò tutto. »
Lo fece sedere sulla *dormeuse*, a piè del letto matrimoniale. Egli la voleva accanto a sé. Ella gli fe' segno di no, di non insistere, di tacere, d'aspettare, e sedette a terra presso la sua creatura, incominciò il racconto doloroso con voce piana, eguale, indifferente, quasi, al dramma che diceva, con una voce simile a quella della sorda Pasotti, che pareva venire da un mondo lontano. Prese le mosse dall'incontro con la Bianconi in Campò e disse, sempre con la stessa calma, tutti i pensieri, tutti i sentimenti che l'avevan portata ad affrontare la nonna, disse i fatti sino al momento in cui s'era convinta che Maria non aveva piú vita. Quand'ebbe finito s'inginocchiò a baciar la sua morta e le sussurrò: « Il tuo papà ha in mente che t'ho uccisa io, adesso, ma non è vero, sai, non è vero ».

Egli si alzò, tutto vibrante di una commozione senza nome, si chinò sopra di lei, la raccolse da terra, non renitente né abbandonantesi, con mani risolute e riguardose, se la collocò vicina sulla *dormeuse*, le cinse con un braccio le spalle, la strinse a sé, le parlò sui capelli, bagnandoli di poche lagrime ardenti che a quando a quando gli rompevan la voce: « Povera Luisa mia, no, non l'hai uccisa tu. Come vuoi che io pensi questa cosa? Oh, no, cara, no. Io ti benedico, invece, per tutto che hai fatto per lei da quando è nata. Io che non ho fatto niente, ti benedico, te che hai fatto tanto. Non dir piú, non dir piú quella cosa! La nostra Maria... »
Un violento singhiozzo gli ruppe le parole, ma subito l'uomo, con forte volere, si vinse, continuò:
« Non sai cosa dice la nostra Maria in questo momento? Dice: mamma mia, papà mio, adesso siete soli, ciascuno di voi non ha che l'altro, siate uniti piú che mai, donatemi a Dio perché mi ridoni a voi, perché io sia il vostro angelo e vi conduca un giorno a lui e stiamo insieme per sempre. La senti, Luisa, che dice cosí? »

Ella fremeva nelle sue braccia, scossa da sussulti violenti, col viso basso, resistendo a Franco che glielo voleva alzare. Finalmente gli prese in silenzio una mano e gliela baciò. Egli pure, allora, la baciò sui capelli. Poi gli sussurrò: « Rispondimi ».

« Tu sei buono » rispose Luisa con voce accorata e debole, « tu hai pietà di me ma non pensi quello che tu dici. Tu devi pensare che la causa della sua morte sono io, che se avessi seguito i tuoi sentimenti, le tue idee, non sarei uscita di casa, e se non uscivo di casa non succedeva niente, Maria sarebbe viva. »

« Lascia star questo, lascia star questo. Tu potevi credere che Maria fosse in camera o con la Veronica, tu potevi rimanere in sala con gli sposi e la disgrazia sarebbe successa ugualmente. Non pensar piú a questo, Luisa. Ascolta invece quello che ti dice Maria. »

« Povero Franco! Poveretto, poveretto! » disse Luisa, con un'amarezza di sottintesi paurosi, da far gelare il sangue. Franco tacque, tremando, non valendo a immaginare cosa ella pensasse, eppure temendo udirlo. Si sciolsero lentamente dalla loro stretta, Luisa per la prima. Ella riprese però la mano di suo marito, volle accostarsela da capo alle labbra. Franco trasse teneramente a sé quella di lei, tentò un'ultima parola:

« Perché non mi vuoi rispondere? »

« Ti farei troppo male » diss'ella, sottovoce.

Egli ebbe il senso di una irreparabile rovina nell'anima di lei e tacque. Non ritirò la mano ma si sentí mancare ogni forza, invader da uno scuro, da un gelo, come se Maria, chiamata inutilmente, fosse morta una seconda volta. L'angoscia, la stanchezza, l'afa, i misti odori della camera poterono tanto sopra di esso che dovette uscire per non venir meno.

Andò in loggia. Le finestre erano aperte; l'aria pura, fresca, lo rianimò. Pianse, al buio, la sua figliola, senza ritegno, senza nemmeno quel ritegno che vien dalla luce. S'inginocchiò ad una finestra, s'incrociò le braccia sul petto, pianse, col viso al cielo, lagrime e parole a flutti, parole incomposte di strazio e di fede ardente, chiamando Dio in aiuto, Dio, Dio che lo aveva colpito. E glielo disse, a Dio, con la piena delle lagrime, che gli permettesse· di piangere ma che sapeva bene perché la bambina era morta. Non aveva egli tanto pregato che il Signore la salvasse dal pericolo di perdere la fede stando con sua madre? Ah quella sera, quella ultima sera che Maria gli aveva detto « papà mio, un bacio » e tante altre tenerezze e non voleva lasciar la sua mano, come come aveva pregato! Era un terrore, una gioia, uno spasimo di ricordarlo. « Signore, Signore » diss'egli verso il cielo, « Tu tacevi e mi ascoltavi, Tu mi hai esaudito secondo le tue vie misteriose, Tu hai preso il mio tesoro con te, ella è sicura, ella gode, ella mi aspetta, Tu ne congiungerai! » Non fu amaro il dirotto pianto in cui le parole morirono. Ma dopo, pensando ancora quell'ultima sera, gli fu amarissimo di esser partito senza dirlo a Maria, di averla ingannata. « Maria, Maria mia » supplicò piangendo, « perdonami! » Dio, come gli pareva impossibile che tutto questo fosse vero, come gli pareva di andar nell'alcova, di doverla trovar là, dormente nel suo lettino, con la testa piegata sulla spalla e le manine aperte abbandonate sulle lenzuola, con le palme in su! E invece vi era, sí, ma...! Oh che cosa! non poteva, non poteva essere fine al pianto.

Venne la Leu col lume e gli portò il caffè. L'aveva mandata la signora. Egli ebbe un movimento di tenera gratitudine per sua moglie. Dio, povera Luisa, che infelicità nera la sua! E quali spaventose apparenze di castigo per lei nel colpo che le piombava sopra in quel momento, proprio in quel momento! Lo aveva ben compreso, lei, ch'egli doveva pensar cosí e lo pensava davvero e aveva negato per pietà, sí, per pietà com'ella aveva inteso pure. E queste spaventose apparenze di castigo non frutterebbero dunque niente? Ella si separava da Dio piú che mai, chi sa fino a qual punto. Povera,

povera Luisa! Non era da pregar per Maria, Maria non ne aveva bisogno, era da pregar per Luisa, da pregar dí e notte, da sperar nelle preghiere dell'animetta cara, nascosta in Dio.

Egli parlò con la Leu, abbastanza calmo, si fece raccontar da lei tutto che aveva veduto, tutto che aveva udito della cosa terribile. « La voreva propri el Signor la Soa tosetta » disse la Leu per ultimo. « Biscœugnava vedèlla in giesa, cont i so manitt in crôs cont el so bel faccin seri. La somejava on angiol tal e qual! Propi. » Poi domandò a Franco se desiderasse tener il lume. No, preferiva star allo scuro. E il funerale, a che ora si farebbe? La Leu credeva che si farebbe alle otto. La Leu, quando cominciava a discorrere, non smetteva facilmente e forse aveva anche paura di starsene soletta in cucina: « El so papà! » diss'ella ancora prima di andarsene. « El so car papà! L'è forsi minga vott dí che son vegnüda chí a portagh di castegn a la sciora e sta cara tosetta, che la parlava inscí polito, propi come on avocàt, la fa: – Sai, Leu, presto il mio papà viene a Lugano e io vado a trovarlo. – Ciào, l'è ona gran roba! »

Lagrime e lagrime. Ah Iddio aveva preso la bambina per toglierla agli errori del mondo, Iddio aveva punito Luisa degli errori suoi ma non era disegnato l'orribile castigo anche per lui? Non aveva egli colpe? Oh sí, quante, quante! Ebbe la chiara visione di tutta la propria vita miseramente vuota di opere, piena di vanità, mal rispondente alle credenze che professava, tale da renderlo responsabile dell'irreligiosità di Luisa. Il mondo lo giudicava buono per le qualità di cui non aveva merito alcuno, essendo nato con esse; tanto piú severo sentiva sopra di sé il giudizio di Dio che molto gli aveva dato e frutto non ne aveva colto. S'inginocchiò da capo, si umiliò sotto il castigo, nella desolata contrizione del cuore, nell'ardor di espiare, di purificarsi, di farsi degno che Iddio lo ricongiungesse con Maria. Pregò e pianse a lungo, poi uscí sulla terrazza. Il cielo

320

imbiancava sopra la Galbiga e le montagne del lago di Como; veniva giorno. Dal nero Boglia imminente soffiavano le tramontane fredde. Da vicino e da lontano, a riva di lago e nell'alto grembo della valle, si levaron suoni di campane. L'idea che Maria e la nonna Teresa erano insieme, felici, salí al cuore di Franco spontanea, chiara e soave. Gli parve che il Signore gli dicesse: ti addoloro ma ti amo, aspetta, confida, saprai. Le campane suonavano da vicino e da lontano, a riva di lago e nell'alto grembo della valle, il cielo diventava piú e piú bianco sopra la Galbiga, verso il lago di Como, lungo l'erto profilo nero del Picco di Cressogno; e le distese dell'acqua piana prendevano laggiú in levante, fra le grandi ombre dei monti, un chiaror di perla. Le frondi della passiflora, tocche dalle tromontane, ondulavano silenziosamente sopra il capo di Franco, agitate dall'aspettazione della luce, della gloria immensa che scendeva in oriente colorando di sé nuvoli e sereno, salutata dalle campane.

Vivere, vivere, operare, soffrire, adorare, ascendere! La luce voleva questo. Portarsi via i vivi tra le braccia, portarsi via i morti nel cuore, ritornare a Torino, servir l'Italia, morir per lei! Il nuovo giorno voleva questo. Italia, Italia, madre cara! Franco giunse le mani in uno slancio di desiderio.

Anche Luisa udí le campane. Non avrebbe voluto udirle, non avrebbe voluto che venisse giorno mai piú, che venisse l'ora di ceder Maria alla terra. Inginocchiata presso il corpicino della sua creatura le promise che ogni giorno, finché avesse vita, sarebbe venuta a parlarle, a portarle fiori, a tenerle compagnia, mattina e sera. Poi sedette, affondò nei pensieri cupi che non aveva voluto dire al marito, cresciuti e maturati in lei nel corso di ventiquattr'ore come una maligna infezione assorbita da lungo tempo, rimasta inerte per lungo tempo, colta, un dato momento, dalla corrente del sangue, divampata con fulminea violenza.

Tutte le sue idee religiose, la sua fede nell'esistenza di Dio, il suo scetticismo circa la immortalità dell'anima tendevano a capovolgersi. Ella era convinta di non essere affatto in colpa della morte di Maria. Se realmente esisteva una Intelligenza, una Volontà, una Forza padrona degli uomini e delle cose, la mostruosa colpa era sua. Questa Intelligenza aveva freddamente disegnato la visita della Pasotti e il suo dono, aveva allontanato da Maria le persone che potevano custodirla in assenza della madre, l'aveva tratta senza difesa nelle sue insidie feroci, e uccisa. Questa Forza aveva fermato lei, la madre, proprio nel momento in cui stava per compiere un atto di giustizia. Stupida lei che aveva prima creduto nella Giustizia Divina! Non v'era Giustizia Divina, vi era invece l'altare alleato del Trono, il Dio austriaco, socio di tutte le ingiustizie, di tutte le prepotenze, autore del dolore e del male, uccisore degl'innocenti e protettore degl'iniqui. Ah s'egli esisteva, meglio che Maria fosse tutta lí, in quel corpo, meglio che nessuna parte di lei cadesse, sopravvissuta, nelle mani della sua Onnipotenza malvagia!

Ma era possibile dubitare che quest'orribile Iddio esistesse. E se non esistesse si potrebbe desiderare che una parte dell'essere umano continuasse a vivere, non miracolosamente, ma naturalmente, oltre la tomba. Ciò era forse piú facile a concepire, che la esistenza di un tiranno invisibile, di un Creatore feroce contro le proprie creature. Meglio la signoria della Natura senza Dio, meglio un padrone cieco ma non nemico, non deliberatamente cattivo. Certo non bisognava pensare piú in alcun modo né in questa vita né in una vita futura, se vi fosse, al fantasma vano, Giustizia.

La fioca luce dell'alba si mesceva a' suoi pensieri come a quelli di Franco, solenne e consolante per lui, odiosa per lei. Egli, cristiano, pensava una insurrezione di collera e d'armi contro fratelli in Cristo per l'amore di un punto sopra un minimo astro dei cieli; ella pensava una ribellione immensa, una liberazione dell'Universo. Il pensiero di lei poteva parere piú grande, l'intelletto di lei poteva parere piú forte; ma Colui che meglio è conosciuto dalle generazioni umane quanto piú ascendono nella civiltà e nella scienza; Colui che consente venire onorato da ciascuna generazione secondo il poter suo e che gradatamente trasforma ed alza gli ideali dei popoli, servendosi per il governo della terra, nel tempo opportuno, anche degl'ideali inferiori e perituri; Colui ch'essendo la Pace e la Vita sofferse venir chiamato il Dio degli eserciti, avea impresso il segno del Suo giudizio sul viso della donna e sul viso dell'uomo. Mentre l'alba si accendeva in aurora, la fronte di Franco venivasi irradiando di una luce interiore, gli occhi suoi ardevano, fra le lagrime, di vigor vitale: la fronte di Luisa sempre piú si oscurava, le tenebre salivano in fondo a' suoi occhi spenti.

Al levar del sole una barca comparve alla punta della Caravina. Era l'avvocato V. che veniva da Varenna alla chiamata di Luisa.

XII. *Fantasmi*

La sera di quello stesso giorno una conversazione fiorita si raccolse nella sala rossa della marchesa. Pasotti vi portò seco a forza la sua disgraziata moglie e quasi a forza il signor Giacomo Puttini riluttante invano ai capricci dispotici del Controllore gentilissimo. Vennero pure il curato di Puria e il Paolin, curiosi di veder l'effetto della tragedia di Oria sulla vecchia faccia di marmo. Il Paolin trascinò seco il buon Paolon, mollemente riluttante anche lui come un pecorone. Venne il curato di Cima, devoto alla marchesa, venne il prefetto della Caravina, tutto, il cuor suo, per Franco e Luisa, obbligato, come parroco di Cressogno, a certi riguardi verso la loro nemica.

Costei accolse tutti col solito viso impassibile, col solito flemmatico saluto. Si fece sedere accanto, sul canapè, la signora Barborin alla quale il padrone aveva proibito il menomo accenno ai casi di Oria, si lasciò ossequiare dagli altri, fece le solite domande al Paolin e al Paolon circa le rispettive loro dame e soddisfatta d'aver appreso che la Paolina e la Paolona stavano bene, incrociò le mani sul ventre e tacque dignitosamente in faccia al semicerchio de' suoi cortigiani. Pasotti, non vedendo Friend, s'informò subito di lui con ossequiosa premura: « E 'l Friend? Poer Friend! », benché se lo avesse avuto nelle granfie, *solus cum solo*, quel brutto diavolaccio ringhioso che sciupava i calzoni a lui e le sottane a sua moglie, lo avrebbe strozzato con gioia. Friend era infermo da due giorni. Tutta la brigata si commosse e lamentò il caso con la segreta speranza che il maledetto mostro fosse per crepare. La Pasotti vedendo tante bocche parlare, tante facce diventar contrite, e non udendo una parola, suppose che si discorresse di Oria, si rivolse al Paolon suo vicino, lo interrogò con gli occhi, spalancando la bocca, indicando col dito la direzione di Oria. Il Paolon le fece segno di no. « Parlen del cagnœu » diss'egli. La sorda non intese, fece « ah! » e prese, a caso, un'aria compunta.

Friend mangiava troppo e troppo bene, soffriva d'una malattia schifosa. Il Paolin e il curato di Puria diedero premurosi consigli. Il prefetto della Caravina aveva espresso altrove la temperata opinione che fosse da buttarlo nel lago con la sua padrona al collo. Mentre si parlava con tanto interesse della bestia di casa, egli pensava a Luisa stravolta, livida, come l'aveva vista la mattina, quando s'era opposta come una forsennata, prima alla chiusura della bara, poi al trasporto, e quando nel cimitero aveva gettato lei con le sue proprie mani la terra sulla sua bambina, dicendole d'aspettarla e che sarebbe presto discesa a giacer con lei e che quello doveva essere il loro paradiso.

Se si parlava con interesse del rognoso Friend, i fantasmi della bambina morta e della madre disperata erano però nella sala. Quando nessuno seppe piú che dire del cane e vi ebbe un momento di silenzio, i due fantasmi squallidi furono uditi da tutti domandar che si parlasse di loro; e ciascuno li vide negli occhi della persona che li amava, la sorda Pasotti. Suo marito cercò subito una diversione, propose al signor Giacomo un problema di tarocchi. Uno scartante che ha tre cartine, tutte figure, una dama e due cavalli, e ha pure il matto, cosa deve fare? Scartare la dama e un cavallo o i due cavalli? Il signor Giacomo si mise a soffiare a tutto vapore, gonfiando le gote rosse e il cravattone bianco: « Apff! No. Controllore gentilissimo, no, La me dispensa. Da le dame no digo ma dai cavai mi son stà sempre lontan. Apff! ». Gli altri tarocchisti raccolsero in fretta il problema, i fantasmi non furono piú uditi e ciascuno respirò.

Erano le nove. Alle nove, di solito, il cameriere entrava con due candele accese e apparecchiava il tavolino del tarocco in un angolo della sala, fra il gran camino e il balcone di ponente. Allora la marchesa si alzava e diceva con la sua flemma sonnolenta:

« Se creden. »

I due o tre presenti rispondevano « sem chí » e incominciava l'*entro* in tre o la partita in quattro.

Il vecchio cameriere, affezionatissimo a don Franco, esitò, quella sera, a portare i lumi. Non gli pareva possibile che la padrona e i signori avessero il coraggio di giuocare. Alle nove e cinque minuti, non vedendolo entrare, ciascuno commentò il ritardo fra sé. Il Paolin, prima di entrar in casa, aveva sostenuto contro il prefetto che non si sarebbe giuocato. Egli guardò trionfante il suo avversario e lo guardò pure il Paolon compiacendosi, per una solidarietà di Paoli, che avesse ra-

gione il Paolin. Pasotti, che si era tenuto sicuro di giuocare, cominciò a dar segni d'inquietudine. Alle nove e
sette minuti, la marchesa pregò il prefetto di suonare
il campanello. Quegli restituí al Paolin l'occhiata trionfante e vi aggiunse tutto il muto disprezzo per la vecchia, che poté.

« Apparecchiate » diss'ella al cameriere.

Questi entrò poco dopo con le due candele. Anche in
fondo agli occhi suoi crucciosi si vedeva il fantasma della bambina morta. Mentr'egli disponeva sul tavolino le
candele, le carte da giuoco e i gettoni d'avorio, si fece
nella sala quel silenzio di aspettazione che soleva precedere l'alzarsi della marchesa. Ma la marchesa non
diede segno di volersi alzare. Si voltò a Pasotti e gli
disse:

« Controllore, se desideran giuocare Loro... »

« Marchesa » rispose Pasotti, pronto, « la presenza di
mia moglie non deve impedirle di fare la Sua partita.
Barbara giuoca male ma si diverte moltissimo a guardare. »

« Stasera non giuoco » rispose la marchesa. La voce era
molle ma il no era duro.

Il buon Paolon, che taceva sempre e non sapeva giuocare a tarocchi, credette aver finalmente trovato una
parola ossequiosa e savia da metter fuori.

« Già! » diss'egli.

Pasotti lo guardò in cagnesco, pensò: « cosa c'entra
lui? » ma non osò parlare. La marchesa non parve accorgersi della scoperta del Paolon e soggiunse:

« Posson giuocare Loro. »

« Mai piú! » esclamò il prefetto. « Neanche per sogno! »

Pasotti levò di tasca la tabacchiera. « Il signor prefetto » diss'egli facendo spiccare le sillabe e alzando un
poco la mano aperta con una presa tra il pollice e l'indice « parla per sé. Per parte mia, se la signora mar-

chesa lo desidera, son pronto a soddisfare il suo desiderio. »

La marchesa tacque e il focoso prefetto, incoraggiato da quel silenzio, borbottò a mezza voce:

« È un lutto di famiglia, infine. »

Da quando Franco era uscito di casa il suo nome non era mai stato pronunciato nelle conversazioni serali della sala rossa, la marchesa non aveva mai fatto allusione a lui né a sua moglie. Ella ruppe adesso il silenzio di quattro anni.

« Mi rincresce per la creatura » diss'ella, « ma per suo padre e sua madre è un castigo di Dio. »

Tutti tacquero. Dopo alcuni minuti, Pasotti disse a voce bassa, in tono solenne:

« Fulmineo. »

E il curato di Cima soggiunse piú forte:

« Evidente. »

Il Paolin ebbe paura di tacere e di parlare, fecé « ma! » e allora il Paolon osservò: « Proprio! ». Il signor Giacomo soffiò.

« Un castigo di Dio! » ripeté con enfasi il curato di Cima. « E anche, date le circostanze, un segno della Sua protezione sopra qualche altra persona. »

Tutti, meno il prefetto che si rodeva, guardarono la marchesa come se la Mano protettrice dell'Onnipotente fosse sospesa sopra la sua parrucca. Invece quella Mano Divina stava sopra il cappellone della Pasotti e le teneva ben chiusi gli orecchi onde non avessero a penetrarvi contaminatrici parole d'iniquità. « Curato » disse Pasotti, « poiché la signora marchesa lo propone, facciamo una partitina? Lei, il Paolin, il signor Giacomo e io. »

I quattro che sedettero al tavolino da giuoco si lasciarono subito dolcemente andare, nel loro angolo, alle comode mollezze della conversazione sbottonata, alle vecchie barzellette ambrosiane attaccate ai tarocchi come l'unto. « Hin nanca arrivaa a Barlassina! » esclamò Pasotti dopo la prima giuocata, ridendo forte per far suonare la sua vittoria e la sua allegria.

Quelli là si erano liberati dai fantasmi; gli altri no.

La sorda, impettita e immobile sul canapè, aveva sofferto angoscie mortali aspettando un gesto del marito che le imponesse di giuocare. Oh Signore, dovrebbe toccarle anche questa condanna? Per grazia del cielo il gesto non venne fatto e la sua prima impressione nel veder i quattro prender posto al tavolino fu di sollievo. Ma poi le riprese subito un disgusto amaro. Che insulto, quel giuoco, alla sua Luisa, che disprezzo per la povera cara Ombrettina morta! Nessuno le parlava, nessuno faceva attenzione a lei: ella si mise a recitare mentalmente una fila di *Pater*, *Ave* e *Gloria*, per la cattiva creatura seduta all'altro angolo del canapè, tanto vecchia, tanto vicina a comparire davanti a Dio. Le dedicò la preghiera per la conversione dei peccatori che soleva dire mattina e sera per suo marito da quando aveva scoperto certe sue familiarità con una bassa persona di casa.

Il prefetto, a udir gli schiamazzi di Pasotti, si alzò e prese congedo. « Aspetti » gli disse la marchesa « di prender un bicchier di vino. » Alle nove e mezzo soleva capitare una bottiglia preziosa di San Colombano vecchio. « Stasera non bevo » rispose il prefetto, eroicamente. « Son troppo sottosopra da questa mattina in poi. Il Puria sa perché. »

« Ma! » fece il Puria, sottovoce. « È stata una gran tragedia, già. »

Silenzio. Il prefetto s'inchinò alla marchesa, salutò la Pasotti con l'espressione del « c'intendiamo » e partí.

Il curato di Puria, corpo grosso e cervello fino, studiava la marchesa senza parere. Era ella tocca o no dai fatti di Oria? L'essersi astenuta dal giuoco gli ᵤpareva un indizio dubbio. Poteva averlo fatto per rispetto al proprio sangue in astratto. Osservandola bene il curato notò che le sue mani tremavano: cosa nuova. Ella dimenticò di domandare a Pasotti se il vino fosse buono: cosa nuova. La maschera cerea del viso aveva di tratto in tratto qualche contrazione: cosa nuovissima. « È tocca » pensò il curato. Siccome ella taceva, la Pasotti taceva, il Paolon taceva, tutto il gruppo pareva petrificato, cercò lui di rompere il ghiaccio, non trovò di meglio che voltar quelle teste verso il tavolino del giuoco e commentare le apostrofi di Pasotti, le proteste del Paolin, i « no digo » e gli « apff » del signor Giacomo. La marchesa si scosse un poco, si compiacque di osservare che i giuocatori si divertivano. La Pasotti non udí né disse mai parola e gli altri tre finirono con parlar di lei. La marchesa si dolse che fosse tanto sorda, che non si potesse farle un po' di conversazione. Gli altri due dissero di lei tutto il gran bene che meritava e che dice ancora chi la ricorda. Ella stava lí malinconica e muta, non sospettando affatto d'esser il soggetto dei loro discorsi. Il Signore proteggeva la sua profonda, ingenua umiltà, non le lasciava penetrar negli orecchi le lodi della gente ma solo le strapazzate del consorte. I suoi grandi, compunti occhi neri si ravvivarono quando il signor Giacomo pronunciò un gran soffio finale, e i colleghi, lasciate le carte, si abbandonarono sulle spalliere delle rispettive seggiole a riposare alquanto, a ruminar il piacere del giuoco. Finalmente il suo signore si avvicinò al canapè, le fece segno di alzarsi. Per la prima volta in vita sua, forse, ella fu contenta di salire in barca, con grande meraviglia del Puria il quale dichiarò che sul lago, di notte, era un « fifone ». È vero che a cento passi da Cressogno l'orrore del lago e delle tenebre la riprese. Pensò allora con invidia al curato del quale udiva la voce sopra il Tentiòn, fra gli ulivi. « Addio, fifone! » gridò Pasotti. Il « fifone » non udí. Egli e il Paolin discorrevano sottovoce ma con gran calore, commentando le parole della marchesa, del prefetto, di Pasotti, cercando di frugar nel cuore della vecchia, disputando se vi fossero pietà e rimorsi. Il curato era per il sí, il Paolin per il no. Il Paolon precedeva con la lanterna mettendo continui, inintelligibili grugniti. Il Paolin andò poi mordendo tutto che fosse da mordere, la durezza della marchesa, la malignità di Pasotti, la dabbenaggine di sua moglie, la cortigianeria del Cima, la temerità del prefetto, le pazzie di Luisa e di Franco, la debolezza dell'ingegnere Ribera, tante altre colpe di vivi e di morti. Durezze, debolezze, malignità, ostinazioni, cortigianerie: dappertutto, secondo lui, c'era in fondo quell'egoismo porco. « Che gran mond mincion! » fu il suo riassunto finale. « Ch'el senta car el me cürat, quand gh'è quel poo de ris e verz con quel poo de formagg per sora, lassèm pür andà tüsscoss al diavol che l'è mej. » Dopo una sentenza tanto logica nulla restava piú a dire né a grugnire e la piccola comitiva giunta in capo alla salita procedette silenziosa per le umide ombre del Campò, nell'odor fresco dei castagni e dei noci, senz'accorgersi di uno spettro che passava in aria, vôlto a Cressogno.

Partiti i suoi ospiti, la marchesa suonò il campanello per il rosario che non s'era potuto dire alla solita ora. Il rosario di casa Maironi era una cosa viva che aveva le sue radici nei peccati antichi della marchesa e veniva sempre piú sviluppandosi, mettendo nuovi Ave e nuovi Gloria a misura che la vecchia dama avanzava negli anni e si scorgeva piú netto e piú visibile a fronte un teschio schifoso, il proprio. Perciò il suo rosario era lungo assai. I peccati dolci della protratta gioventú non le pesavano troppo sulla coscienza; ma qualche grossa furfanteria d'altro genere, misurabile in lire, soldi e denari, mal confessata e quindi mal perdonabile, le dava una molestia sempre compressa a furia di rosari e sempre rinascente. Mentre chiedeva al Creditore Grande la remissione de' suoi debiti le pareva ch'Egli avesse facoltà d'accordarla intera; invece dopo le si levavano da capo in mente le facce crucciose dei creditori piccoli, ritornava con esse il dubbio del perdono, e la sua avarizia, la sua superbia avevano a lottare con il terrore di un carcere perpetuo per debiti, oltre la tomba.

Recitate le preghiere per la conversione dei peccatori e quelle per la guarigione degl'infermi, prima di venire ai *Deprofundis*, annunciò tre Avemarie nuove secondo la sua intenzione. La guattera, una semplice pia contadina di Cressogno, suppose che le tre Avemarie fossero domandate per quei poveretti di Oria e le recitò con tutto zelo. Le Avemarie della guattera urtarono e dispersero quelle della padrona, che chiedevano sonno, riposo di nervi e di coscienza. Quanto alle Avemarie degli altri, esse furono dette secondo la loro comune intenzione che non restassero, come troppo spesso accadeva, definitivamente appiccicate al rosario. Nessuna insomma poté arrestare lo spettro nel suo cammino.

La marchesa si ritirò verso le undici. Prese dell'acqua di cedro e avendo la cameriera incominciato a parlare di Oria, di don Franco che si sussurrava essere arrivato, le impose silenzio. Era tocca, sí. Aveva sempre davanti agli occhi l'immagine di Maria come l'avea veduta una volta passando in gondola sotto la villetta Gilardoni, piccina, con un grembiale bianco, i capelli lunghi e le braccia nude, stranamente somigliante ad un bambino suo, mortole a tre anni. Sentiva ella affetto, pietà? Non sapeva ella stessa quello che sentisse. Forse dispetto e sgomento di non sapersi liberare da una immagine molesta; forse paura di questo pensiero, che se non fosse stato commesso certo grosso peccato antico, se il testamento del marchese Franco non fosse stato arso, la bambina non sarebbe morta.

Come fu a letto si fece leggere altre preghiere dalla cameriera, le ordinò di spegnere il lume e la congedò. Chiuse gli occhi, cercò di non pensare a niente, e si vide sotto le palpebre una chiara macchia informe che si venne disegnando in un guancialetto, poi in una lettera, poi in un gran crìsantemo bianco e poi in un viso supino, morto, che diventava via via piú piccolo. Le pareva già di assopirsi ma per effetto di quest'ultima trasformazione le vibrò nel cuore il pensiero della bambina, non vide piú nulla sotto le palpebre, il sopore si dileguò ed ella aperse gli occhi, inquieta, malcontenta. Si propose di pensar una partita di tarocchi per cacciar le immaginazioni moleste e richiamar il sonno. Pensò ai tarocchi, poté, con uno sforzo, vedersi nella testa il tavolino da giuoco, i giuocatori, i lumi, le carte; ma quando cessò dallo sforzo per abbandonarsi ad una visione passiva di questi soporifici fantasmi, le comparve sotto le palpebre tutt'altra cosa, una testa che cambiava continuamente lineamenti, espressione, attitudini e che venne per ultimo lentamente ripiegandosi avanti sopra se stessa come nel sonno o nella morte, non mostrando piú che i capelli. Altra scossa di nervi; la marchesa riaperse gli occhi e udí l'orologio della scala suonare. Contò le ore: dodici. Già mezzanotte e non poter dormire! Stette alquanto ad occhi aperti ed ecco adesso immagini nel buio come prima sotto le palpebre. Cominciavano da un nucleo informe e si svolgevano continuamente. Si disegnò un quadrante d'orologio, che diventò un occhio spaventato di pesce, un occhio umano severo. Ad un tratto venne alla marchesa l'idea che non riuscirebbe a dormire e il sopore già inoltrato andò rotto da capo. Allora ella suonò il campanello.

La cameriera si fece chiamar due volte e poi venne mezzo svestita, dormigliosa. L'ordine fu di posar il lume sopra una sedia per modo che dal letto non si potesse veder la fiamma; di prendere un volume di prediche del Barbieri e di leggere a mezza voce. La cameriera era abituata a somministrare questi narcotici. Si pose a leggere e in capo alla seconda pagina, udendo il respiro della padrona farsi greve, andò pian piano smorzando la voce per un mormorio inarticolato, fino al silenzio. Aspettò un poco, ascoltò il respiro regolare e pesante, si alzò a guardar la faccia cupa, supina sul doppio guanciale con le sopracciglia aggrottate e la bocca semiaperta, prese il lume e si ritirò in punta di piedi.

La marchesa dormiva e sognava. Sognava di giacer sulla soglia nello stanzone buio di un carcere, con i ceppi ai piedi, accusata di assassinio. Entrava il giudice con un lume, sedeva presso a lei e leggeva una predica sulla necessità della confessione. Ella gli si protestava innocente, ripeteva: « Ma non sa che si è annegata da sé? ». Il giudice non rispondeva, leggeva, leggeva sempre con voce compunta e solenne, e la marchesa insisteva: « No, non l'ho uccisa ». Non era flemmatica nel sogno, si agitava come una disperata. « Badi » rispondeva il giudice. « La bambina lo dice. » Egli si alzava in piedi e ripeteva: « Lo dice ». Poi batté forte le mani palma a palma ed esclamò: « Entrate! ». Fino a questo punto la marchesa aveva sentito, sognando, di sognare; qui credette svegliarsi, vide con orrore che qualcuno era entrato infatti.

Una forma umana debolmente luminosa stava a sedere sulla poltrona ingombra di vesti, presso il suo letto, sí ch'ella non poteva vedere la parte inferiore dell'Apparizione. Il busto, le braccia, le mani raccolte insieme avevano un colore biancastro e contorni alquanto incerti; la testa, appoggiata alla spalliera, era nitida e circonfusa d'un chiaror pallido. Gli occhi scuri, vivi, fissavano la marchesa. Che orrore! Era veramente la bambina morta. Che orrore, che orrore! Gli occhi dell'Apparizione parlavano, lo dicevano. Il giudice aveva ragione, la bambina lo diceva, senza parole, con gli occhi. « Tu, nonna, tu sei stata, tu. Io avrei dovuto nascer e vivere nella tua casa. Tu non l'hai voluto. Sei condannata alla morte eterna. »

Gli occhi soli, i fissi, tristi, pietosi occhi dicevano tutto questo ad un tempo. La marchesa mise un lungo gemito, stese le braccia verso l'Apparizione, credendo dir qualche cosa e non riuscendo che a rantolare « ah... ah...

ah... » mentre le mani, le braccia, il busto del fantasma sfumavano in una nebbia, i contorni del viso illanguidivano e solo rimaneva intenso lo sguardo, che finalmente pure si velò e rientrò quasi in un lontano e profondo Se stesso, null'altro rimanendo dell'Apparizione che poca fosforescenza poi assorbita dall'ombra.

La marchesa si svegliò di soprassalto, ansante, non si ricordò del campanello, si provò a gridare e non riuscí a metter fuori la voce. Con un impeto della sua volontà potente ancora nello sfacelo delle forze, cacciò le gambe dal letto, discese, fece due passi brancolando nel buio, incespicò nella poltrona, si aggrappò a una sedia, cadde con essa pesantemente sul pavimento, si mise a gemere.

La cameriera si svegliò al tonfo, chiamò, non ebbe risposta, udí il gemito e, acceso il lume, accorse, vide nella penombra, tra la sedia e la poltrona, qualche cosa di bianco e d'enorme che si divincolava sul pavimento come una bestia mostruosa del mare tirata a secco. Gridò, corse al campanello, svegliò d'un colpo tutta la casa e si precipitò ad aiutar la vecchia che rantolava: « Il prete, il prete! Il prefetto, il prefetto! ».

XIII. *In fuga*

Alle due e mezzo dopo la mezzanotte, Franco, l'avvocato V. e il loro amico Pedraglio erano seduti in loggia, al buio, in silenzio. A un tratto Pedraglio si alzò dicendo: « Cosa fa questo asino? », uscí sulla terrazza, vi stette in ascolto e rientrò. « Niente » diss'egli. « Disi mi, e per quell'asino che si sarà addormentato dobbiamo star qui da minchioni ad aspettare che ci prendano? Tu, Maironi, la strada presso a poco la sai e siamo poi anche in tre che abbiamo il fegato buono. Se occorrerà de dà via on quai cazzott el darèm via, neh ti avocàt? »

Il Pedraglio s'era trovato la sera prima, verso le sette, sulla strada fra Loveno e Menaggio nel luogo che chiamano « el crott del Bertin ». Un uomo gli aveva chiesto l'elemosina e posto in mano un biglietto. Poi si era allontanato rapidamente. Il biglietto diceva: « Perché il Carlino Pedraj non valo mica subito a Oria a trovare il Signor Maironi e il signor avocatto di Varenna per fare una bella spasseggiata con gli amici cari da quel co di quel palo? ». Dopo l'arresto del medico di Pellio, amico suo, Pedraglio era in sospetto di qualche tiro della Polizia, e quel biglietto non era il primo avviso salutare e sgrammaticato che pervenisse a un patriota. Il biglietto parlava chiaro; bisognava passar subito il palo del confine. Il Pedraglio non sapeva niente della disgrazia di Franco né del suo ritorno né che l'avvocato fosse a Oria, ma non andò a cercar altro, corse a Loveno, si provvide di denaro e si pose in cammino. Non si fidò di venire a Porlezza, prese il sentiero che presso Tavordo sale per un vallone deserto al Passo Stretto. Agile come un camoscio, arrivò in quattr'ore a Oria, trovò che Franco e l'avvocato si preparavano a partire per un altro avvertimento misterioso pervenuto loro dal curato di Castello, ch'era stato a Porlezza e ne aveva ricevuto l'incarico in confessione. Ismaele doveva guidarli oltre il confine. I passi del Boglia erano guardatissimi. Ismaele si proponeva di passar fra il monte della Nave e Castello per calar poi nella valle, tagliar dritto all'Alpe di Castello sotto il Sasso Grande e di là scendere a Cadro, un'ora sopra Lugano.

Ma Ismaele doveva venire alle due, e alle due e mezzo non s'era veduto ancora.

Anche Luisa era in piedi. Stava nell'alcova rammendando un paio di calze di Maria per metterle poi sul lettino dove aveva disposto le cosucce di Ombretta con la stessa cura di quando la piccina era viva. Non aveva voluto vedere né l'avvocato né Pedraglio. Dopo le smanie del funerale il suo dolore aveva ripreso quell'aspetto cupo che piú dispiaceva al dottor Aliprandi. Non smaniava piú, non parlava; pianto, non aveva mai. Il suo contegno con Franco era un contegno di pietà per l'uomo che l'amava e il cui affetto, la cui presenza le erano, malgrado lei stessa, indifferenti. Franco, sperando nell'impiego di cui gli aveva tenuto parola il suo direttore, aveva parlato di portar seco la famiglia a Torino. Lo zio, poveretto, era disposto anche a questo sacrificio ma Luisa aveva detto chiaro che piuttosto di allontanarsi dalla sua figliuola finirebbe nel lago come lei.

Franco, udita la proposta di partire senza Ismaele, si alzò e disse che andava a congedarsi da sua moglie. Nello stesso momento l'avvocato udí un passo nella strada. «Silenzio!» diss'egli. «È qui.» Franco uscí sulla terrazza. Qualcuno veniva infatti dalla parte di Albogasio. Franco attese che arrivasse sul sagrato e chiamò a mezza voce:

«Ismaele!»

«Sono io» rispose una voce che non era quella di Ismaele. «Sono il prefetto. Vengo su.»

Il prefetto? A quell'ora? Che poteva essere accaduto? Franco andò in cucina ad accendere un lume e discese le scale in fretta.

Passarono cinque minuti e gli amici non lo videro ricomparire. Capitò invece la moglie d'Ismaele a dire che suo marito si sentiva male e non poteva muoversi. Parlò dal sagrato a Pedraglio che stava sulla terrazza. Quegli corse a chiamar Franco. Lo trovò sulle scale che saliva col prefetto. «La guida è ammalata» diss'egli, conoscendo il prete per un galantuomo. «Andiamo e non perdiamo tempo.» Franco gli rispose che subito non poteva venire e che lo precedessero. Come, non poteva venire? No, non poteva. Fece passare il prefetto in sala, chiamò l'avvocato, insistette con lui e con Pedraglio perché partissero subito. Era successa una cosa straordinaria, doveva parlarne a sua moglie, non poteva

336

dire che risoluzione prenderebbe. Gli amici protestarono che mai non l'avrebbero abbandonato. L'allegro Pedraglio, uso a spendere oltre i desideri di suo padre, osservò che alla peggio a Josephstadt o a Kufstein si viveva piú a buon mercato e piú virtuosamente che a Torino e che ciò avrebbe consolato il suo « regiôr ». « No no! » esclamò Franco. « Andate, andate! Prefetto, persuadili tu! » Ed entrò nell'alcova.

« Partite? » gli disse Luisa con quella voce che pareva venire da un mondo lontano. « Addio. » Egli le si avvicinò, si chinò a baciar la calzettina che teneva in mano. « Luisa » mormorò, « c'è qui il prefetto della Caravina. » Ella non mostrò alcuna sorpresa. « La nonna lo ha fatto chiamare stanotte » continuò Franco. « Gli ha detto di aver veduto la nostra Maria, luminosa come un angelo. »

« Oh, che menzogna! » fece Luisa con una voce grossa di disprezzo, senz'ira. « Come se fosse possibile che andasse da lei e non venisse da me! »

« Maria le ha toccato il cuore » riprese Franco. « Ella ci domanda perdono, ha paura di morire, mi supplica di andar da lei, di portarle una parola di pace anche per te. »

Neppure Franco credeva all'Apparizione, scettico profondamente com'era per tutto il soprannaturale non religioso, ma credeva che Maria, nella sua esistenza superiore, avesse già potuto operare un miracolo, toccar il cuore della nonna e ciò gli recava una commozione indicibile. Luisa restò di ghiaccio. Neppur s'irritò, come Franco temeva, all'idea di mandar un messaggio amorevole. « La nonna avrà paura dell'inferno » osservò con quella sua freddezza mortale. « L'inferno non c'è, tutto si riduce a un po' di spavento, è una pena da niente, la subisca e poi muoia anche lei come si muore tutti e amen. » Franco intese che sarebbe stato inutile insistere. « Allora vado » diss'egli. Ella tacque.

« Non credo che potrò ripassar da casa, nel ritorno »

riprese Franco. « Dovrò prendere la montagna. »
Nessuna risposta.

Il giovane disse sottovoce: « Luisa! ». Rimprovero, -dolore, passione: tutto questo era nel suo richiamo. Le mani di Luisa, che mai non avevano smesso il lavoro, si fermarono. Ella mormorò:

« Non sento piú niente. Sono un sasso. »

Franco si sentí mancare, baciò sua moglie sui capelli, le disse addio, entrò nell'alcova, s'inginocchiò, abbracciò il lettuccio vôto, pensò alla vocina del suo tesoro: « ancora un bacio, papà », ebbe un assalto di pianto, si contenne, corse via precipitosamente.

Gli amici lo attendevano in sala impazienti. Come partire se non conoscevan le strade? L'avvocato conosceva la strada di Boglia, sí, ma era da prendere, volendo sfuggire alle guardie? Quando udirono che Franco intendeva andare a Cressogno rimasero sbalorditi. Pedraglio uscí dai gangheri, disse ch'era un'indegnità di piantar cosí gli amici nell'imbarazzo. Il prefetto, udito come le cose stavano, s'uní a Pedraglio, offerse di giustificare Franco, gli propose di scrivere due parole ch'egli avrebbe portate a Cressogno. Ma Franco aveva l'idea che la sua Maria volesse da lui questa cosa e non cedette. Gli venne in mente che il prefetto era pratico di tutti i sentieri come una lepre. « Va tu! » gli diss'egli. « Accompagnali tu! » Il prefetto stava per rispondere che forse la marchesa potrebbe aver bisogno di lui, quando l'avvocato fece: « Zitto! guardate ».

Proprio davanti alla casa, dove l'ombra del monte Bisgnago si profilava sull'acqua ondulando, c'era una barca ferma. Franco riconobbe la lancia delle guardie di finanza.

« Scommetto che quei porci là ci fanno la guardia » mormorò Pedraglio. « Temono che si scappi in barca. Almeno spiano! »

« Zitto! » fece ancora l'avvocato affacciandosi alla finestra verso il sagrato.

Tutti tacquero, trattenendo il respiro.

« Fiœui! » disse V. scostandosi bruscamente dalla finestra: « Ghe semm! » Franco andò alla finestra, vide un uomo solo che veniva correndo, credette a un falso allarme; ma l'uomo, quel tale che portava il nomignolo di « légora fugada », che vedeva e sapeva tutto, gli gittò, passando sotto la finestra, due parole: « La forza! ». Si udirono in pari tempo i passi di molte persone. Franco esclamò « Con me! anche tu, prefetto! ». Si slanciò, seguito da tutti, nel cortiletto ch'è tra la casa e il monte, raggiunse, passando per una legnaia, la scorciatoia che mette ad Albogasio Superiore. Faceva cosí scuro che nessuno si accorse di una guardia di finanza appostata con la carabina in pugno a due passi dall'uscio della legnaia. Per fortuna la guardia, certo Filippini di Busto, era un galantuomo che mangiava a malincuore il pane austriaco per non averne potuto trovare altro. « Presto! » diss'egli sottovoce. « Prendano i campi e poi la strada di Boglia! Il sentiero sotto il faggio della Madonnina, a sinistra! » Franco ringraziò quell'uomo, si avventò con i compagni sul ripido sentiero che mette alla stradicciuola comunale di Albogasio Superiore. Giunti a mezza via, saltarono tutti a destra in un campo di granturco e stettero in ascolto. Udirono passi sulla scaletta che sale dal sagrato e poi sul sentiero dov'era appostata la guardia. Evidentemente si voleva accertarsi che tutte le uscite fossero ben guardate. I quattro strisciarono subito via attraverso il granturco e giunti sotto lo scoglio che chiamano « Sass del Lori », tennero consiglio. Avrebbero potuto prendere il sentiero che monta sulla strada di Albogasio proprio alla porta del giardino Pasotti, e poi arrampicarsi di campo in campo fino alla strada di Boglia. Ma il sentiero era difficile a trovare a quell'ora; temendo perdere troppo tempo, prescelsero di raggiungere una scaletta che da Albogasio Inferiore sale presso la casa Puttini. Quindi, girando a destra la casa Puttini, avrebbero raggiunto in due salti la strada di Boglia. Faceva già un po' meno scuro; ciò era male per un verso ma era bene per cavarsela da quel labirinto di campicelli e di muricciuoli. Nessuno parlava. Il solo Pedraglio, qualche volta, inciampando in un sasso o pungendosi in una siepe, urlava una maledizione meneghina. Allora gli altri zittivano. Arrivarono sulla scaletta preceduti dal prefetto che saltava muri e siepi come uno scoiattolo. Quando furono tutti raccolti sulla scaletta, Franco si staccò dal gruppo. Per la strada di Boglia non avevano bisogno di lui, egli andava a Cressogno. Invano Pedraglio lo afferrò per le braccia, invano il prefetto lo supplicò di non esporsi a un arresto sicuro, magari all'ergastolo. Egli credeva di obbedire alla voce di Maria, a un dovere di coscienza. Si strappò da Pedraglio e disparve su per la scaletta, non volendo andar a Cressogno per S. Mamette che sarebbe stato troppo pericoloso. « Avanti! » disse il prefetto. « Quello là è matto, pensiamo a noi. »

Girando la casa del Puttini udirono gente che veniva loro incontro e ridiscesero. La porta di casa Puttini era aperta. Vi entrarono. La gente passò discorrendo. Erano contadini e uno diceva: « Dove diavol el va a st'ora chí? ». Ahimè, hanno incontrato e riconosciuto Franco. Se i gendarmi e le guardie si mettono alla caccia dei fuggitivi e s'imbattono in quella gente, ecco che trovano una traccia. Sull'alba si trova sempre gente. Stavolta s'è potuta evitare; un'altra volta, forse, non si potrà; un altro incontro può riescir fatale all'avvocato e a Pedraglio come il primo riuscirà probabilmente fatale a Franco. « Bisognerebbe che vi travestiste da contadini » dice il prefetto. All'avvocato, che ha dell'artista e del poeta e conosce bene il Puttini, viene un'idea: pigliar gli abiti del sior Zacomo per il Pedraglio ch'è piccolo anche lui, pigliar per sé un vestito della serva ch'è grande e grossa, cacciar le spoglie proprie in una gerla, caricarsene le spalle e via per Boglia. Il primo deputato politico di Albogasio ha cento ragioni di andare nel bosco del Comune. Detto fatto salgon le scale e il prefetto, ch'è pratico, va diritto a chiamare la Marianna. Costei non risponde; la sua camera è vuota. Il prefetto indovina subito che la perfida servente è andata a S. Mamette per qualche negozio segreto, come quello dell'olio. Ecco perché l'uscio di strada era aperto! Vanno in cucina, accendono due lumi, l'avvocato ne piglia uno e si fa insegnare la camera del sior Zacomo. Intanto Pedraglio esplora la cucina con l'altro lume, in cerca « de on quai diavol de bev » per pigliar fiato.

Il sior Zacomo dormiva in una stanza d'angolo oltre una sala che l'avvocato attraversò in punta di piedi camminando tra mucchi di castagne, di noci, di nocciuole e di pere. Egli si accosta all'uscio: è chiuso. Origlia: silenzio. Gira pian piano la maniglia e spinge. L'infame uscio scricchiola, si ode un formidabile soffio e il sior Zacomo dice rabbiosamente: « Andé! No seché! Andé via! ». L'avvocato entrò senz'altro. « Via, maledéta, digo! » gridò il sior Zacomo, rizzando sul guanciale la punta bianca del suo berretto da notte. Veduto l'avvocato, si mise a gemere. « Oh Dio, oh Dio! povareto mi, La me perdoni per carità, credeva che fosse la servente! Avvocato distintissimo, in nome de Dio, cossa xe nato? » « Gnente gnente, sior Zacomo » fece l'avvocato contraffacendolo molto lombardamente col suo imperturbabile umorismo. « Ghe xe qua, digo, ciò, el Commissario de Porlezza. »

« Oh Dio! » Il sior Zacomo fece un atto di gettar le gambe fuori del letto.

« Gnente, gnente, quieto quieto, soto soto. Andemo in Boglia, digo, ciò, per quel maledeto toro! »

« Oh Dio, cossa disela, che a sta stagion in Boglia no ghe xe tori! Mi sudo tuto! »

« No fa gnente, andemo, digo, a veder el posto, ciò, dove ch'el gera. — Ma il signor Commissario » continuò il beffardo avvocato lasciando un linguaggio che troppo lo imbarazzava, « Le proibisce assolutamente di venire con noi, per le sue buone ragioni; Le proibisce di uscire prima del nostro ritorno e anzi mi ha ordinato di portarle via gli abiti. »

E si diede a raccogliere rapidamente gli abiti del sior Zacomo, gl'intimò il silenzio in nome del Commissario, pigliò il cappellone a cilindro, arraffò la mazza di canna d'India, ordinò al disgraziato di dare il chiavistello appena uscito lui e di non aprire a nessuno, di non parlare a nessuno prima del ritorno del Commissario e tutto in nome del signor Commissario. Poi, lasciatolo piú morto che vivo, raggiunse i compagni che, fruga qua e fruga là, avevano scovato un lurido vestito della Marianna, un fazzolettone rosso, una gerla e una bottiglia di *anesone triduo*. « Accidenti! » fece l'avvocato, quando vide la roba immonda che doveva mettere. Il suo travestimento andava veramente male, la sottana era corta, il fazzolettone non gli nascondeva abbastanza la faccia, ma non c'era tempo di far meglio. Invece il Pedraglio, cappellone in testa e canna d'India in mano, riescí un sior Zacomo perfetto. L'avvocato gli fece prendere sotto l'ascella uno scartafaccio che trovò in cucina, gl'insegnò come doveva camminare e soffiare. Prese per ultimo le chiavi della cantina, due chiavi enormi, ne diede una al Pedraglio e una ne mise in tasca per due possibili pugni, uno in chiave di violino, disse, e l'altro in chiave di basso. E cosí uscirono, il prefetto davanti, poi il finto sior Zacomo che soffiava come una macchina a vapore, poi la finta Marianna con la gerla. Appena furono in istrada ecco spuntar la Marianna vera di ritorno da San Mamette con un fiasco vuoto. Vista, tra il fosco e il chiaro, la tuba del padrone, diede volta e via a gambe.

« Brutta ladra » fece il prefetto. « Benone. Il travestimento va benone. » In cinque minuti furono sulla strada di Boglia. Il prefetto ridiscese, udí persone che salivano da Albogasio Superiore discorrendo di gendarmi e di guardie, andò loro incontro, domandò che ci fosse di nuovo. Una bagattella. Polizia, gendarmi, soldati a casa Ribera per arrestare don Franco Maironi e pare anche l'avvocato V., perché sapevano che ci doveva essere e hanno molto domandato di lui. Non hanno trovato né l'uno né l'altro benché le guardie di finanza sieno state di piantone intorno alla casa fin dalla mezzanotte. Adesso la Polizia perquisisce tutte le case di Oria ritenendo che i due sieno scappati per il tetto. Mentre si dànno queste informazioni al prefetto, ecco un ragazzo venir di corsa dalla parte di Albogasio Superiore. Lo fermano. « I gendarmi! » dice. « I gendarmi! » È pallido come un cencio lavato e scappa senza saper perché, non gli si può cavare dove questi gendarmi sieno. Arriva una donna che si spiega meglio. Quattro guardie di finanza e quattro gendarmi sono passati in questo punto dalla piazza di Albogasio Superiore. Pare che don Franco sia stato veduto sulla strada di Castello. Due gendarmi e due guardie hanno preso la strada di Boglia. Il prefetto rabbrividisce. « Già » dice qualcuno. « La strada di Boglia per tagliargli il passo. » Questa è la speranza del prefetto, che gendarmi e guardie abbiano di mira il solo Franco. Egli è tanto smilzo, tanto alto: né il finto Puttini né la finta Marianna possono dar sospetto di esser lui. Il loro destino è ormai fuori delle sue mani mentre per Franco egli può far molto ancora. Si incammina verso Cressogno, confidando che a Cressogno Franco arriverà sano e salvo se i gendarmi non ne trovano nuove tracce, perché lo cercheranno su tutti i sentieri che da Castello menano al confine e non mai sulla via di Cressogno.

Pedraglio e l'avvocato fecero il primo tratto di strada, da Albogasio alle stalle di Püs, strisciando su per la ripidissima erta come gatti, a passi lunghi e cauti. L'avvocato camminava in silenzio, l'altro malediceva continuamente, sottovoce, il suo vestiario, « el loder d'on cappel » che gl'invischiava la fronte d'unto; « el boia d'on marsinon » che gli puzzava di troppi sudori antichi. Sino a Püs non incontrarono anima nata. A Püs una vecchia uscí tra le stalle un momento dopo ch'eran passati, disse stupefatta: « Sü per de chi, scior Giacom? A st'ora? ». L'avvocato mormorò: « Boffa! » e l'altro si mise a soffiar « apff! apff! » come un mantice. « Se perd el fiaa per sti strad chí, cara lü » disse la vecchia. Non incontrarono piú nessuno fino alla Sostra.

La Sostra è una stalla a mezza montagna, circa, con un fienile, un portico e una cisterna, alquanto in disparte dalla strada. Quella strada è la piú dannata che sia in Valsolda, farebbe cacciar la lingua a uno stambecco. Pedraglio e l'avvocato, trafelati, grondanti di sudore, entrarono un momento alla Sostra. Anche lí silenzio e deserto. A quella altezza si respirava già un'aria diversa. E come tutte le cime all'intorno erano abbassate! E come il lago, piú nel profondo, pareva diventato un fiume! L'avvocato guardava su amorosamente alla prima cresta del Boglia dove cominciava il gran bosco dei faggi; un'altra mezz'ora di arrampicata. « Andiamo » diss'egli. Ma Pedraglio che aveva nelle gambe la memoria dell'altra gran corsa da Loveno ad Oria per il Passo Stretto, chiese di sostare un altro poco e si mise tranquillamente a sfogliar lo scartafaccio del Puttini, un poema fratesco, inedito, d'un anonimo cremonese del secolo decimosettimo. « Andiamo! » ripeté il suo compagno dopo un paio di minuti, e si alzava già quando udí venir gente. Ebbe appena il tempo di dire « attento! » e di voltar le spalle per non lasciarsi vedere in viso. Pedraglio, pur ficcando il naso nello scartafaccio, vide spuntar sulla strada prima due guardie di finanza e poi due gendarmi. Avvertí l'amico sottovoce, non batté palpebra. Le due guardie si fermarono. Una di loro salutò: « Riverito, signor Puttini » e disse ai gendarmi: « È il primo deputato politico di Albogasio ». I gendarmi salutarono pure, Pedraglio si levò il cappello, alzando un poco lo scartafaccio. Le guardie volevano fare un po' di fermata ma un gendarme intimò loro di proseguire e quando vide incamminata la compagnia venne alla Sostra egli stesso. Era di Ampezzo e parlava italiano benissimo. "Tu, cane, non mi conosci, spero" pensò Pedraglio con una torbida coscienza della sua doppia personalità. "Lascia fare a me."

« Signor deputato politico » disse colui, « avrebbe veduto stamattina il signor Maironi di Oria? »

« Io? Mai piú. Il signor Maironi dorme, a quest'ora. »

« E lei dove va? »

« Vado lí su quel monte, su quel dannato Boglia lí. Vado su per l'affar del toro comunale. »

"Bestia" pensò l'avvocato. "Comunale me lo fa diventare!" Ma passò felicemente anche il toro comunale. Il gendarme, un muso da mastino, squadrò bene il suo interlocutore in viso. « Lei è deputato politico » diss'egli insolentemente « e porta quella roba sul viso? » Pedraglio si prese istintivamente il suo piccolo sottile pizzo nero, barba reproba da liberale. « Taglieremo, taglieremo » diss'egli con serietà comica. « Sí signore. Va sul Boglia anche Lei? » Il gendarme se n'andò duro duro senza rispondergli, senza udire su quale ignominioso patibolo il deputato politico lo mandava.

I due si rallegrarono a vicenda di averla scampata bella ma riconobbero che il giuoco si era fatto molto serio. Adesso bisognava contare con le guardie che conoscevano bene il Puttini, e saperne stare a distanza. E se quel mastino di gendarme parlasse della barba? « Su su » fece l'avvocato, « teniamo loro dietro e se li vediamo o li udiamo tornar giú, gambe in spalla e via a sinistra verso il confine. » Partito disperato, quest'ultimo, perché non conoscevano il terreno, certo familiare alle guardie.

Il mastino dovette sudare e ansar troppo dietro a' suoi compagni per aver poi voglia di parlar di barbe. Pedraglio e l'avvocato, salendo adagio, videro il nemico guadagnar la cresta del monte al faggio della Madonnina, fermarvisi alquanto e sparire.

Il gran faggio antico che portava nel tronco una immagine della Madonna e che cedette, morendo, quest'onore a una cappelletta, era come la sentinella del gran bosco di Boglia, il soldato posto in una insellatura della cresta a spiar il pendio precipitoso, il lago, i clivi di Valsolda. Il venerabile esercito di faggi colossali stava tutto raccolto in un'altra conca silenziosa fra l'erta della Colmaregia, i facili Dorsi della Nave, le radici rocciose dei Denti di Vecchia o Canne d'Organo e l'altra sella del Pian Biscagno fra la Colmaregia e il Sasso Grande, fronteggiante le profondità della Val Colla da Lugano a Cadro. Una lista scoperta, erbosa, correva fra il faggio della Madonnina e il bosco, sull'orlo della cresta. I due fuggiaschi pensarono ai casi loro. Quale partito prendere? Cercar il sentiero sotto il faggio di cui aveva parlato la guardia salvatrice, o entrar nel bosco? No, entrar nel bosco non conveniva, con quella selvaggina che vi era entrata prima. Nel bosco avrebbero trovato un palmo di foglie secche. Era impossibile passarvi senza farsi correre addosso tutti i segugi che vi si aggiravano; e da vicino il travestimento non poteva servire. Prender il sentiero? Ce n'era piú d'uno, sotto il faggio; qual era il buono? Pedraglio maledisse Franco che non era venuto con loro. Invece l'avvocato studiava la Colmaregia che si poteva salire senza entrare nel bosco. Egli era stato due volte sulla Colmaregia, il superbo, sottile vertice erboso del Boglia, tagliato per metà dalla linea di confine; sapeva ch'era possibile scendere di lassú al villaggio svizzero di Brè e risolse di tentar quella via. Sulla cresta che ascende dal faggio della Madonnina verso la Colmaregia non si vedeva nessuno. La punta era avvolta nelle nuvole.

Pochi passi sotto il faggio i due furono colti da un'ondata di nebbia che venuta su per un versante si riversava rapidamente per l'altro, una nebbia fredda e densa, un « Dio fece » disse V. Non si vedeva niente a cinque passi. Cosí avvenne che, presso al faggio, Pedraglio andò quasi a urtare una guardia di finanza.

Era uno dei quattro e aveva la consegna di sorvegliare la lista scoperta fra la cresta del monte e il bosco. Visto l'ometto dal cappellone, fece: « In Boglia, signor...? ». L'avvocato si sbarazzò immediatamente della gerla. Infatti la guardia non compié la frase, restò un momento a bocca aperta, poi esclamò: « Come? ». L'avvocato non aspettò altro. « Cosí » diss'egli placidamente; e raccoltisi sul petto i due pugni in uno ne menò a colui nello stomaco una terribile puntata che lo buttò sul prato a gambe all'aria. Pedraglio gli saltò subito addosso, gli strappò la carabina. « Se gridi, cane, ti brucio » diss'egli. Ma che gridare? Con un pugno di V. nello stomaco non c'era, per un quarto d'ora, neanche da tirare il fiato. Infatti l'uomo pareva morto e ci volle del buono perché arrivasse a gemer sotto voce « ahi ahi! ». « L'è nient, l'è nient » gli diceva V. con la solita flemma canzonatoria. « Sono scosse che fanno bene. Vedrà. Lü adess el se drizza in pee ben polito e viene con noi in Colmaregia. Vedrà come va bene. Non ho adoperato questo a posta. » E gli mostrò la chiave. « Oh che pugno! » gemeva la guardia. « Oh che razza di pugno! »

« La salita è un po' maledetta » riprese l'avvocato pigliando la carabina dalle mani di Pedraglio. « Ma noi le terremo su, con licenza, il di dietro con questo affare qui. A questa maniera si va su che l'è un piacere. Poi Lei viene giú con noi a Brè. La carabina gliela portiamo noi. Lei, per compenso, ci porta una piccola gerla. Parli polito? Andemm, marsch! »

Il disgraziato non riusciva a mettersi in piedi e non si poteva certo lasciarlo lí a rischio che poi si mettesse a chiamar aiuto. « Mincion! » fece Pedraglio. « Ghet daa tropp fort! » V. rispose che gli aveva dato un pugno da donna, restituí la carabina all'amico e ghermita la guardia per il colletto dell'uniforme, la tirò in piedi, le

fece imbracciare la gerla. « Andem, lizòn » diss'egli. « Pol-
tronaccio, andiamo! »

Su tra il nebbione freddo e denso, su, su. L'erta è ripidissima, si dura fatica a piantar la punta del piede fra
i ciuffi dell'erba molle, si sdrucciola, si lavora di piedi e di mani, ma fa niente, su, su, per la libertà. Su
tra il nebbione, invisibili come spiriti, prima la finta
Marianna, poi la guardia che soffia e geme sotto il peso
della gerla, poi il finto sior Zacomo che le promette
le belle viste e la urta con la carabina. La carabina fa
miracoli. In mezz'ora i tre raggiungono la cresta che
scende verso Brè, pochi passi sotto il cocuzzolo. Allora
siedono sull'erba e giú, e giú a precipizio, scivoloni.
Si mette a piovere, la nebbia si dirada, ecco in fondo,
tra i piedi, il rosso dei boschi cedui. Primo vi arriva
di volo il venerabile cappellone del sior Zacomo scara-
ventato abbasso da Pedraglio con un « viva l'Italia! »,
mentre scivola a braccetto della guardia. A Brè Pedraglio fece correre tutto il paese sparando a festa la carabina, distribuí *anesone triduo* agli uomini e mezz'once
alle ragazze, domandò al curato di poter appendere in
chiesa il « marsinon » per grazia ricevuta, si attavolò a
mangiare con la guardia, gli fece predicar dal prete il
perdono dei pugni nello stomaco e gli diede lettura di
una stanza del poema fratesco che finiva cosí:

> *A questo punto il Padre Lanternone*
> *Disse: ho mutato ancor io opiniöne.*

Gli dimostrò che se aveva mutato un Padre Lanter-
none poteva mutar anche lui e lo persuase a disertare,
gli fece buttar via l'uniforme e indossare il « marsinon »
fra le risate e gli applausi. Il solo che non rideva era
l'avvocato. « E quel povero Maironi? » diss'egli.

Franco non attraversò Castello. Giunto alla cappelletta
di Rovajà, saltò giú per il sentiero che mena alla fontana di Caslano, raggiunse la stradicciuola di Casari-

348

co, si mise a salir per quella e all'ultima svolta che fa sotto Castello, dove appare la chiesa di Puria sotto un anfiteatro di dirupi, si gittò a destra nella valle per un sentiero da capre, ne risalí sotto la chiesa di Loggio e giunse a Villa Maironi senz'aver incontrato nessuno.

Carlo, il vecchio servitore che gli aperse, tramortí, quasi, dalla commozione e gli baciò le mani. In quel momento c'era il medico. Franco decise di attender che uscisse e intanto confidò al vecchio fedele che aveva i gendarmi alle calcagna. Il dottor Aliprandi uscí presto e Franco, sapendolo patriota, si confidò anche a lui, poiché gli occorreva mostrarsi, informarsi dello stato della nonna. L'Aliprandi era stato chiamato nella notte ed era venuto dopo la partenza del prefetto per Oria, aveva trovato dell'agitazione nervosa, una terribile paura di morire ma nessuna malattia. Adesso la marchesa pareva tranquilla. Franco si fece annunciare e fu introdotto dalla cameriera che lo guardò con ossequiosa curiosità e uscí dalla camera.

Le imposte socchiuse della camera dove la marchesa giaceva a letto lasciavano entrare due sole oblique lame di luce grigia che non giungevano alla faccia supina sul guanciale. Franco, entrando, non la vide, udí solo la nota voce dormigliosa:

« Sei qui, Franco? »

« Sí, addio nonna » diss'egli e si chinò a darle un bacio. La maschera di cera non era scomposta; lo sguardo aveva però qualche cosa di vago e di scuro che pareva insieme desiderio e sgomento. « Muoio, sai, Franco » disse la marchesa. Franco protestò, riferí ciò che gli aveva detto il medico. La nonna lo ascoltava fissandolo avidamente, cercando di leggergli negli occhi se il medico gli avesse proprio detto cosí. Poi rispose:

« Non fa niente. Son pronta. »

Dalla nuova espressione dello sguardo e della voce, Franco intese perfettamente che la nonna era pronta a vivere altri vent'anni. « Mi rincresce della tua disgrazia » diss'ella « e ti perdono tutto. »

Non eran parole di perdono che Franco si aspettava da lei. Egli credeva esser venuto a portarlo il perdono, e non a riceverlo. Confortata, rassicurata, la marchesa di ogni giorno ricompariva poco a poco sotto la marchesa di un'ora. Voleva bene acquistar la pace ma come un sordido avaro tentato da qualche cupidigia, che spremendosi dolorosamente dal pugno il prezzo del suo piacere cerca trattenersene fra le unghie quanto può. In altri momenti Franco avrebbe scattato, avrebbe respinto sdegnosamente quel perdono; ora con la dolce Maria nel cuore, non poteva essere cosí. Aveva però notato che la nonna si era rivolta, col suo perdono, a lui solo. Questo no. Questo no, non glielo poteva permettere.

« Mia moglie, lo zio di mia moglie ed io abbiamo sofferto molto » diss'egli « prima dell'ultima sventura; e adesso abbiamo perduto tutta la nostra consolazione. Lo zio Ribera lo metto fuori di causa; davanti a lui bisogna che ci inchiniamo, tu, io, tutti; ma se mia moglie ed io abbiamo delle colpe verso di te, perdoniamoci a vicenda. »

Era un boccone amaro; la marchesa lo trangugiò e tacque. Benché non vedesse piú la morte al suo capezzale aveva però nel cuore lo sgomento dell'Apparizione e di certe parole del prefetto che l'aveva confessata. « Farò testamento » diss'ella « e desidero che tu sappia che tutta la roba Maironi sarà per te. »

Ah marchesa, marchesa! Misera, gelida creatura! Credeva ella di aver comperato la pace con questo? Qui veramente aveva sbagliato anche il prefetto perché il consiglio di far questa dichiarazione al nipote gliel'aveva dato egli, buon galantuomo ma privo di tatto, incapace di comprendere l'alto animo di Franco. A Franco l'idea che si potesse credere esser egli venuto per interesse, riuscí intollerabile. « No no » esclamò fremendo tutto e temendo del proprio sangue focoso, « no no, non mi lasciar niente! Basta che tu faccia pagare i miei interessi a Oria. La roba Maironi, nonna, lasciala all'Ospitale Maggiore. Ho paura che i miei vecchi abbiano sbagliato a tenerla! ».

La nonna non ebbe tempo di rispondere perché fu picchiato all'uscio. Entrò il prefetto e fece che Franco pigliasse congedo per non stancare l'ammalata. « Bisogna sbrigarsi! » diss'egli, fuori. « Qui hai fatto piú che il tuo dovere. Lo sanno in troppi, oramai, che sei qui e i gendarmi possono capitare da un momento all'altro. Ho combinato tutto coll'Aliprandi. L'Aliprandi suppone che per la marchesa ci sia bisogno di un consulto, piglia la gondola di casa e va a Lugano per cercar un medico. I due barcaiuoli sarete Carlo e tu. Piove. Ci sono i mantelli di tela incerata col cappuccio. Mettete quelli e tu sta a poppa. Adesso ti tagliamo il pizzo; col cappuccio in testa sfido a riconoscerti. Sei sicuro. Forse non vi faranno neanche approdare alla Ricevitoria. A ogni modo non ti riconosceranno. Se c'è da parlare, parla Carlino. »

L'idea era buona. La gondola della marchesa era sempre guardata dagli agenti dell'Austria con grande rispetto come se portasse un uovo dell'aquila dalle due teste; anche quando ritornava da Lugano non si faceva approdare alla Ricevitoria che *pro forma*.

La gondola uscí dalla darsena dopo le otto. Le nebbie delle alte cime erano calate sul lago e pioveva. Triste triste giorno, triste triste viaggio! Né Franco, né il domestico, né l'Aliprandi parlarono mai. Passarono San Mamette e Casarico. Ecco tra i vapori, oltre gli ulivi di Mainè, le bianche mura della dimora di Ombretta. Gli occhi di Franco si riempirono di lagrime. "No, cara" egli pensa, "no, amore, no, vita, tu non sei là dentro e sia benedetto il Signore, che mi dice di non credere questa cosa orribile!" Poche remate ancora ed ecco la casetta del tempo felice, delle ore amare, della sventura; la finestra della stanza dove Luisa si perde in un dolore tenebroso, la loggia dove passerà quind'innanzi solo le sue giornate il vecchio zio Piero, l'uomo giusto che discende silenziosamente, tribolato e stanco, verso la tomba. Franco vorrebbe pur sapere cosa è successo dopo la sua partenza, se lo zio, se Luisa hanno avuto molestie dalla Polizia. Guarda, guarda, non vede persona viva né sulla terrazza né in giardinetto né alle finestre della loggia; tutto è silenzioso, tutto è tranquillo. Cessa di remare, vorrebbe vedere qualche segno di vita. Il dottor Aliprandi apre lo sportello di poppa del « felze » e lo supplica di remare, di non tradirsi. In quel momento la Leu si affaccia alla ringhiera del giardinetto con un vassoio in mano, guarda la gondola, entra in loggia. Dunque lo zio Piero è in loggia, è il solito bicchier di latte che gli portano, nulla dev'essere successo. Franco torna a remare e il dottor Aliprandi chiude lo sportello. Passa il giardinetto, passano le case di Oria, la gondola piega all'approdo della Ricevitoria.

Il Biancòn, che sta pescando alle tinche, con l'ombrello, vede la gondola, abbandona le sue lenze, e viene ad ossequiare la marchesa. Ma trova invece il dottor Aliprandi il quale lo turba tanto con le cattive notizie della dama ch'egli sente il bisogno di chiamare anche la sua Peppina e di parteciparle la cosa; e la Peppina, poveretta, recita sotto l'ombrello del suo Carlascia una piccola commedia d'intenerimento. Marito e moglie eccitano l'Aliprandi a far presto, a ritornar presto. Il bestione gli permette di filar dritto, al ritorno, da Gandria a Cressogno e il dottore si volta a Franco, dice: « Andiamo! ». Franco ha assistito impassibile al colloquio, con le mani sul remo, sperando apprender qualche cosa de' suoi amici e di casa sua; ma nessuno ha fiatato di Polizia né d'arresti né di fughe come se casa Ribera fosse nella China. La gondola indietreggia lentamente dall'approdo, gira la prora verso Gandria, si allontana, sfuma oltre il confine, nella nebbia.

Alla riva di Lugano il dottor Aliprandi aperse lo sportello e fece entrare Franco. Si conoscevano poco ma si abbracciarono come fratelli. « Quando verrà l'ora delle cannonate » disse l'Aliprandi, « ci sarò anch'io. » Convennero di congedarsi lí e che Franco uscisse prima, solo, perché Lugano era piena di spie e il dottore doveva pure usare certi riguardi. Il dottore non aveva fretta, del resto; gli premeva piú di trovar un barcaiuolo che un medico. Franco si tirò il cappuccio sugli occhi e scese a terra, andò all'albergo della Corona.

Alcune ore piú tardi, quando la gondola era ripartita, egli uscí in cerca di valsoldesi per avere notizie, si avviò alla farmacia Fontana e incontrò sotto i portici i suoi amici che uscivano appunto dalla farmacia insieme a un vecchio. Gli saltarono al collo, piansero di commozione. Erano andati anche loro a cercar notizie. Alla farmacia si diceva che Franco fosse stato arrestato. Che gioia di trovarlo e che gioia di sentirsi terra libera sotto i piedi!

Mi sia permesso di ricordare il vecchio che accompagnava Pedraglio e l'avvocato, bizzarra figura del piccolo mondo antico luganese, artista degno che un altro artista, passandogli cosí vicino, gli renda onore. Egli era un tal Sartorio, pittore, poeta e suonatore di chitarra, che a quei tempi si vedeva spesso balenar qua e là per le oscure vie di Lugano con la sua bella barba bianca, con il suo cappello bianco tirato sull'occhio destro, con il suo nobile abito nero e il fiore all'occhiello. Poverissimo ma pulitissimo, cavaliere con le dame e con le pedine, pronto sempre a un'anacreontica e a una chitarrinata, adoratore della propria città, egli viveva di pane, formaggio e acqua, fiutava e rincorreva i forestieri per far loro gli onori di Lugano, era sempre pieno di queste faccende, sempre in moto fra Villa Ciani, l'Hôtel du Parc e Villa Chialiva. L'Hôtel du Parc era per lui l'ottava meraviglia del mondo. Aveva aiutato a inaugurarlo e se ne compiaceva assai, godeva particolarmente citare, col suo classico accento luganese, la strimpellata e la lirica ispirategli dalla sala da pranzo: « ca l'è pœu quand ca ga disi:

> *Le trombe squillano*
> *Nel gran salone,*
> *Ai suoni accordisi*
> *Questa canzone.* »

Ora egli si era spontaneamente accompagnato a Pedraglio e a V. che gli avevan narrata la loro fuga. Li aveva condotti lui alla farmacia Fontana per cercarvi notizie di Franco. « Come? » diss'egli dopo l'incontro. « È questo il Loro amico? Sfuggito anche lui agli artigli dell'aquila rapace di Asburgo? Benissimo! Benissimo! Ho fatto anni sono, per altri lombardi fuggiti qua dopo la rivoluzione di Vall'Intelvi, un'ode ca l'era minga mal. Ho descritto, neh, la loro fuga per la Val Mara, la calata a Maroggia, l'arrivo a Lugano, ca l'è pœu quand ca ga disi:

> *O baldi figli di Lombardia,*
> *V'apre le braccia Lugano mia.*

È una cosetta che va benissimo anche per Loro. Adesso corro a prender la chitarra e poi gliela faccio sentire all'albergo. »

« Madonna! » fece Pedraglio.

Parte terza

I. *Il savio parla*

Non una ma tre primavere erano passate dopo quell'autunno del 1855 senza la fioritura d'armi e di stendardi che gl'italiani aspettavano sulle rive del Ticino. Nel febbraio del 1859 si era sicuri che non sarebbe passata cosí la quarta. Grandi avvenimenti, annunciati debitamente da una splendida cometa, erano in cammino. Correvano nelle viscere del mondo antico fremiti e scricchiolii sordi, come nelle viscere d'un fiume gelato alla vigilia dello sgelo. Il freddo mortale, il silenzio pauroso di dieci anni erano per passare portati via in un fragor d'urti e di rovine da correnti nuove, calde, brillanti. Il Carlascia faceva lo spaccone e parlava alle sue guardie, che tacevano, di una prossima passeggiata militare a Torino. Il signor Giacomo Puttini non s'era piú riavuto bene dal colpo di quella mattina, dal tradimento dell'avvocato, dalla fine tragica del cappellone e dalla fine comica del « marsinon », aveva perduto ogni stima per i patrioti. Appunto nel febbraio del '59 il Paolin, tedescone, gli parlava alla farmacia di S. Mamette delle pazze speranze dei liberali. « No, signor Paolo riveritissimo » gli disse l'ometto. « Mi son soto San Marco, gran santo; go visto i franzesi, bona zente; adesso vedo i tedeschi, lassemo star, podaria vederghene anca dei altri ma i birbanti, La me creda, i birbanti no pol trionfar. » Il dottor Aliprandi era già in Piemonte. Un vecchio sott'ufficiale di Napoleone che abitava a Puria si rimetteva segretamente in ordine l'uniforme con l'idea di presentarsi all'imperatore dei francesi quando venisse in Italia. Il curato di Castello, Introini, quando incontrava don Giuseppe Costabarbieri, gli ricordava la canzone del 1796 che don Giuseppe aveva tirata fuori nel 1848 e poi nascosta da capo:

> *Stare nostre crante ulane*
> *Qua fenute d'Ungheria,*
> *Ma franzose crante....!*
> *Fato tuti scappar fia!*

E don Giuseppe, tutto spaventato: « Citto, citto, citto! ».

Intanto sui pendii di Valsolda fiorivano pacificamente le viole come se nulla fosse. La sera del venti febbraio Luisa ne portò un mazzolino in Camposanto. Ella vestiva ancora a lutto, era terrea, macilenta, aveva gli occhi piú grandi e molti fili d'argento in testa. Pareva che dal giorno della sua sventura fossero passati vent'anni. Uscita dal Camposanto si avviò verso Albogasio e si accompagnò ad alcune donne di Oria che andavano a dire il rosario alla parrocchia. Non pareva piú lo spettro cupo che aveva posato le viole sopra la fossa di Maria. Parlò serena, ilare quasi, con l'una e con l'altra, domandò di una bestia malata, accarezzò e lodò la bambina che andava al rosario con la nonna, le raccomandò di stare tranquilla in chiesa come sempre vi stava la sua Maria. Disse questo e nominò Maria quietamente, mentre quelle donne rabbrividivano e anche stupivano perché adesso Luisa non andava in chiesa mai. Domandò a una ragazza se i giovanotti pensassero, come al solito, di recitare, se recitasse anche suo fratello; udito che sí, offerse aiuto per i costumi. Si accomiatò sul sagrato dell'Annunciata e nello scender soletta la Calcinara riprese il viso di spettro.

Andava a Casarico, dai Gilardoni, sposi da tre anni. La felicità del professore, la sua adorazione per Ester vorrebbero un poema. Lo zio Piero diceva di lui ch'era diventato ebete. Ester temeva che diventasse ridicolo e non gli permetteva, quando c'era gente, di prender davanti a lei certe pose estatiche. La sola persona per la quale non valesse questa proibizione era Luisa. Ma di Luisa il Gilardoni aveva un certo riguardo; ella era sempre per lui un essere sovrumano; al rispetto per la persona s'era aggiunto il rispetto per il dolore e in presenza di lei egli teneva sempre un contegno riguardoso. Da due anni, circa, Luisa andava a casa Gilardoni quasi ogni sera e, se qualche cosa poteva turbare la pace degli sposi, erano queste visite.

Esse avevano infatti un motivo strano e antipatico a Ester; ma Ester aveva un tale affetto per l'amica sua, tale pietà della sua sventura e si sentiva fitto nel cuore un tal rammarico di non aver fatto piú attenzione a Maria nel giorno terribile, che non osava opporsi risolutamente ai desideri di lei né distogliere suo marito dall'accondiscendervi. Espresse a Luisa la sua disapprovazione, la pregò di volere almeno tener segreto ciò che faceva di sera nello studio del professore; non andò piú oltre. Il professore, invece, sarebbe stato felice di questi convegni ma soffriva del dispiacere di Ester.

Era già notte quando Luisa suonò alla porticina di casa Gilardoni. Fu Ester che le aperse. Luisa non rispose al suo saluto che le parve imbarazzato, la guardò soltanto e quando fu nel salottino terreno dove Ester soleva passar le sue serate, l'abbracciò tanto appassionatamente che l'altra si mise a piangere. « Abbi pazienza » le disse Luisa. « Non mi resta che questo. » Ester si provò a confortarla, a dirle che si avvicinava per lei un tempo migliore, la riunione con suo marito. Fra pochi mesi la Lombardia sarebbe libera, Franco ritornerebbe a casa. E allora... allora... potrebbero succedere tante cose... Potrebbe ritornare anche Maria! Luisa diede un balzo, le afferrò le mani. « No! » diss'ella. « Non dire questa cosa! Mai! mai! Son tutta sua! Son tutta di Maria! » Ester non poté replicare perché, frettoloso e sorridente, entrò il professore.

Egli vide che sua moglie aveva gli occhi bagnati di lagrime e che Luisa pareva sovreccitata. Salutò mogio mogio e sedette in silenzio accanto a Ester, immaginando che avessero parlato del solito argomento spiacevole a sua moglie. Questa avrebbe voluto mandarlo via, riprendere il discorso con Luisa, ma non osò farlo. Luisa fremeva contro quella immagine di futuro pericolo che di quando in quando le si era affacciata confusamente all'anima, che aveva sempre cacciata con orrore prima di considerarla, e che ora, per le parole dell'amica sua, le risorgeva davanti scoperta e netta. Dopo un lungo, penoso silenzio, Ester sospirò e le disse sottovoce:

« Va pure, sai. Andate pure. »

Luisa ebbe un impeto di gratitudine, s'inginocchiò davanti all'amica sua, le posò il capo in grembo. « Sai » disse ella, « io non credo piú in Dio. Prima credevo che ci fosse un Dio cattivo, adesso non credo piú che esista; ma se vi fosse il Dio buono nel quale credi tu, non potrebbe condannare una madre che ha perduto la sua unica figliuola e cerca persuadersi che una parte di lei vive ancora! »

Ester non rispose. Quasi ogni sera, da due anni, suo marito e Luisa evocavano la bambina morta. Il professore Gilardoni, strano miscuglio di libero pensatore e di mistico, aveva letto con moltissimo interesse le cose meravigliose che si raccontavano delle sorelle americane Fox, degli esperimenti di Eliphas Levi, aveva seguito il movimento spiritista propagatosi rapidamente in Europa come una manía che prendeva le teste e le tavole. Ne aveva parlato a Luisa, e Luisa, invasa, acciecata dall'idea di poter sapere se la sua bambina esistesse ancora e, posto che esistesse, di aver qualche comunicazione con lei, non vedendo altro in tutto il meraviglioso dei fatti e lo strano delle teorie che questo punto lucente, lo aveva supplicato di tentar qualche esperimento con Ester e con lei. Ester non credeva in fatto di soprannaturale che alla dottrina cristiana. Non pigliò quindi la cosa sul serio e acconsentí subito a posar le mani sopra un tavolino insieme all'amica e al marito, il quale, dal canto suo, mostrava un gran zelo, una gran fede di riuscire. I primi esperimenti non riuscirono. Ester, molto annoiata, avrebbe voluto che si rinunciasse a continuare; ma una sera il tavolino, dopo venti minuti di aspettazione, si chinò lentamente da un lato alzando un piede in aria, si riabbassò, tornò ad alzarsi, con grande sgomento di Ester, con gran gioia del professore e di Luisa. La sera dopo bastarono cinque minuti a farlo muovere. Il professore gl'insegnò l'alfabeto e tentò un'invocazione. Il tavolino rispose battendo il piede a terra secondo l'alfabeto suggeritogli. Lo spirito evocato diede il suo nome: Van Helmont. Ester tremava di paura come una foglia, il professore tremava di commozione, voleva far sapere a Van Helmont che aveva in biblioteca le sue opere, ma Luisa lo scongiurò di chiedergli dove fosse Maria. Van Helmont rispose: « Vicina ». Allora Ester, pallida come un cadavere, si alzò protestando che non voleva continuare. Né le suppliche né le lagrime di Luisa valsero a persuaderla. Era peccato, era peccato! Ester non aveva un sentimento religioso profondo, ma paura del diavolo e dell'inferno sí, molto. Per parecchio tempo non fu possibile ricominciare le sedute. Ella ne aveva orrore e suo marito non osava contraddirla. Fu Luisa che a forza di scongiuri ottenne una transazione. Le sedute ricominciarono ma Ester non vi prese parte piú.

Non volle neanche sapere cosa vi accadesse. Solamente, quando vedeva suo marito preoccupato, distratto, gli gittava un'allusione crucciosa alle pratiche segrete dello studio. Allora egli si affliggeva, offriva di desistere, ed era Ester che si sentiva debole di fronte a Luisa. Poiché, indirettamente, aveva capito che Luisa credeva di comunicare con lo spirito della bambina. Ella le aveva detto una volta: « Domani sera non vengo perché Maria non vuole ». E un'altra volta: « Vado a Looch perché Maria vuole un fiore dalla Nonna ». A Ester pareva incredibile che una testa lucida e forte come quella si smarrisse cosí. Comprendeva in pari tempo la difficoltà immensa di persuaderla con le buone e la crudeltà di opporsele con le cattive.

Il professore accese una candela e salí, seguito da Luisa, nello studio. Noi conosciamo lo studiolo simile a una cabina di bastimento, con gli scaffali pieni di libri, il caminetto, la finestra che guarda il lago, la poltrona dove Maria s'era addormentata la notte di Natale. Adesso v'era di piú, fra il caminetto e la finestra, un piccolo tavolino rotondo con un sol piede tripartito a un palmo da terra.

« Mi rincresce molto » disse il Gilardoni, entrando, « di far tanto dispiacere a Ester. » Posò il lume sulla scrivania e invece di disporre, secondo il solito, il tavolino e le sedie, andò a guardar dalla finestra il chiaror vago dell'acqua e del cielo nelle ombre della notte. Luisa rimase immobile e subito egli si voltò bruscamente come avesse sentito per virtú magnetica l'angoscia di lei. Gliela vide spaventosa in faccia, intese ch'ella lo credeva risoluto di troncare mentre ne aveva solamente avuta la tentazione e le prese, commosso, le mani, le disse che Ester era tanto buona, che l'amava tanto, che né lui né lei avrebbero mai voluto recarle volontariamente un'afflizione. Luisa non rispose ma il professore durò fatica a impedire che gli baciasse la mano. Mentre egli collocava in mezzo alla stanza il tavolino e le due sedie, ella sedette sulla poltrona, come oppressa.

« Ecco » fece il professore.

Luisa si levò di tasca e gli tese una lettera.

« Ho tanto bisogno di Maria e di Lei, stasera! » diss'ella. « Legga, è di Franco. Può cominciare dalla quarta pagina. » Il professore non intese queste ultime parole, si accostò al lume e lesse ad alta voce:

Torino, 18 febbraio 1859.

« Luisa mia,

« Sai che non mi hai scritto da quindici giorni? »

« Questo lo può saltare » interruppe Luisa, ma poi si
corresse. « No, legga pure, è meglio. » Il professore continuò:

« Ecco la terza lettera che io ti mando dopo ricevuta
la tua del 6. Sono stato forse, nella prima, troppo vivace e ti ho ferita. Benedetto temperamento il mio, che
non solo mi fa dire parole troppo vivaci quando il sangue mi si riscalda, ma me le fa anche scrivere! E benedetto sangue che a trentadue anni suonati si riscalda
come a ventidue! Perdonami, Luisa, e permettimi di
ritornare sull'argomento onde riprendermi quelle parole che hanno potuto offenderti.

« Adesso non si discorre piú né di tavolini né di spiriti, non si discorre che di diplomazie e di guerra; ma
gli anni scorsi se ne parlò moltissimo e parecchie persone che io stimo e onoro ci credevano. Di alcune so
positivamente che erano illuse ma non ho mai dubitato, quando mi riferivano conversazioni avute con gli
spiriti, della loro buona fede. Pare che l'immaginazione, eccitata, possa far udire e vedere come reale ciò
che non è. Ma io voglio credere che nel tuo caso non
v'inganni l'immaginazione, che il vostro tavolino si muo-
va e si esprima davvero come dici. Ho avuto torto di
metter questo dubbio, lo confesso, poiché tu sei talmente sicura di non ingannarti e poiché conosco abbastanza l'onestà del professor Gilardoni. Ma vi è poi per
me una questione di sentimento. Io so che la mia dolce
Maria vive con Dio, io ho la speranza di andare un
giorno, con altre anime a mé care, dov'ella è. Se mi
comparisse spontaneamente, se udissi, senz'averla chiamata, il suono della sua voce viva e vera, forse non
potrei sopportare una gioia cosí grande; chiamarla, co-
stringerla di venire non vorrei mai. Mi ripugna, è con-

trario a quel senso di venerazione che ho per un Essere tanto piú vicino a Dio di me. Anch'io, Luisa, parlo al nostro tesoro ogni giorno, le parlo di me e anche di te, sapendo che ci vede, che ci ama, che potrà molto ancora, in questa vita stessa, sopra di noi. Tali vorrei pure i colloqui tuoi con essa; e se rispondendo alla lettera in cui alludevi a una comunicazione di lei mi sono espresso con acerbità, perdonami in grazia non solamente del mio cattivo carattere ma delle idee altresí e dei sentimenti che sono come parte della mia natura.

« Perdonami pure in grazia della sovreccitazione immensa in cui si vive qui. La mia gola sta bene; da quando si parla di guerra ho gittato canfora e acqua sedativa, ma i nervi sono tesi straordinariamente, mi par che a toccarli dieno scintille. Questo viene anche dall'intenso lavoro che abbiamo al Ministero, dove non c'è piú orario e chi piú gode fiducia, sia pure un segretariucolo, piú deve sgobbare. Quando ebbi questo posto dalla bontà del conte di Cavour, mi pareva di mangiare il pane dello Stato a tradimento. Adesso non è cosí ma sto per togliermi a questo gran lavoro e ciò mi conduce a un altro discorso che ho nel cuore da un pezzo e che adesso ti faccio con una commozione indicibile.

« Fra otto giorni i miei amici ed io ci arruoliamo nell'esercito come volontari per la durata della campagna. Si entra nel 9° fanteria che ha il deposito a Torino. Qui al Ministero si vorrebbe trattenermi ancora ma io intendo di trovarmi istruito al reggimento quando entrerà in campagna e ho solamente preso l'impegno di non lasciar l'ufficio che un giorno prima di arruolarmi.

« Luisa, sono tre anni e quasi cinque mesi che non ci vediamo. Vero che tu sei sorvegliata dalla Polizia e che ti è proibito di venire a Lugano; però io ti ho proposto piú volte piú modi di venirmi a incontrare segretamente almeno al confine, sulla montagna, e tu non mi hai risposto. Ho creduto indovinare che tu non ti sapessi allontanare neppure per poco tempo da un luogo sacro. Mi pareva troppo e ti confesso che ne provai un'amarezza molto profonda! Poi mi pentivo, mi pareva d'essere egoista, ti assolvevo. Adesso, Luisa, le circostanze sono mutate. Non ho cattivi presentimenti, mi par impossibile di aver a restare sopra un campo di battaglia, ma impossibile non è. Prenderò parte ad una guerra che si annuncia tra le piú grosse, tra le piú lunghe e disperate, perché se l'Austria ha in giuoco le sue provincie italiane, noi, e forse anche l'imperatore Napoleone, abbiamo in giuoco tutto. Si dice che passeremo l'inverno venturo sotto Verona. Luisa, io non voglio correre il pericolo di morire senz'averti riveduta. Ho ventiquattr'ore sole, non posso venire al confine né a Lugano, né mi può bastare di star con te dieci minuti! Fatti portare a Lugano, in qualche modo, da Ismaele la mattina del 25 corr. Parti da Lugano in tempo di essere a Magadino per il tocco poiché da Luino non puoi passare. A Magadino piglierai il battello che parte di là circa al tocco e mezzo. Scenderai circa alle quattro a Isola Bella dove, presso a poco alla stess'ora, arriverò anch'io da Arona. L'Isola Bella, a questa stagione, è un deserto. Vi passeremo la sera insieme e ripartiremo la mattina, tu per Oria, io per Torino.

« Scrivo allo zio Piero per chiedergli perdono se gli tolgo un giorno della tua compagnia.

« Maggior male non temo. Anche gli austriaci non pensano che alle armi, la loro Polizia si lascia sfuggire migliaia di giovani che vengono a prenderle qui. Sarebbero terribili all'indomani di una vittoria ma quel giorno, per essi, viva Dio! non verrà.

« Luisa, è possibile ch'io non ti trovi all'Isola Bella, che tu creda far piacere a Maria non venendo? Ma non sai, la mia Maria, la mia povera piccina, se le avessero detto – corri a salutar il tuo papà che forse va a morire – come... »

La voce del lettore oscillò, si ruppe, mancò in un singhiozzo. Luisa si nascose il viso fra le mani. Egli le posò la lettera sulle ginocchia e disse a stento: « Donna Luisa, può avere un dubbio? ».

« Sono cattiva » rispose Luisa sottovoce, « sono matta. »

« Ma non gli vuol bene? »

« Alle volte mi pare tanto e alle volte niente. »

« Dio mio! » fece il professore. « Ma adesso? Non La commuove l'idea che potrebbe non vederlo mai piú? »

Luisa tacque; parve che piangesse. Balzò improvvisamente in piedi stringendosi le tempie fra le mani, piantò in viso al professore due occhi dove non erano lagrime ma invece una luce sinistra di corruccio. « Ella non sa » esclamò « cosa c'è nella mia testa, che cumulo di contraddizioni, quante idee opposte che si combattono e prendono continuamente il luogo l'una dell'altra! Quando ho ricevuto la lettera ho pianto tanto, mi son detta: — sí, povero Franco, stavolta vado — e poi ecco una voce che mi dice nella fronte — no, non devi andare perché... perché... perché... »

Luisa s'interruppe e il professore, spaventato da bagliori di pazzia negli occhi che lo fissavano, non osò chiedere spiegazioni. Gli occhi strani sempre fissi ne' suoi vennero raddolcendosi, velandosi. Luisa gli prese le mani, gli disse piano, timidamente: « Domandiamo a Maria ».

Sedettero al tavolino, vi posarono le mani su. Il professore voltava le spalle al lume che batteva sul viso di Luisa. Il tavolino era nell'ombra. Dopo undici minuti di silenzio profondo il professore mormorò: « Si muove ».

Infatti il tavolino si andava lentamente inclinando da un lato. Ricadde e batté un piccolo colpo. Il viso di Luisa s'illuminò.

« Chi sei? » disse il professore. « Rispondi col solito alfabeto. »

Il tavolino batté diciassette colpi, poi quattordici, poi diciotto, poi uno. « Rosa » disse il professore, piano. Rosa era il nome di una sorellina di sua moglie, morta nell'infanzia, e il tavolino aveva battuto parecchie altre volte questo nome. « Va » ripeté il Gilardoni, « mandaci Maria. »

Il tavolino si rimise tosto in movimento e batté queste parole:

« Son qui. Maria. »

« Maria, Maria, Maria mia! » sussurrò Luisa con un'espressione, in viso, di beatitudine.

« Conosci » disse il Gilardoni « la lettera che tuo padre ha scritto a tua madre? »

Il tavolino rispose:

« Sí. »

« Cosa deve fare tua madre? »

Luisa tremava da capo a piedi, aspettando. Il tavolino rimase immobile.

« Rispondi » fece il professore.

Il tavolino si mosse e batté un miscuglio incomprensibile di lettere.

« Non abbiamo capito. Ripeti. »

Il tavolino non si mosse piú. « Ripeti dunque! » fece il professore quasi bruscamente. « No! » supplicò Luisa. « Non insista, non insista! Maria non vuole rispondere! »

Ma il professore voleva insistere. « Non è possibile » diceva « che lo spirito non risponda. Lei lo sa, ci è successo altre volte di non intendere quel che dice. »

Luisa si alzò agitatissima, dicendo che piuttosto di costringere Maria era contenta d'interrompere la seduta. Il professore rimase meditabondo al proprio posto. « Zitto! » diss'egli.

Il tavolino si moveva, ricominciò a batter colpi.

« Sí! » esclamò il Gilardoni, raggiante. « Ho domandato col pensiero s'Ella deve andare e il tavolino ha risposto "sí". Ridomandi lei ad alta voce. »

Cinque o sei minuti passarono prima che il tavolino si rimettesse in moto. Alla domanda di Luisa – debbo andare? – batté prima tredici colpi poi quattordici. La risposta era « no ».

Il professore impallidí e Luisa lo interrogò con lo sguardo. Egli rimase lungamente muto, poi rispose sospirando:

« Potrebbe non essere Maria. Potrebb'essere uno spirito di menzogna. »

« E come si può sapere? » fece Luisa ansiosamente.

« Impossibile. Non si può sapere. »

« Ma e le altre comunicazioni, dunque? Non vi è certezza mai? »

« Mai. »

Ella tacque, atterrita. Poi sussurrò: « Doveva essere cosí. Doveva mancarmi anche questo ».

E posò la fronte sul tavolino. Il lume della candela batteva sui capelli, sulle braccia, sulle mani di lei. Ella non si moveva, nulla si moveva nella camera, tranne la fiammella oscillante della candela. Un'altra fiammella, un ultimo lume di speranza e di conforto stava morendo nella povera testa caduta sotto il colpo d'un dubbio amaro e invincibile. Che poteva fare, che poteva dire il Gilardoni? Egli vedeva prossimo a compiersi, non per opera sua, il desiderio di Ester. Tre o quattro minuti dopo si udirono passi al piano inferiore e la voce di Ester. Luisa, lentamente, si alzò.

« Andiamo » diss'ella.

« Bisognerebbe forse pregare » osservò il Gilardoni, senza muoversi. « Bisognerebbe forse domandare agli spiriti se confessano Cristo. »

« No no no no no » fece sottovoce Luisa, negando, anche con la mano, ostilmente. Il professore prese la candela in silenzio.

Ritornando a Oria Luisa salí al cancello del Camposanto. Vi appoggiò la fronte, gittò verso la fossa di Maria un soffocato addio e ridiscese. Giunta sul sagrato andò ad affacciarsi al parapetto, guardò giú il lago addormentato nell'ombra. Stette lí alquanto lasciando andar il pensiero per la sua china. Posò i gomiti sul parapetto, si piegò, si appoggiò il viso alle mani sempre guardando l'acqua, l'acqua che aveva préso Maria. Il suo pensiero veniva pigliando una forma precisa non dentro a lei ma laggiú nell'acqua. Ella lo considerò. Morire, finire. Lo conosceva, lo aveva veduto ancora questo pensiero guardando nell'acqua cosí, molto tempo addietro, prima di cominciare le evocazioni col professore. Poi era scomparso. Adesso ritornava. Era un pensiero dolce e pietoso, pieno di riposo e di abbandono, pieno di pace. Faceva bene di starlo a guardare poiché anche la fede negli spiriti era perduta. Morire, finire. L'altra volta molto aveva potuto contro il fascino dell'acqua la immagine del vecchio zio. Ora poteva meno. Lo zio era caduto, dalla morte di Maria in poi, in un mutismo quasi completo che Luisa attribuiva a un principio di apatia senile. Ella non aveva capito come nell'animo del vecchio vi fossero insieme al dolore disapprovazioni profonde; quanto lo urtassero le quotidiane ripetute visite al cimitero e i fiori e le gite misteriose a Casarico e, sopra tutto, l'abbandono completo della chiesa. Se non fosse stata cosí presa dalla sua morta, avrebbe potuto intender meglio lo zio almeno in quest'ultimo punto della chiesa, perché adesso il vecchio silenzioso ci andava lui, in chiesa, piú di prima, tornava col cuore alla religione di suo padre e di sua madre praticata sinora freddamente, per abitudine, per ossequio alle tradizioni di casa. Pareva a Luisa ch'egli fosse diventato alquanto ottuso e che se ai bisogni suoi fosse provveduto non gli occorrerebbe altro. Per le cure materiali v'era la Cia e le risorse che bastavano per tre meglio avrebbero bastato per due. Luisa credette veder l'acqua salire un palmo. E Franco? Franco si desolerebbe, piangerebbe per qualche anno e poi sarebbe piú felice. Franco aveva il segreto di consolarsi presto. L'acqua parve salire un altro palmo.

Nello stesso momento in cui ella s'era affacciata al parapetto, Franco, passando in via di Po davanti a San Francesco di Paola, aveva veduto lumi e udito l'organo. Era entrato. Appena detta una preghiera, il pensiero dominante lo aveva ripreso, il suono dell'organo gli si era trasformato in un fragore di trombe, di tamburi e d'armi e, mentre un canto di pace si levava sull'altare, a lui era parso caricar con furore il nemico. A un tratto si vide in mente l'immagine di Luisa vestita a lutto, pallida. Si mise a pensare a lei, a pregare per lei con fervore intenso.

Allora là sul sagrato di Oria ella sentí un freddo, un'uggia, un mancar della tentazione. Volle richiamarla e non poté. L'acqua ridiscendeva. Una voce intima le disse: e se il professore si è ingannato? Se non è vero che il tavolino abbia risposto prima di sí e poi di no? Se non è vero di questi spiriti menzogneri? Si tolse dal parapetto e salí, a passi lenti, in casa.

Trovò lo zio in cucina, seduto sotto la cappa del camino, con le molle in mano e col bicchiere di latte accanto. La Cia e la Leu cucivano.

« Dunque » disse lo zio « sono andato alla Ricevitoria. Il Ricevitore è a letto con l'itterizia, ma ho parlato col Sedentario. »

« Di che cosa, zio? »

« Di Lugano, della tua andata a Lugano il 25. Mi ha detto che chiuderà un occhio e che passerai. »

Luisa tacque, stette a guardar il fuoco meditabonda. Poi diede certi ordini alla Leu per l'indomani e pregò lo zio di venire in salotto con lei.

« Cosa serve? » diss'egli con la solita semplicità. « Non avrai gran segreti. Stiamo qui che c'è il fuoco. »

La Cia accese il lume. « Usciremo noi » diss'ella.

Lo zio fece la sua solita smorfia di compassione per le

368

altrui sciocchezze ma tacque, bevve il suo bicchier di latte e lo porse silenziosamente a Luisa. Luisa prese il bicchiere e disse piano:

« Non ho ancora deciso. »

« Cosa? » fece lo zio bruscamente. « Cosa non hai deciso? »

« Se andrò all'Isola Bella. »

« Euh! Che diavolo? »

Lo zio Piero non la poteva neanche intendere una cosa simile.

« E perché non andresti? »

Ella rispose con tranquillità, come se dicesse una cosa ovvia:

« Ho paura di non poter lasciare Maria. »

« Ah senti! » fece lo zio. « Siediti là. »

Le additò il sedile in faccia, sotto la cappa del camino, lasciò le molle e disse con quella sua voce grave, onesta voce del cuore:

« Cara Luisa, hai perso la bussola. »

E alzate le braccia con un « euh! » profondo, le lasciò ricadere sulle ginocchia.

« Persa! » diss'egli. Stette un poco in silenzio, a capo chino, porgendo le labbra con un brontolío di parole in formazione, che poi uscirono.

« Cose che non avrei mai creduto! Cose che paiono impossibili. Ma quando » (cosí dicendo rialzò il capo e guardò Luisa in faccia) « si comincia a perderla, la bussola, l'è fatta. E tu, cara, hai cominciato a perderla da un pezzo. »

Luisa trasalí.

« Eh sí! » esclamò lo zio a gola piena. « Hai cominciato a perderla da un pezzo. Ed è questo che volevo dirti. Senti: mia madre ha perso dei figli, tua madre ha perso dei figli, ho visto tante madri perdere dei figli e nessuna faceva come te. Ci vuol altro; siamo tutti mortali e dobbiamo accettare la nostra condizione. Si rassegnavano. Ma tu, no. E questo cimitero! E queste due, tre, quattro visite al giorno! E questi fiori, e cosa so io, oh povero me! E anche queste scempiaggini che fai a Casarico con quell'altro povero imbecille, che voi credete farle in segreto e tutti ne parlano, persino la Cia! Oh povero me! »

« No, zio » disse Luisa tristemente ma tranquillamente. « Non dir queste cose. Non puoi capire. »

« Siamo intesi » rispose lo zio con tutta l'ironia di cui era capace. « Non posso capire. Ma poi ce n'è un'altra. Tu non vai piú in chiesa. Io non ti ho mai detto niente perché in queste cose il mio principio è stato sempre di lasciar fare a ciascuno quel che crede; ma quando ti vedo perdere, dirò cosí, il buon senso e anche il senso comune, non posso a meno di farti riflettere che se si voltano le spalle a Domeneddio, si fanno di questi guadagni. Adesso poi questa idea di non voler andare a veder tuo marito, in circostanze simili, passa tutti i limiti. – Vuol dire » riprese dopo una breve pausa, « che ci andrò io. »

« Tu? » esclamò Luisa.

« Perché no? Io, sí. Contavo di accompagnarti, ma se non vieni, andrò solo. Andrò a dire a tuo marito che hai perduto la testa e che spero di andar presto anch'io a trovar la povera Maria. »

Mai nessuno aveva udito dal labbro dello zio Piero una parola tanto amara. Fosse questo, fosse l'autorità dell'uomo, fosse il nome di Maria pronunciato cosí, Luisa fu vinta.

« Andrò » diss'ella. « Ma tu devi restar qui. »

« Niente affatto » rispose lo zio contento. « Sono quarant'anni che non vedo le Isole. Approfitto dell'occasione. E chi sa che non mi arruoli in cavalleria, io? »

« E cosí » disse la Cia a Luisa dopo che lo zio era andato a letto. « Vuol proprio partire anche il mio padrone? Cara Lei, per amor del Cielo, non glielo permetta! »

E le raccontò che due ore prima egli aveva stralunato gli occhi e piegata la testa sul petto; che chiamato da lei non aveva risposto; che poi si era riavuto e che alle premurose domande di lei era andato in collera protestando di non aver avuto male, di aver sentito solo un po' di sonno. Luisa l'ascoltava in piedi, col lume in mano, con gli occhi vitrei, divisa fra l'attenzione alle parole che udiva e qualche altro pensiero assai diverso, assai lontano, dallo zio, dalla casa, dalla Valsolda.

II. *Solenne rullo*

Il venticinque febbraio, giorno della partenza, lo zio Piero si alzò alle sette e mezzo e andò alla finestra. Un denso nebbione pendeva sul lago biancastro e nascondeva le montagne per modo che se ne vedevano solamente due brevi liste nere, una a destra e l'altra a sinistra, fra il lago e la nebbia. « Ahimè! » sospirò lo zio. Non s'era ancora finito di vestire che Luisa entrò e lo pregò, col pretesto del cattivo tempo, di restare, di lasciarla partir sola. La Cia era in grande angoscia, e avea pregato Luisa di insistere sapendo ch'egli era stato côlto, il giorno venti, da forti vertigini e che il ventidue, senza dir niente a nessuno, era andato a confessarsi. Egli s'irritò, convenne tacere, lasciargli fare la sua volontà. Povero zio, aveva goduto sempre una salute di ferro ed era molto apprensivo, il menomo disturbo lo allarmava; ma ora non gli pareva bene che Luisa partisse sola in quelle condizioni di spirito, e si sacrificava per lei. Si vestí, ritornò alla finestra e chiamò trionfalmente Luisa che stava nel giardinetto.

« Alza la testa! » diss'egli. « Guarda su in Boglia! »
In alto, sopra Oria, attraverso la nebbia fumante, si vedeva l'oro pallido del sole sulla montagna e piú in alto ancora una trasparenza serena.
« Bella giornata! »

Luisa non rispose e il vecchio discese allegro in loggia, uscí sulla terrazza a goder la battaglia magnifica della nebbia e del sole.

Tutto il lago d'oriente fra la Ca Rotta, l'ultima casa di S. Mamette, a sinistra, e il golfo del Doi a destra, pareva un mare immenso, bianco. La Ca Rotta traspariva appena, come un fantasma. Al golfo del Doi cominciava la sottile lista nera scoperta fra il piombo del lago e il nebbione. A poco a poco quel nebbione si faceva turchiniccio, vaghi chiarori rompevano in cielo verso Osteno, in fondo al mare d'oriente tremavano luccicori nuovi, venivan liste, chiazze brune di brezza; un occhio di sole appariva e scompariva sopra Osteno nei vapori turbinanti, ingrandiva rapidamente, splendé vincitore.

La nebbia fuggí da ogni parte, a brani e fiocchi. Molti ne passarono davanti a Oria, grandi e veloci, altri si buttarono alla costa, il grosso ripiegò verso l'ultimo levante; colà, dietro e sopra un pesante sipario bianco, le montagne del lago di Como sorsero gloriose nel sereno.

Lo zio Piero chiamò Luisa perché vedesse lo spettacolo, l'ultima scena splendida del dramma; il trionfo del sole, la fuga delle nebbie, la gloria delle montagne. Egli ammirava patriarcalmente, senza finezze di senso artistico ma con calor giovanile, con sincera enfasi di voce, da vecchio che ha vissuto castamente, che non ha sciupata la freschezza del cuore, che conserva una certa innocenza d'immaginazione. « Guarda, Luisa » esclamò, « se non bisogna dire: Gloria al Padre, al Figliuolo, allo Spirito Santo! » Luisa non rispose, si allontanò subito per non veder quel recinto bianco, di là dall'orto, che l'attirava con violenza, con una tacita voce di rimprovero e di dolore. Ella vi era andata alle sei, vi aveva passata un'ora nella nebbia, seduta sull'erba fradicia.

Lo zio rimase in contemplazione sulla terrazza fino al momento di partire. S'egli fosse stato un poeta presuntuoso avrebbe supposto che la Valsolda gli desse il buon viaggio con uno spettacolo d'addio, volesse mostrarglisi bella come forse non l'aveva veduta mai; ma queste fantasie poetiche a lui non venivano e poi si trattava di un viaggio cosí breve! No, gli passò invece nella mente l'immagine di Maria, l'idea di vedersela capitar correndo fra le gambe, di prenderla sulle ginocchia, di recitarle la canzonetta antica:

> *Ombretta sdegnosa*
> *Del Missipipí.*

« Basta! » sospirò. « È stata una gran cosa! » e, chiamato dalla Cia, si avviò lentamente verso il giardinetto dove l'attendeva Luisa, pronta a scendere in barca. « Oh, son qui » diss'egli, « e voi guardate bene, mentre staremo via, di non lasciar cadere la casa nel lago. »

Durante il tragitto sul Lago Maggiore, a bordo del *San Bernardino*, Luisa stette quasi sempre nella sala di seconda classe. Ne salí una volta onde persuadere lo zio Piero a discendere anche lui; ma lo zio Piero, chiuso nel suo zimarrone grigio, non volle muoversi, malgrado l'aria fredda, dal ponte dove stava pacificamente a guardar montagne e paesi, e far un po' di conversazione con un prete di Locarno, con una vecchierella di Belgirate e con altri viaggiatori di seconda classe. Luisa dovette lasciarvelo e ridiscese, preferendo star sola con i propri pensieri. Piú si avvicinava all'Isola Bella piú le cresceva dentro un'agitazione sorda, una incerta attesa di tante cose. Come avverrebbe l'incontro con Franco? Quale contegno terrebb'egli con lei? Le farebbe i discorsi che le aveva fatto lo zio? Le lettere erano molto pietose e tenere, ma chi non sa che si scrive in un modo e si parla in un altro? Come, dove, passerebbero la sera? E poi l'altra cosa, la cosa terribile a pensare...? Tutte queste preoccupazioni salivano, salivano, tendevano a diventar dominanti, a porsi in antagonismo con l'immagine del Cimitero di Oria che ogni tratto ritornava impetuosa, come a riprendere il suo. Alla stazione di Cannero, Luisa si udí sul capo un grande strepito di passi, un grande chiasso di voci e di grida, salí a vedere dello zio. Erano militari richiamati alle bandiere, venuti al battello con due grandi barche. Altre barchette portavano donne, bambini, vecchi, che salutavano e piangevano. I soldati, la maggior parte bersaglieri, bei giovinotti allegri, rispondevano ai saluti, gridando: « Viva l'Italia! », promettevano regali da Milano. Una vecchia, che aveva tre figli fra quei soldati, gridava loro, tutta scarmigliata ma non piangente, che si ricordassero del Signore e della Madonna. « Sí » brontolò un vecchio sergente che li accompagnava, « ca s'ricord del Sgnour, d'la Madonna, del Vescov e del prevost! » I soldati molto pratici del « prevost », la prigione militare, risero della barzelletta e il battello partí. Grida, sventolar di fazzoletti e poi un canto, un canto potente di cinquanta voci gagliarde:

> *Addio, mia bella, addio,*
> *L'armata se ne va.*

I soldati si erano tutti ammucchiati a prora su cataste di sacchi e barili, quale seduto, quale sdraiato, quale in piedi, e cantavano a squarciagola, con l'accompagnamento cupo delle ruote del vapore che filava diritto giú verso lo sfondo di cielo cui le sottili colline d'Ispra dividono dall'immenso specchio dell'acque, verso il Ticino. Quei giovinotti avevano a passarlo presto, il Ticino, probabilmente al grido di Savoia, fra una furia di cannonate. Molti di loro erano attesi laggiú, sotto quel cielo sereno, dalla morte; ma tutti cantavano allegri e solo il rumor cupo delle ruote del vapore pareva saperne qualche cosa. Le libere montagne piemontesi lungo le quali filava il battello parevano fiere e paghe, benché nell'ombra, di aver dato i propri figli alle schiave montagne lombarde, tragiche nell'aspetto benché illuminate dal sole. Luisa si sentí un lieve formicolío nel sangue, un palpito del suo patriottismo ardente d'una volta. E quelle madri che avevan visto partire i loro figli cosí? Prevenne il proprio pensiero, si disse subito che anche lei avrebbe donato volentieri un figlio all'Italia, che quelle madri non potrebbero in nessun caso paragonarsi a lei. Ma com'era diverso di leggere in Valsolda una lettera che parlava di guerra e di sentir veramente il soffio e il rumor della guerra intorno a sé, di respirarla nell'aria! Nella quiete della Valsolda era un'ombra senza realtà: qui l'ombra pigliava corpo. Qui il dolore privato di Luisa, il dolore immenso che le riempiva intorno l'aria morta di Oria, s'impiccioliva a fronte della emozione pubblica, ed ella lo sentiva e ciò le recava una molestia, un malessere indefinibile. Era paura di perdere parte del dolore proprio, come dire parte di se stessa? Era desiderio di sottrarsi ad un paragone che le ripugnava di fare? In pari tempo l'idea che Franco andrebbe a questa guerra, l'idea onde poco ella si era commossa in Valsolda, prendeva pure una realtà nuova nella sua mente, le dava delle scosse al cuore, lottava essa pure con l'immagine del Camposanto di Oria. Per la prima volta l'immagine del passato non era piú sola, assoluta, onnipotente signora dell'anima sua; ne avesse pure sdegno quest'anima e rincrescimento, nuove immagini, immagini del presente e del futuro, le facevano assalto.

Lo zio cominciò ad aver freddo e discese sotto coperta. « Fra poco piú d'un ora » diss'egli « saremo a Isola Bella. »

« Sei stanco? »

« Niente affatto. Sto benone. »

« Però andrai a letto presto questa sera? »

Lo zio, distratto, non rispose. Invece dopo un poco escí a dire: « Sai cosa pensavo? Pensavo che dovrebbe capitare un'altra Maria ».

Luisa, che gli era seduta accanto, si alzò di botto, fremente, e andò a guardar fuori dal finestrino in faccia, voltando le spalle allo zio. Questi non capí affatto, credette a un senso d'imbarazzo e si addormentò nel suo angolo. Il battello tocca Intra. Adesso prima dell'Isola non c'è che Pallanza. Il battello rade la costa; Luisa guarda dal finestrino ovale passar le rive, le case, gli alberi. Come si corre, come si corre!

Pallanza. Il battello resta fermo cinque minuti.

Luisa sale sul ponte, domanda quando si arriverà all'Isola Bella. Il battello non toccherà Suna né Baveno. Sarà un viaggio di pochi minuti. E il battello di Arona, quando arriva? Pare che sia in ritardo. Ella scende e sveglia lo zio che sale sul ponte con lei. L'ultimo tratto del viaggio è fatto in silenzio: lo zio sta a guardar Pallanza che si allontana e Luisa ha fissi gli occhi sull'Isola che s'avanza, non vede altro.

Il battello giunse all'approdo dell'Isola Bella alle tre e quaranta minuti. Nessun indizio del battello di Arona. Un inserviente disse a Luisa che quel battello era sempre in ritardo per colpa del treno di Novara che non aveva quasi piú regola, causa i movimenti militari. Nessuno discese all'Isola, nessuno era sulla riva tranne l'uomo addetto allo sbarco. Partito il battello, accompagnò egli stesso i due viaggiatori all'albergo del *Delfino*. Era un caso, diss'egli, che trovassero il *Delfino* aperto a quella stagione. Ci svernava una grossa famiglia inglese. Pareva l'isola del Silenzio, del resto. Il lago le taceva intorno immobile, la spiaggia era deserta, sui ballatoi delle povere vecchie casucce ammonticchiate sul porto, fra un bastione rotondo del giardino e l'albergo, non si vedeva persona viva. Gl'inglesi erano fuori, in barca; l'albergo taceva come la riva e l'acqua. I nuovi venuti ebbero due camere grandi del secondo piano, a mezzogiorno, di fronte al malinconico stretto fra l'isola e la costa boscosa che va da Stresa a Baveno. La prima camera, sull'angolo di ponente, aveva una finestra verso la chiesetta di S. Vittore, che sorge a fianco dell'albergo, e l'isolotto lontano dei Pescatori. Lo zio Piero si piantò a quella finestra contemplando l'isolotto, il mucchietto di case sporgente dallo specchio del lago e appuntato in un campanile, le grandi montagne di Val di Toce e di Val di Gravellone, mezzo nascoste da una nebbiolina penetrata di sole. Luisa, visto che lí v'eran due letti, passò rapidamente nell'altra camera dov'era un'alcova con due letti pure. « Ecco » disse lo zio Piero entrandovi un momento dopo, « questa va bene per voialtri. » Luisa domandò sottovoce all'albergatore se non si potessero avere tre camere invece di due. No, non si potevano avere. « Ma se cosí va bene! Ma se cosí va benone! » ripeteva lo zio. « Voi qui e io là. » Luisa tacque e l'albergatore se n'andò. « Non vedi che hai l'alcova come a casa? » Non gli veniva in mente, all'uomo patriarcale, che per Luisa la sola vista di quell'alcova fosse un tormento. Ella gli rispose che preferiva l'altra camera, piú chiara, piú allegra. « Amen » disse lo zio, « fate vobis. M'inalcoverò io. »

Anche quell'angolo dell'albergo ritornò nel silenzio. Luisa si pose alla finestra. Il battello di Arona doveva esser vicino, l'uomo di prima s'incamminava lentamente verso lo sbarco e poco dopo si udí un rumor lontano di ruote. Lo zio disse a Luisa che si sentiva stanco e rimaneva in camera.

Ella discese verso il ponte dello sbarco e si fermò presso una casupola che toglieva di vedere il battello di cui udiva il fragore. A un tratto la prora del *San Gottardo* le uscí davanti lentamente e si fermò. Luisa riconobbe suo marito fra un gruppo di persone che gli facevano un grande chiasso intorno. Franco la vide, saltò sul ponte, corse a lei, che fece due passi avanti. Si abbracciarono, egli muto, cieco d'emozione, ridente e lagrimoso, pieno di gratitudine e anche trepido, incerto circa l'animo di lei, circa il modo di regolarsi; ella piú composta, pallidissima e seria. « Addio » ripeteva « addio » e s'incamminò verso l'albergo. Venne allora da Franco una furia di domande sul suo viaggio, sul passaggio del confine, prima; poi sullo zio. Quando nominò lo zio, Luisa alzò il viso e disse: « Guarda! ». Lo zio era lassú alla finestra e gittò abbasso un addio sonoro agitando il fazzoletto. « Oh! » fece Franco, stupefatto; e prese la corsa.

Lo zio aspettò sul pianerottolo della scala con una espressione di contentezza persino sul ventre pacifico. « Ciao, neh » diss'egli e gli prese le mani, gliele scosse tenendolo a distanza. Non avrebbe voluto baci, come se in quel momento significassero ringraziamenti, ma non poté difendersi dall'impeto di Franco. « Figurati » diss'egli appena svincolatosi dalle braccia del giovane « se una Maironi può viaggiare senza maggiordomo! Son poi anche venuto ad arruolarmi nei bersaglieri! » E l'uomo stanco discese le scale dicendo che andava a ordinare il pranzo.

Non v'era canapè nella stanza degli sposi. Franco trasse Luisa a sedere sul letto, le sedette accanto, le cinse con un braccio le spalle, incapace di un discorso qualsiasi, non sapendo dire che « ti ringrazio, ti ringrazio », non trovando che impetuose carezze, impetuosi baci, nomi di tenerezza. Luisa tremava a capo chino, non gli rispondeva in alcun modo ed egli si frenò, le prese il capo come una cosa santa, le andò sfiorando con le labbra, qua, là, i capelli bianchi che vedeva. Ella capí che cercava i capelli bianchi, intese quei timidi baci, si commosse, le parve sentirsi sgelare il cuore, fu presa da sgomento, volle difendersi piú contro se stessa che contro Franco. « Sai » disse, « ho il cuore tanto freddo, non volevo neanche venire, non volevo lasciar Maria né che tu avessi l'amarezza di trovarmi cosí. È stato causa lo zio che venissi. Voleva venir solo e allora mi sono decisa. »

Dette le parole crudeli, sentí levarsi dai suoi capelli le labbra di Franco, levarsi il braccio dalle sue spalle. Tacquero ambedue; poi Franco mormorò con dolcezza: « Sono tredici ore. Forse dopo non ti darò noia mai piú. » In quel punto entrò lo zio Piero e annunciò che il pranzo era pronto. Luisa prese la mano di suo marito, gliela strinse in silenzio, non con la stretta d'un'amante, ma pure abbastanza forte per significargli ch'era una commossa risposta.

A pranzo né Luisa né Franco mangiarono. Invece lo zio mangiò con appetito e parlò molto. Egli non approvava che Franco prendesse le armi. « Che soldato vuoi riuscire tu? » gli diceva. « Cosa farai senza la canfora, l'acqua sedativa e il cossa soja mi? » Franco dichiarò che aveva buttato via tutti i rimedi, che si sentiva di ferro, che sarebbe stato il piú robusto soldato del 9°. « Sarà! » brontolò lo zio. « Sarà! E tu, Luisa, non dici niente? » Luisa rispose ch'era persuasa di quanto aveva detto suo marito. « N'occor alter! » fece lo zio. « Evviva! » Egli aveva poi anche un gran concetto della potenza austriaca e non vedeva roseo come Franco. Secondo Franco, non c'era da dubitare della vittoria. Egli aveva veduto un aiutante di Niel venuto segretamente a Torino, gli aveva udito dire ad alcuni ufficiali piemontesi di Stato Maggiore: « Nous allons supprimer l'Autriche ». Certo, bisognava lasciare almeno cinquantamila cadaveri italiani e francesi tra il Ticino e l'Isonzo.

« Scusi, signore » disse il cameriere che serviva. « Mi pare che il signore parlasse di entrare nel 9° reggimento! »

« Sí. »

« Brigata Regina. Brava brigata. Io ho servito nel 10°. Ci siamo fatti onore nel 1848, ehi! Goito, Santa Lucia, Governolo, Volta! Adesso tocca a Loro. »

« Faremo il possibile. »

Luisa ebbe un lieve brivido. Gl'inglesi che pranzavano alla tavola vicina intesero il dialogo, guardarono Franco. Per qualche momento nessuno parlò nella sala; vi passò la visione di una colonna di fanteria lanciata alla baionetta, fra la mitraglia.

Dopo pranzo lo zio rimase all'albergo per il suo solito chilo e Franco uscí con Luisa. Presero a destra, verso il Palazzo. Faceva piuttosto scuro, cadeva qualche rara gocciolina, gli scalini che mettevano dalla riva al cortile della villa erano umidi, si sdrucciolava. Franco offerse il braccio a sua moglie che lo prese in silenzio. Si fermarono tra il cortile deserto e la scala dello sbarco a contar le ore che suonavano all'orologio del Palazzo. Sei. Erano passate due ore, ne restavano altre undici; poi veniva la separazione, l'ignoto. Si incamminarono lentamente, sempre senza parlare, per il viale diritto fra il lago e il fianco del Palazzo, a quell'angolo che guarda l'isola dei Pescatori, dove si vedeva già qualche lume. Due donne venivano loro incontro a braccetto, chiacchierando. Franco le lasciò passare e poi domandò a sua moglie se si ricordava dei Rancò.

Due anni prima del loro matrimonio avevano fatto con altri amici una passeggiata a Drano e ai Rancò, alti pascoli di Valsolda, che si attraversano per salire al Passo Stretto. Avevano avuto una disputa vivace, un'ora di broncio e di tormento. « Sí » rispose Luisa. « Mi ricordo. » Sentirono ambedue nello stesso momento quanto l'ora presente fosse diversa da quella e quanto ciò fosse doloroso a dire. Non parlarono piú fino all'angolo. Un suono di campane veniva dall'isola dei Pescatori. Franco lasciò il braccio di sua moglie, si appoggiò al parapetto. Il lago nebbioso taceva, nulla si vedeva oltre i lumi dell'altra isola. Il lago, la nebbia, quei lumi, quelle campane che parevano di una nave perduta in mare, il silenzio delle cose, le stesse rade minute goccioline di piova, tutto era cosí triste!

« E ti ricordi poi? » mormorò Franco senza voltar il viso. Anche Luisa s'era appoggiata al parapetto. Tacque un poco, indi rispose sottovoce:

« Sí, caro. »

Ah vi era nel suo *caro* un lieve recondito principio di calore, di emozione affettuosa. Franco lo sentí, n'ebbe una scossa di gioia ma si contenne.

« Penso » riprese « alla lettera che t'ho scritto subito,

appena ritornato a casa e alle tre parole che mi hai detto il giorno dopo, a Muzzaglio, quando gli altri ballavano sotto i castagni e tu mi sei passata vicina per andar a prendere il tuo scialletto che avevi posato sull'erba. Te le ricordi? »

« Sí. »

Egli le prese una mano, se la recò alle labbra.

« Ti ringrazio ancora » diss'egli « per quelle tre parole. Allora sono state la vita per me. Ti ricordi che nella discesa t'ho dato il braccio e che c'era chiaro di luna? »

« Sí. »

« E ti ricordi che ho fatto uno sdrucciolone prima di arrivare al ponte e che tu mi hai detto: "Caro signore, tocca a Lei di sostenere me"? »

Luisa non rispose, gli strinse la mano.

« Non sono stato buono a nulla » diss'egli tristemente. « Non ti ho saputo sostenere. »

« Hai fatto tutto quello che potevi. »

La voce di Luisa, dicendo cosí, era fioca, ma ben diversa da quando ell'aveva detto: il mio cuore è freddo. Suo marito le riprese il braccio, ritornò con lei, a passi lenti, verso lo sbarco. Il caro braccio non era inerte quanto prima, tradiva un'agitazione, una lotta. Franco si fermò e disse piano:

« E se vado dalla Maria? Cosa le devo dire di te? »

Ella fu presa da un tremito, gli posò il capo sulla spalla e sussurrò: « No, resta ». Franco non intese, domandò: « Cosa? ». Non udí rispondere, piegò adagio adagio il viso, vide le labbra di lei porgersi, vi posò le sue. Il cuore gli batté, gli batté forte, piú forte ancora di quando aveva baciato Luisa la prima volta come amante. Rialzò il viso, non poteva neppur parlare. Finalmente gli riuscí di metter fuori queste parole: « Le dirò che hai promesso... ». « No » mormorò Luisa, accorata, « quello non lo posso, non domandarmelo, non è piú possibile. »

« Cosa, non è possibile? »

« Oh, intendi bene! Anch'io ho inteso bene cosa volevi dir tu. »

Ella riprese a camminare, volendo staccarsi da quel discorso. Tenne però il braccio del marito, che la fermò.

« Luisa! » diss'egli, severo, quasi impetuoso. « Mi lascerai partire cosí? Sai cosa vuol dire per me partire cosí? »

Ella ritirò allora lentamente il braccio di sotto quello di lui e si voltò a destra verso il parapetto, vi si appoggiò guardando l'acqua come a Oria, quella sera. Franco le restò diritto accanto, attese un poco e poi le domandò di rispondergli.

« Per me sarebbe meglio finirla nel lago » diss'ella, amaramente. Suo marito le cinse la vita con un braccio, la strappò dal parapetto e la lasciò libera, levò il braccio in aria. « Tu? » esclamò con sdegno. « Parlar cosí, tu che dicevi sempre di prender la vita come una guerra? E il tuo modo di combattere sarebbe questo? Io credevo una volta che la piú forte fossi tu. Adesso intendo che sono io il piú forte. Molto piú! Sai neanche immaginare... » Sentí la voce sfuggirsi un momento ma si padroneggiò e proseguí: « Sai neanche immaginare cosa tu sei per me e cosa farei per non darti senza necessità un piccolo dolore, mentre pare che a te non importi nulla di lacerarmi l'anima? ». Ella gli si gettò fra le braccia. Nel silenzio che seguí, rotto solo da uno spasimo di singhiozzi repressi, Franco udí venir gente e durò fatica a staccarsi sua moglie dal petto, a riprender con essa il cammino dell'albergo. « Tu, tu! » sussurrò. « E non vuoi che desideri di morire io, quando posso morir bene, per il mio paese? » Luisa gli stringeva il braccio senza parlare. Incontrarono due giovani amanti, che passando loro accanto li guardarono curiosamente. La ragazza sorrise. Giunti agli scalini che scendono sul piazzaletto davanti a S. Vittore, udiron voci di ragazzi e di donne. Luisa si fermò un momento sul primo scalino e disse piano le tre parole di Muzzaglio:

« Ti amo tanto. »

Franco non rispose che con una stretta del braccio. Discesero gli scalini adagio adagio, rientrarono all'albergo del *Delfino*.

Alcuni giovinotti che bevevano, fumavano e schiamazzavano si alzarono all'apparir di Franco e di Luisa, si fecero loro incontro tutti, tranne uno che approfittò del momento buono per vuotare l'ultima bottiglia. « Signora » disse il primo che si presentò a Luisa. « Suo marito Le avrà già annunciato i Sette Sapienti. » Successe subito un gran baccano perché Franco aveva dimenticato di dire a Luisa che i suoi amici eran venuti con lui da Torino e s'erano spinti, per discrezione, fino a Pallanza, promettendo una visitina d'omaggio alla signora. « El piú sapiente son mi » disse alzandosi il Padovano, che aveva vuotata la bottiglia. « Vualtri fe' bordelo e non beví; mi bevo e no fazzo bordelo. » « Quello, signora » disse un bel giovane, « è, com'Ella ben intende, l'asino sapiente della compagnia. »

« Tasi, Fante! – Signora! » fece il Padovano avanzandosi e salutando.

« Ah, Lei è il signor Fante di bastoni? » disse Luisa, sorridendo, al bel giovane. Ella fu affabile con tutti, ebbe un gran successo dicendo a un uomo alto, magro, dai baffi arricciati: « Lei dev'essere il signor Caval di spade ».

« No xe vero, signora » esclamò il Padovano mentre gli altri applaudivano, « che se vede la bestia? »

Erano venuti da Pallanza in barca e volevano ripartire subito, ma Franco fece portare altre due bottiglie e il chiasso divenne cosí enorme, malgrado la presenza di Luisa, che l'albergatore venne a pregare, per amore de' suoi inglesi, di non far tanto « rabello ». Il Padovano gli snocciolò dolcemente una litania placida di vituperi padovani. Colui non capí, fece un risolino stupido e se n'andò.

I Sapienti eran venuti sul lago per godere anche loro una giornata di libertà prima di arruolarsi. Entravano tutti, meno il Caval di spade, nello stesso reggimento. Bevvero al 9° fanteria, alla brigata Regina, a tutti i « pistapauta » nazionali nel presente e nell'avvenire e discussero sul luogo e il nome della prima battaglia che si darebbe agli austriaci. Tutti i voti meno quello del Padovano furono per una « battaglia del Ticino ». Il Padovano voleva una battaglia di Gorgonzola. « No sentí che nome militar? Battaglia di Gorgonzola erborinato. Asèo! »

Era scritto nel Libro del Destino ch'egli sarebbe caduto appunto nella prima battaglia, a Palestro, con una scheggia di granata nella coscia, combattendo da buon soldato a due passi dal colonnello Brignone. Quei giovani parlavano di battaglie con entusiasmo ma senza spacconate, parlavano della futura Italia dicendo alquante corbellerie, ma si sentiva che non importava loro un fico secco della vita pur di farla libera, questa vecchia patria, e grande. « Ghe pàrele, teste da far l'Italia? » disse il Padovano a Luisa. « Gnanca So marío, sala. Un bon toso, ma par far l'Italia, gnente. La vedarà che razza de Italia che vien fora! I nostri fioi ne farà un monumento, ma dopo vegnarà, capisela, con licenza, quelle figure porche de quei nevodi, che me par de sentirli: "Che da can", i dirà, "che i la ga fata, quei veci insensai, sta Italia!". »

I Sapienti partirono dopo essersi accordati con Franco di trovarsi l'indomani mattina sul primo battello. Franco li accompagnò alla barca e intanto sua moglie salí a vedere lo zio Piero. Egli aveva dato l'incarico all'albergatore di avvertire i suoi nipoti che, sentendosi molto sonno, era andato a letto. Infatti Luisa lo udí dormire rumorosamente. Posò il lume e attese Franco.

Egli venne subito e fu sorpreso di udire che lo zio dormiva già. Avrebbe voluto pigliar congedo da lui prima d'andar a letto, perché il battello partiva di gran mattino, alle cinque e mezzo. L'uscio della camera era chiuso, tuttavia Luisa pregò suo marito di camminare in punta di piedi e di parlar sottovoce. Gli raccontò ciò che le aveva detto la Cia. Lo zio aveva bisogno di riposo. Ella sperava che sarebbe rimasto a letto fino alle nove o alle dieci e contava partire al tocco, andar a dormire a Magadino per non affaticarlo troppo. Insistette molto su queste apprensioni per la salute dello zio; parlava, parlava, nervosamente, volendo tener lontani altri discorsi, tener lontane con quest'ombra carezze troppo tenere. In pari tempo andava e veniva per la camera, pigliando e posando le stesse cose, un po' per nervosità, un po' con la intenzione che suo marito si coricasse prima di lei. Egli pareva dal canto suo molto occupato di una borsa a tracolla che non riusciva ad aprire. Finalmente l'aperse, chiamò sua moglie a sé, le diede un rotolo d'oro, cinquanta pezzi da venti lire. « Capisci » le disse « che almeno per qualche mese non potrò mandar nulla. Questi non sono miei, li ho avuti a prestito. » Poi trasse di tasca una lettera suggellata. « E questo è il mio testamento » soggiunse. « Ho poco ma devo pur disporre anche di quel poco. Vi è un legato solo, la spilla di mio padre che hai tu, per lo zio Piero; e vi è il nome della persona cui devo mille lire. A parte del testamento ci sono due righe particolari per te. Ecco. » Egli parlava con dolcezza, senza commozione. A lei, nel prendere la lettera, le mani tremavano. Gli disse « grazie », cominciò a sciogliersi le trecce, poi se le riannodò, non sapeva bene che si facesse, combattuta dal fantasma della sua morta e da un'altra visione di guerra e di morte. Disse con voce rotta che dovendo alzarsi presto per accompagnarlo al vapore pensava di non sciogliersi le trecce e di coricarsi vestita. Franco non fece parola, pregò brevemente e si cominciò a spogliare, si levò dal collo una catenella e una crocettina d'oro ch'erano state di sua madre. « Tienle tu » diss'egli porgendole a Luisa. « È meglio. Non si sa mai, potrebbero cadere in mano ai

385

croati. » Ella inorridí; tremò, esitò un istante, gli si gettò al collo, glielo strinse da soffocarlo.

Il cameriere bussò all'uscio degli sposi verso le quattro e mezzo. Alle cinque Franco entrò col lume nella camera dello zio ch'era svegliato. Prese congedo da lui e propose quindi a Luisa che anche il loro congedo seguisse lí. Ell'aveva nel viso e anche nella voce una espressione di stupore grave, dolente. Non si commosse, non pianse, abbracciò e baciò suo marito come trasognata e come trasognata discese le scale insieme a lui. Passò forse in esso un lampo del pensiero che occupava l'animo di lei? Se ciò avvenne fu nel salotto dell'albergo mentre prendeva il caffè e sua moglie gli sedeva in faccia. Parve che scoprisse qualche cosa in quello sguardo, in quella fisonomia, perché si fermò a contemplarla con la tazza di caffè in mano e poi gli si diffuse sul volto una tenerezza, un'ansia, una commozione inesprimibile. Ella, manifestamente, non desiderava di parlare ma egli sí. Una parola occulta gli fremeva in tutti i muscoli del viso, gli luceva negli occhi; la bocca non osò dire niente.

Discesero al ponte di sbarco tenendosi per mano, si appoggiarono al muro cui s'era appoggiata Luisa il giorno prima. Quando udirono il fragore delle ruote si abbracciarono per l'ultima volta, si dissero addio senza lagrime, piuttosto sconvolti dal loro comune pensiero occulto che afflitti dalla separazione. Il battello arrivò con fracasso, furon gittate e legate le corde. Una voce gridò: « Avanti chi parte! ». Un bacio ancora: « Dio ti benedica! » disse Franco e saltò sul battello.

Ella rimase fino a che fu possibile udire il rumor delle ruote che si allontanavano verso Stresa. Poi ritornò all'albergo, sedette sul letto, stette lí come petrificata in quest'idea, in questa istintiva certezza ch'era madre una seconda volta.

Benché fosse appunto la cosa tanto temuta, non si può

dire che ne provasse afflizione. Lo stupore di sentirsi dentro una voce cosí forte, chiara e inesplicabile, vinse in lei ogni altro sentimento. Era sbalordita. Aveva sempre pensato, dopo la morte di Maria, che il Libro del Destino nulla potesse piú avere di nuovo per lei, che certe intime fibre del suo cuore fossero morte. E adesso una Voce arcana parlava proprio là dentro, diceva: « Sappi che nel Libro del tuo Destino una pagina si chiude, un'altra si apre. Vi è ancora per te un avvenire di vita intensa; il dramma, che tu credevi finito al secondo atto, continua e dev'essere straordinario se Io te lo annuncio ». Per tre ore, sino a che lo zio Piero non la chiamò, Luisa restò assorta in questa Voce.

Lo zio si alzò alle nove e mezzo. Stava bene. Il tempo era umido ancora, quasi piovigginoso, ma egli non volle saperne di restar in casa, come Luisa avrebbe desiderato, sino all'ora di partire per Magadino. Sapeva, per averne chiesto all'albergatore, che dalle nove in poi si poteva visitare il giardino, e alle dieci, preso il suo latte, vi si avviò con Luisa. Passando da San Vittore desiderò entrarvi, veder le pitture. Vi si stava dicendo messa, il celebrante si voltava a dire: « Benedicat vos omnipotens Deus ». Lo zio si fece un gran crocione, ascoltò l'ultimo vangelo, rinunciò a veder le pitture perché c'era poca luce e uscí di chiesa dicendo con la sua giovialità solita: « Eccomi felice e contento d'essere andato a farmi benedire ».

Non era possibile aver fretta, con lui. Si fermava ad ogni passo, guardando tutto che avesse forma d'arte, tutto che fosse disposto per venir guardato. Contemplò la facciata della chiesa, la triplice gradinata dello sbarco Borromeo, ciascuno dei tre lati del cortile e la gran palma nel mezzo, che Luisa, con grave scandalo di lui, non aveva neppur veduta passando di là insieme a Franco, la sera prima. Quando il custode li introdusse nel Palazzo ci vollero almeno dieci minuti per salire, ammirando, lo scalone. Come ne fu a capo uscí un raggio di sole e il custode propose di approfittarne per vedere il giardino. Prese a sinistra e per una fila di sale vuote accompagnò i visitatori al cancello di ferro, suonò il campanello. Venne un giardiniere, un giovinetto educato che piacque molto allo zio perché gli spiegava tutto con buon garbo, e lo zio non domandava poco. Ci vollero cinque minuti per l'albero della canfora, presso l'entrata. Luisa ci soffriva, temeva che lo zio si stancasse troppo e si stancava moltissimo ella stessa di dover guardare tante piante, udire tanti nomi latini e volgari, fare attenzione allo zio, mentre i suoi pensieri avrebbero voluto silenzio e solitudine. Il giardiniere propose di salire al Castello di Nettuno. Lo zio avrebbe desiderato veder da vicino il liocorno dei Borromei che s'impenna lassú, ma c'erano parecchi scalini a fare, l'aria era pesante ed egli esitava. Luisa approfittò di quell'esitazione per chiedere al giardiniere dove avrebbero trovato un sedile. « Qui sotto » rispose colui, « a sinistra, sulla piazza degli *Strobus*. » Lo zio si lasciò persuadere a discendere su questa piazza degli *Strobus*.

Era stanco ma non tralasciava di guardar tutto e d'interrogar su tutto. Avviandosi verso gli *Strobus* udí venir da lontano, dalla parte dell'Isola Madre, un rullo di tamburi e ne domandò al giardiniere. Erano i tamburi della Guardia Nazionale di Pallanza, che faceva gli esercizi sulla riva. « Adesso si fa per giuoco » disse il giovinetto. « Mica per giuoco, ma insomma...! Il mese venturo faremo sul serio. Dobbiamo dare una lezione a una bestia grossa. Eccolo là, quel mostro. » Il mostro era il vapore austriaco da guerra *Radetzki*, detto dai riverani piemontesi *Radescòn*. « Entra adesso nel porto di Laveno » disse il giovinetto. « Viene da Luino. Vengano qui se vogliono vederlo bene. »

Lo zio sapeva di non avere occhi bastantemente buoni e sedette sul primo sedile che trovò sotto gli *strobus*, posto a ridosso di una macchia di bambú e fiancheggiato da due altre macchie di grandi azalee. Dietro ai bambú, fra i grossi tronchi distorti degli *strobus*, si vedeva tremolare lo specchio delle acque bianche fino alla lista nera delle colline d'Ispra. Il cielo, fosco a settentrione, era chiaro laggiú. Luisa e il giardiniere andarono fino al cancello stemmato che guarda la verde Isola Madre, Pallanza e il lago superiore. Luisa si affacciò alla gran distesa delle acque plumbee, incoronate di colossi nebbiosi dal gruppo del Sasso di Ferro sopra Laveno ai monti di Maccagno, alle nevi lontane dello Spluga. Del *Radetzki* si vedeva piú il fumo che il corpo. I tamburi di Pallanza rullavano sempre. Lo zio Piero chiamò il giardiniere e Luisa andò ad appoggiarsi al parapetto di fianco al cancello, presso il tasso che sale dal ripiano inferiore. L'albero le toglieva la vista del chiaro levante; ella era contenta di esser finalmente sola, di riposar i suoi sguardi e i suoi pensieri nel grigio delle montagne lontane e delle acque immense. Il giardiniere tornò dopo un momento per mostrarle le gialle acacie fiorite e le eriche bianche del ripiano inferiore, pure fiorite. « Le *bruyères blanches* portano fortuna » diss'egli. Vedendo che Luisa, distratta, non gli badava, si allontanò verso la serra delle begonie. « Vecchio *strobus* » diss'egli parlando forte per farsi udire dai forestieri, ma senza voltarsi. « Vecchio *strobus* colpito dal fulmine. Se vogliono veder il giardino privato... »

Luisa si alzò a prender lo zio per dargli il braccio se ne avesse bisogno. Il giardiniere che stava aspettando presso l'entrata del boschetto di lauri, vide la signora muovere verso il signore seduto, affrettare il passo, precipitarsi con un grido sopra di lui.

Come la vecchia innocente pianta, anche lo zio Piero era stato colpito dal fulmine. Il suo corpo era appoggiato alla spalliera del sedile, la testa gli toccava il petto col mento, gli occhi erano aperti, fissi, senza sguardo. Era proprio stato uno spettacolo di addio quello che la sua Valsolda gli aveva offerto. Lo zio Piero, il caro venerato vecchio, l'uomo savio, l'uomo giusto, il benefattore de' suoi, lo zio Piero era partito per sempre. Egli era venuto, sí, ad arruolarsi, Iddio lo voleva in una milizia superiore, ed ecco era suonato l'appello, egli aveva risposto. I tamburi di Pallanza rullavano, rullavano la fine di un mondo, l'avvento di un altro. Nel grembo di Luisa spuntava un germe vitale preparato alle future battaglie dell'êra nascente, ad altre gioie, ad altri dolori da quelli onde l'uomo del mondo antico usciva in pace, benedetto all'ultimo momento, senza saperlo, da quell'ignoto prete dell'Isola Bella, che mai, forse, non aveva detto le sante parole a un piú degno.

Antonio Fogazzaro[1]
di Riccardo Bacchelli

Fra tre anni, a metà novembre del 1945, compirà il cinquantennio da che fu pubblicato *Piccolo mondo antico*; e mi fido dicendo non tre, ma cinquanta altri anni potranno trascorrere, e il centenario lo troverà libro vegeto e fresco di rigogliosa vita. *Piccolo mondo antico* ha il suo posto, e il tempo gliel'ha già sicuramente confermato, ed è ragguardevole luogo in una letteratura come la nostra. Quale e quanto elogio ciò implichi, non accade dire.

Ma chi vi parla pur deve alla chiarezza del proposito critico, alla qualità dell'occasione in cui parla di Antonio Fogazzaro, al rispetto delle opinioni, al giusto e doveroso riguardo per le affezioni naturali ed amichevoli nelle quali vive la memoria dell'uomo, d'affezione degnissimo, pur deve, dico, una dichiarazione, suo malgrado, personale. Il fatto d'essere d'origini letterarie non affini a quelle del Fogazzaro, gli fa maggiore obbligo e scrupolo, nell'indagine critica, di cercare e riconoscere i meriti di lui: questa, io credo, la mente di chi gli ha dato l'incarico stesso; ma se non fossi persuaso che i punti negativi, quanto più esplicitamen-

[1] Lo scritto qui riportato, tratto da un discorso pronunciato da Riccardo Bacchelli il 25 marzo 1942 all'Accademia d'Italia, in occasione del centenario della nascita di Antonio Fogazzaro, riproduce il testo apparso in Riccardo Bacchelli, *Saggi critici*, Mondadori, Milano 1962, pp. 194-213.

te rilevati, tanto più possano anch'essi fare risaltare il merito e il carattere degli altri, poi che di punti negativi secondo me ce ne sono gravi, né crederei d'onorare Antonio Fogazzaro mentendo o tacendo la mia convinzione, non potrei tenere un incarico, che da parte mia sarebbe quest'oggi sconvenienza. Ma sono persuaso che appunto da analisi anche cruda, spicchi in via di naturale e logica ragione, maggiore e meglio caratterizzato, e non senza luce d'umana commozione rispettosa, la qualità e il merito di quanto risulterà positivo in quell'opera e nel suo fiore, ch'è nel romanzo a tutti caro, al quale ho fatto facile e sicuro pronostico di lunga vita. Né dovevo tacere questa premessa, a ciò si sappia fin d'ora a che tendo, e cui mi fido di giungere in maniera da far tollerate, e se occorra perdonate, le opinioni negative. Infine, questo andava detto per riguardo verso l'Istituto che mi onora dell'incarico, onde voi ora mi ascoltate: voglio dire che se e in quel che sbagliassi, dello sbaglio scapiterò io, non l'Accademia né il Fogazzaro. Aver ciò detto mi libera; di che in ogni modo spero d'usare, non di abusare. Ma esplicito sarò, e chiedo dunque pazienza e tolleranza, se sviluppo quello in cui il nostro mi pare debole, per cavarne pertinente dimostrazione di quello in cui è certamente forte. Forte, vivo e saldo. Dovrei aggiungere che il critico in ogni occasione ha da essere sincero per rispetto di sé stesso e d'altrui, severo per rispetto all'autore? Non diverso lo vorrebbe quel valent'uomo che fu sempre schietto e sincero nelle sue convinzioni e parole: son anzi persuaso che, dirlo, non me lo lascierebbe neppure, perché gli sembrerebbe troppo ovvio, oltre che doveroso.

Con questo, e anzitutto, non tacerò che, incaricato di questa commemorazione, ho fatto una piccola indagine, bastevole a dimostrarmi che tutto quanto il Fogazzaro dei romanzi, anche quello su cui la critica non sente più bisogno di tornare, anche quello che il pubblico colto non legge più o legge meno, è cercato invece con durevole passione dal lettore semplice, dal pubblico delle librerie circolanti e delle edizioni economiche. Di questo pubblico non conviene esagerare l'importanza, ma neanche di quell'altro; e se per la critica estetica è pacifico che le ideologie filosofiche e religiose e politiche e morali dello scrittore vicentino importano, come del resto per ogni artista, solo in quanto operarono da lievito nell'opera sua immaginativa; se per lo storico del pensiero i suoi problemi peccarono d'inconsistenza o nei termini in cui egli li pose; se per il cronista la voga del Fogazzaro in quanto pensatore non ebbe spesso tanto di rilievo significante da conferirle durevole interesse; anche se tutto ciò è vero, sta il fatto umano di quel persistente affetto dei semplici per tutto Fogazzaro. Giusto, umano ossequio, del resto, al tormento di uno che lo patì con animo integro e appassionato anche in quello che in linea di logica dobbiamo ritenere debole o insussistente. Eppoi certo il fatto è prodotto da soddisfazione delle qualità empiriche del narratore, che al Fogazzaro non mancano mai e fanno, come si dice, andare in fondo ad ogni sua narrazione. E quello che oggi è sorpassato o indigente problema: tra scienza e fede, fra Darwin e Sant'Agostino, fra evoluzionismo positivistico spenseriano e concetto teologale della creazione, fra il pitecantropo e la creta d'Adamo; anche questo agisce sul pensiero ingenuo, ed è naturale che agisca. Voglio dire di più: ardimenti, o che parevano allora tali, filosofici e riformatori, di quelli a cui il Fogazzaro trascorse in modo da incappare nella riprovazione, non che dei positivisti, che ormai non conta più molto, ma dei filosofi razionali e dei teologi di Benedetto Croce e di Papa Pio X quasi a un tempo e per opposte e concorrenti ragioni; ardimenti di quello stampo sorpassato, agitano e sollecitano quella che possiamo bensì chiamare adolescenza del pensiero, ma non senza rispetto, perché ha pure la sua ragion d'essere, quando sia fervoroso e candido com'egli fu nel suo pensiero.

Alla condanna teologica egli si sottomise, e ci ricadde tosto: che non fa stupore, che anzi dichiara la buona fede con cui pronunciava proposizioni teologiche strane per un cattolico, sulle quali non intendo di dilungarmi, perché è pacifico che in lui va cercato l'artista. Né importa dire il giudizio della logica filosofica sul suo evoluzionismo mistico trascendentale. Fatto è che indebitamente attratto e spaventato dal positivismo, come da tanti altri moti di pensiero che facevano rumore al tempo suo, egli non s'addiede, non che della povertà filosofica di quello e di quelli, ma di ciò che la filosofia critica elaborava intorno al concetto gnoseologico di scienza, e nemmeno di ciò che con vigore e dignità di pensiero s'agitava nel «modernismo» stesso nel tentativo di fondare un'apologetica religiosa sulla immanenza. Ma si sa ch'egli non entra nella storia dialettica del pensiero filosofico. E nella cronaca stessa, certa mondanità delle di lui discussioni religiose, giudicata incauta e indisciplinata dai censori ecclesiastici appare non compatibile e dilettantesca ai censori filosofici. E lo spicco di maggiore risalto di quella vicenda nel suo punto culminante, nella sottomissione al decreto dell'Indice che condannava il *Santo*, non venne dal significato ch'egli seppe conferire e mantenere all'atto, ma dalla polemica gazzarra indiscreta, comica, anzi grottesca, con la quale si pretese che quell'atto di coscienza insindacabile da altri, e da parte sua di rettitudine indiscutibile, fosse incompatibile con l'appartenenza di lui al Senato e al Consiglio Superiore dell'Istruzione Pubblica; si pretese ciò dai faziosi della libertà di pensiero, dai fanatici dell'antifanatismo, dai dogmatici dell'antidogmatismo. Ciò vuole essere riferito, meglio che in grazia del color del tempo, perché il rifiuto di intrudere elementi biografici nell'esame estetico dell'opera, non credo debba giungere fino a passar sotto silenzio che fede e pensiero eran d'un galantuomo specchiato e sincero nell'una e nell'altro; sincero anche in ciò che lo fece ricadere nell'indisciplina e nell'eterodossia, dando ragione a quei suoi avversari del campo cattolico così detto «intransigente», (come se in materia dogmatica fosse dato a cattolici di transigere), i quali ebbero a dire: dopo la sottomissione, «Antonio Fogazzaro è tornato Antonio Fogazzaro». Il motto denuncia una sfiducia poco caritatevole, ma insomma era vero. Quanto a lui:

Ogni plebe m'insulta e rossa e nera.

La locuzione, presa dalla polemica allora corrente, non è poetica. Né persuade quel che segue:

Ogni plebe m'insulta e rossa e nera,
Dio, perch'io vidi un cielo aperto e Te.
Si leva, e come un'iraconda fiera
Sorge il demonio dell'orgoglio in me.

Non persuade l'atteggiamento da Coriolano verso le plebi, né il concetto, né l'immagine, né la confessione stessa, perché la poesia ha certa delicatezza di proporzioni, che qui è perduta nell'enfasi e nel generico.

Dunque, tornandovi, quel motto maligno d'un giornale «intransigente» uscì quando il Fogazzaro, dopo la condanna del *Santo* andò a Parigi e a Ginevra a illustrare «le idee religiose di Giovanni Selva», ossia di quel suo *alter ego* che nel romanzo funge da teoreta del misticismo di Benedetto e da testimone del suo apostolato ascetico. Non sto a dire che dall'esposizione dottrinale le idee non ricevettero quella concretezza e determinatezza di cui mancano nel romanzo, ma bensì che sorprende cotesto rifarsi, come da un testo, da un personaggio dell'arte; cotesto rifarlo in termini dottrinali e logici, quando il personaggio, se esiste, non n'ha di bisogno, e se n'ha di bisogno, non esiste; quando insomma idee, anche come tali, non avrebbero potuto serbare vita scisse dal vitale, dall'unico nesso dell'espressione poetica. Era sentendo manchevole questa, che l'artista cercava di rimediare uscendo dalla categoria estetica? Non poteva approdare ad altro che a una contraddizione logica, alla quale, sia detto per inciso, l'aiutava e lo persuadeva, non che la sua personale illusione d'essere uomo di pensiero investito d'una missione filosofica e religiosa, anche la voga, caratteristica del tempo suo, dell'arte così detta di pensiero, dell'arte, e più specialmente del romanzo «a tesi», e insomma, parlando da storici, l'influsso di quel molteplice dilettantismo di idee e di problemi, altrettanto vani quanto le soluzioni, ch'era uno fra gli aspetti oziosi del secolo nel suo declino, quando l'agio stesso d'una epoca opulenta e pacifica si mutava in ozio, e il tormento della necessità, ch'è scabra per definizione e robusta e ben definita, si cangiava in certa vaga, variegata, indefinita inquietudine superflua, vagante nei più diversi campi dello spirito. Ma quanto al Selva, io dico più alla buona che un certo elementare accorgimento avrebbe potuto bastare a far sentire all'artista che l'assunto era falso. Per esempio, pensatore debole ma potente artista, il Tolstoi, esaurito il succhio fantastico di *Resurrezione*, lascia l'opera in tronco e abbandona quella che avrebbe potuto essere appunto, fallendogli l'immagine poetica, la dottrina delle «idee religiose di Necliudof», tanto per dire.

Ma non ha egli inventato, il romanziere nostro, un Papa ed un Santo? E non s'è difeso dalla taccia d'imprudenza e di irriverenza allegando l'invenzione, come a dire la metafora?

Absit a me l'impertinenza e il ridicolo e la superfluità di indagare l'ortodossia di quel libro, quando *Roma locuta est*, quando l'oggetto della mia indagine è tutt'affatto diverso, e deve stare nei limiti dell'analisi estetica. Ma per il teologo e per chi abbia presente per fede da chi siano eletti nella Chiesa militante i papi, da chi siano dimostrati assunti alla Chiesa trionfante i santi, è chiaro che questa non è materia da invenzioni e da ipotesi né da metafore: non fantasiabile. Orbene: quanto a me, non intendo obbiettare al Fogazzaro il carattere storico, che su questi punti di fede dalla Chiesa si esige creduto e adorato nelle istituzioni e persone sue; dico invece di cotesto carattere storico, dal punto di vista estetico, del critico letterario: e l'artista, quando e dov'è tale, solo in quanto è tale, possiede nella intuizione sua stessa, immediatamente e sicuramente, l'esatto limite discriminante tra fantasia ed arbitrio, tra invenzione e capriccio, col senso, per quanto a lui tocca, di quel che compete alla realtà o alla fantasia, alla storia o alla immaginazione, alla ragione o alla poesia. Superfluo poi aggiungere che per un credente, ragione e storia sono comprese in sintesi nella fede. Ma insomma, di fatto, nel caso particolare, quel supposto papa, nell'apparato suggestivo e romanzesco, e troppo suggestivo e romanzesco, della notte alta in una sala vaticana, quel papa, annuente in silenzio alle proposizioni, non importa al critico letterario quanto prudenti o no, quanto ereticali o no, quanto logiche più o meno, del supposto santo, al par di questo quel papa non ha persona. Sono immagini di immagini, illusioni fantasianti in cui s'inganna la carenza di una forza fantastica, che cerca il peso, il corpo che le manca in poesia nel ricorso ad una esteriorità storica che arte e ragione e fede le dovrebbero prescrivere intangibile. Sono velleità di poesia, per cui, quando si legge che quel papa, lasciando condannare le idee religiose di Giovanni Selva e lasciando sfrattare da Roma Benedetto, ha ceduto a intrighi di partito ecclesiastico e politico, l'obbiezione della infallibilità in materia dogmatica sarebbe troppo grave e di peso sproporzionato, e insieme troppo ovvia.

Semmai, anch'essa lascia luogo a una considerazione appenata della pena insita, per il sincero credente ch'egli fu, in quel che aveva d'assurdo il suo raziocinio sì di fronte ai rigori teologici sì di fronte a quelli razionali. Ma questa pena, questa sofferenza, il poeta non poteva dirla perché ciò avrebbe richiesto una soluzione, e anche le perplessità, per essere dette, voglion esser superate; e se in quella scena, standoci nei limiti della ricerca dei caratteri d'un processo fantastico, culmina un'insufficienza di fantasia in contraddizione con la fede professata, ciò è in quanto la contraddizione è più ignara, la fantasia più debole, e perciò più enfatica.

Parlo di persona che fu degna d'ispirare in vita sua alta stima e amicizia, a persone fra le quali non manca chi gliele serba memori e riverenti; e v'è qui oggi persona che v'aggiunge il più naturale e il più giusto e il più sacro degli affetti umani, quello filiale; e io dubiterei anche della validità teoretica d'una critica che trapassasse altezzosa o insensibile su tali testimonianze di affetti e di stima. Ma dove falla la validità formale della poesia, l'indagine è costretta a toccare l'uomo, la persona, l'indole; è il segno di tale fallanza. È qui che spunta, nel caso del nostro, l'orgoglio.

Citando innanzi alcuni versi, ho detto che non è poesia. Non è poesia per le stesse ragioni, in quest'altri, rivolti alla creatura del suo ultimo libro, a Leila:

> E all'Urbe verrai di vergogna
> Che ancor Benedetto rampogna.

Lascio alle malefatte della rima, che versificatore egli ebbe stenta di sovente come la sintassi involuta anche per influsso di molto diletti modelli di lingua straniera; lascio alla rima quanto v'è di esorbitante, in queste parole, i sentimenti d'un recente *laudabiliter subiectus*; ma insomma vi scoppia orgoglio; quello stesso, pur con tumefatta espressione confessato negli altri versi citati prima. E non ci chiederemmo se fosse giustificato, quando lo sentissimo fatto poesia; né lo cercheremo questo orgoglio, nell'uomo che lo confessò e non seppe vincerlo (la poesia citata è dei suoi ultimi anni), quando vi avremo riconosciuto un frusto atteggiamento caratteristico del romanticismo, e non del migliore, e non tale da valer la pena di indugiarvici.

Ma parliamo dei personaggi romanzeschi. Silla di *Malombra* è un orgoglioso, che dal romanticismo ripete premesse demonologiche, metapsichiche e magari psicopatiche; mentre il romanzo ripete anche, nella particolarità speciale, dal postremo romanticismo lo stile rilassato e ricercato insieme. Orgoglio è quello di *Daniele Cortis*, coi suoi dispregi impolitici, ai quali le idee del suo programma non son certo tali da dare una consistenza. Orgoglioso è Piero Maironi da peccatore e da santo, non solo per quel che egli si assume, ma in certi atteggiamenti caratteristici ed ignari, come quando rinfaccia al Signore di mettergli innanzi le tentazioni; dove che i santi le ricevono con umiltà contrita e veramente macerata, come il più arduo mistero della grazia. E quanto alle donne del Fogazzaro, orgogliose sono per definizione, e tali volute, e del resto riuscite bene e viventi, da Marina a Leila; ma l'umiltà a cui si convertono è l'umiltà dell'amore: quant'abbia a che fare con quella santificatrice, si scorge male. Del che non faremmo carico al poeta, se non fosse troppo frequente e saputo un modo suo di introdurre la grazia e la conversione, che contrasta, per intenderci con un esempio, con l'alta discrezione, e religiosa e poetica, serbata, proprio sul punto della grazia e delle conversioni, dal Manzoni.

Crucci e sdegni e imperativi e inibizioni degli eroi e delle eroine fogazzariane, col mondo e fra loro e con sé stessi, non sono che forzature o malintesi ovvero pretesti a indugiare e a condurre quelle scene d'amore ritrovato, d'amore esultante, o di separazione e d'affranta passione, nelle quali egli è poeta efficacissimo. E l'eroismo morale di Elena e Daniele nel *Cortis* sia pure un semplice asserto; vi trionfi la passione anche dove, magari sopra tutto dove i due si separano: la separazione, la scena degli addii, è ben di quelle che stringono il petto, con le parole rade e rotte, alitanti e anelanti, di angoscia e di desiderio e d'addio, fra le lagrime istupidite dal dolore con lo strazio e l'estatico orrore dell'ultimo sguardo a tutto, che, tutto, tiene ogni fibra dell'animo e dei sensi, quando, spezzata già ognuna, ognuna pur duole. Sia, l'eroismo ascetico di Benedetto nel *Santo*, in quanto eroismo, giudicabile pur soltanto e abbastanza in quell'improprietà di portarlo, per suggestione estetizzante, niente di meno che a Subiaco sulle orme del gran patriarca del monachesimo latino: in quanto egli è uno smarrito dolente, in quanto la Jeanne è una dolente appassionata, in quanto sono un pover'uomo e una povera donna, nella scena della discesa per le scale del Sacro Speco, il luogo stesso con quella imposizione del silenzio, non consacra alla santità ma consegna sì alla elegia quel che ha pure d'augusto ogni penante creatura. La scena ha una forza che se anche non è, appunto in quanto non è di quella poesia cui avrebbe ambito, poetica è.

E così nelle gentili e tenere scene del fidanzamento in *Mistero del Poeta* come in quelle in cui Leila raggiunge Massimo in Valsolda, dove il Fogazzaro ebbe il meglio del cuor suo e dove trovò la vena della sua miglior poesia idillica, amore, passione, dedizione, carnalità e carità e beatitudine d'amore ci sono, cantano, e sono poesia d'uno che di queste cose, e della presenza d'amore tra uomo e donna, e di ciò che inebria e spira in parole e sguardi e tremiti d'amore, ebbe senso forte e delicato.

A Leila, volgendolesi in quella poesia di cui ho citato due versi, a Leila egli dice concludendola:

E mi lascerai per il mondo.
Ma prima, cingendo le braccia
Al mio capo, alzata la faccia,
Benché son sì vecchio, mia stella,
Porgerai il tuo labbro giocondo
Perché ti ho creata sì bella.

E quando mai, vien fatto di pensare fra sorridenti e perplessi, l'artista ha per un personaggio della sua fantasia di queste tenerezze arzille, come precisa non senza arguzia il tocco realistico dell'inciso: «benché son sì vecchio?». Quando mai di queste galanterie, di queste affettuosità osculatorie? Come mai può esprimersi la relazione tanto complessa ed essenzialmente severa dell'artista coi portati della sua fantasia, in tali carezze; quando mai, insomma, ci fa all'amore? Lasciatemi dire, perché le definisce: all'età di Cherubino; e credo che in grazia di Mozart e della musica mi passerebbe il motto anche lui, della musica invaghito com'era. In ogni modo, il trasporto dell'adolescente di

Beaumarchais, quando bacia anche gli alberi nel turgore pungente dei suoi affetti smaniosi e universali, somiglia pure all'attaccamento che i personaggi del Fogazzaro nutrono per le località familiari e per la natura: boschi e montagne e ville e giardini e acque e fiori. E, più largamente, natura animata, simbologia naturale, panteismo, sono mitologie senza mito e concetti senza sillogismo, giustificati soltanto da ingenuo sentimento immoderato, vagante, sensuale, che s'ha per gli oggetti all'età in cui ci sembra che tutto abbia anima, per esuberanza effusiva. E, poi ch'ho detto Mozart, non forse amano la musica, e il Fogazzaro lirico e i suoi personaggi di romanziere, con quell'effusione e diffusione immaginosa, che vi trasogna per un verso rivelazioni ineffabili, e la traduce per l'altro in immagini sensuose, le quali tutte hanno tanto poco a che fare coll'essenza estetica della musica, quanto denunciano sovrabbondanza di sentimentalità ebriosa e vaporosa? Infatti sono cose, tutte quante, che poeti essenzialmente virili e formali, essenzialmente adulti, come un Leopardi o un Goethe o un Baudelaire, pongono in una preistoria dello spirito loro.

Ora, quel ch'è conflitto di caratteri, e posizioni morali, politiche, filosofiche, ascetiche, mistiche; quello che è d'impostazione eroica nei personaggi fogazzariani, è gesto, è mimica, è, scusate la parola cruda, è bene spesso posa.

Ebbene a questo punto io vi prego di esaminare le vostre reazioni di lettori proprio verso le pose eroiche o mistiche dei personaggi, verso quello ch'è più fittizio in esse e di loro. Permettetemi e d'interrogarvi e di rispondere per voi: non solo è indubbia e palpabile la buona fede di chi le immaginò ma se n'esplica nell'animo nostro, fuor d'ogni critica di qual si voglia ordine, una indiscutibile simpatia. Come mai?

Io penso che sia perché quei personaggi son proprio la proiezione fantasticante, le semifantasie, i prodotti di una disposizione tanto propria dell'età che ho detto, da identificarsi con essa: e si pasce di misteri e di rivelazioni, di palpiti ed entusiasmi, cari veramente ed ingenui, e se ingenui; e nelle cose di natura, negli eventi della storia, nelle figure dell'arte, nei concetti della filosofia, nei problemi gnoseologici, quella disposizione si trasferisce come in propri suoi portati immaginosi; e per essa non v'è altro al mondo se non questi, vi si trasferisce con un fantasiare sensuale e sentimentale, con una commozione mimetica, con un'immedesimazione mimica, tutt'affatto simili a quelle di chi leggendo un poema o stando a teatro, trova il piacer suo, lo gusta, immaginandosi e sentendosi nei panni e gestendosi nei gesti e nelle gesta rappresentate. Ben si sa di quante seduzioni a ciò fosse prodigo il romanticismo.

Ed ecco da questo nascere direttamente, prima di *Piccolo mondo antico*, *Malombra* e il *Mistero del Poeta*, storia di una salvazione, in quanto tale, non men gratuita della perdizione nell'altro romanzo. Ma importa notare e tener presente come già e sempre in questi romanzi, e più chiaramente nella novella di *Ermes Torranza*, la vena umoristica e d'osservazione realistica, con risultati d'arte vivace, sorta pure valore e funzione di buon senso temperativo, di discrezione ragionevole, di schiarimento non men logico che estetico.

L'artista era in ascesa. Per contro, dopo *Piccolo mondo antico*, nel *Santo* ed in *Leila*, opere d'artista in declino, una maggiore e più grave e più stringente ambizione di impegni morali e filosofici e religiosi, restando di quella sostanza patetica e mimica e mimetica ch'ho detto, non giungendo a concretezza di fantasia intuitiva, incide, rispetto a quella vena umoristica e realistica, in una sconcordanza, in un'improprietà stridente, distruttiva dello schietto valore estetico e delle ambite significazioni metafisiche, sì dell'uno e sì dell'altre.

Quanto allo stile, dall'inizio romantico prima di *Piccolo mondo antico* ai romanzi ultimi, c'è una evoluzione verso il floreale e il simbolistico, che ricorda il «liberty»; non era evoluzione progressiva.

Fatto sta che la sostanza umana, che nel *Cortis* pur ferve e dolora, dell'amore prepotente ed arbitrario, della passione illecita, nel *Piccolo mondo moderno* si fa fissazione dell'ideologo, che su cotesta sostanza umana e troppo umana imposta un problema fittizio, in termini di falsa generalità. E così, la sensualità della passione non meno che i pronunciati della morale, tanto la rappresentazione dell'arte quanto i concetti della filosofia, si intrudono di dubbie compiacenze estetizzanti; e poiché «lo contrappasso» castiga l'estetismo nel cattivo gusto e nel falso poetico, un'aria, un tono di pretensione e di falsa preziosità caricano e rugano, come mode invecchiate, la cornice, e assai più che la cornice intellettualistica e mondana degli amori di Piero e di Jeanne. E il concetto e la rappresentazione dell'amore posto come problema, gonfiano e vanificano in una nebulosa sentimentale misticizzante, più spiritistica che spiritualistica, mista com'è di naturalismo pseudoscientifico e di pseudoreligioso soprannaturalismo, che doveva produrre nella stranezza l'eresia religiosa. E colla definitezza logica si perde la concretezza dell'arte, mentre il vizio originale di quel problema immaginario genera la fissazione sistematica e quasi meccanica della coppia amorosa, dell'uomo spiritualeggiante e della donna razionaleggiante.

Non ho bisogno di dire non solo che se questa dovesse essere la mia conclusione, avrei chiesto d'esser esentato da commemorare il Fogazzaro, ma pure che se *Piccolo mondo antico* mi paresse eccezione, felice ma tutta eccezione, nell'opera di lui, avrei impostata altrimenti, e tutta su questo romanzo, un'analisi in cui il libro di bella e compiuta poesia s'è venuto a collocare da sé nel luogo culminante fra l'ascesa e il declino d'un artista, che ebbe sorte, pur melanconica e pur bella, d'autore di un libro solo: solo per la sua eccellenza sul resto; solo, perché non pure quel che all'analisi fin qui è risultato positivo, ma anche gli elementi altrove negativi vi assumono ragione e vita nella proporzione poetica, per virtù d'arte, per bontà di misura. Fatto sta che l'analisi di *Piccolo mondo antico* è compiuta ed intiera in quella che ho fatta dell'opera fogazzariana, quando si aggiunga che la giustezza d'intuito e di tono, in questo romanzo, adempie alle funzioni del criterio e del giudizio, e le adegua.

E, cominciando, non accade andar oltre la prima scena, anzi le prime linee, per sentire che è un libro nato bene: nulla poi, nel corso della narrazione, viene a turbar cotesto senso, che si compie, coll'ultima linea dell'opera, in un sentimento di bella armonia.

Armonia formale, di proporzioni e di struttura delle parti e del tutto che hanno ognuna ed insieme adeguata misura e ritmo, col carattere di spontaneità ch'è delle cose d'arte felici. È compiutezza di narrazione e di invenzione, dove tutto quel che occorre è detto e non di più né di meno, dove lo svolgimento dei fatti e la congiunzione dei personaggi hanno significato simbolico nella loro conclusa naturalezza. È finezza e finitezza di stile, variato e sempre proprio, dai toni umili di un umorismo locale, speciale, idiomatico, dialettale, a quelli sereni e gai d'un'idillica poesia, da quelli paesistici vivaci e sentiti, a quelli severi e gravi d'una tragica desolazione umana. Qui lo scrittore, anche proprio di ciò che altrove lo fece rilassato e ricercato, stento e verboso, si fa squisito e prezioso e dovizioso, per virtù di naturalezza, tanto nella dimessità e familiarità come nell'eloquenza commossa e immaginosa d'un linguaggio appropriatissimo a ciò che deve rappresentare e dire: l'accordatura è giusta, l'istrumento canta. E qui veramente, dove forse col cervello ragionante egli credette di restringersi in una modesta e domestica dimessità d'intento, gli arrise la poesia. Sicché il suo realismo si fa precisione d'artista, libera ed esatta, come libero ed esatto è il suo discorso tutto vivo, connaturato coll'invenzione romanzesca nelle più minute particolarità e nella più complessa struttura della composizione, bella, questa, e ricca di ampi e sobri ed agiati sviluppi, d'espressive ed armoniose rispondenze, d'una nobile ed agevole fermezza architettonica. Mi vien fatto di parlarne quasi in termini musicali, perché veramente l'artista, altrove tentato dalla musica a traduzioni o trasposizioni spurie, in questo libro ha fruito di quel dono che nell'etimo della parola stessa i greci la chiamaron arte delle muse. E ve ne parlo con entusiasmo, perché la recente lettura con cui mi son venuto preparando a questa commemorazione, rinfrescando l'ammirazione per *Piccolo mondo antico*, nel chiarirmene l'eccellenza e l'armonia, mi ha commosso anche per via di quel carattere singolare che ha tale eccellenza nell'opera di lui, questa volta toccato dalla grazia della poesia, e perché l'armonia è di rara perfezione, tutta nativa e di vena.

Parole e figure, in *Piccolo mondo antico*, dicendo e figurando quanto debbono, significano di più: la verità poetica. Si sarebbe tentati di rimproverare quell'ombra di lezio che c'è nel titolo, se non anche esprimesse il motivo lirico ispiratore, accennato più volte con discrezione signorile, tanto più efficace quanto più sobria e propria di tutto quanto nel libro, col libro stesso, appartiene, detto e non detto, con finissima arte di sfumatura e di tono sommesso e di poetica insinuazione, alla partecipazione affettiva e personale, a ricordo e affetto del poeta per luoghi e persone e casi e argomenti e problemi del romanzo. Ed ecco che tale partecipazione personale si fa commossa lirica umana, si fa ansia meditativa sul destino morale e naturale dell'uomo in quelle creature, che il suo sentimento, non men religioso che poetico, irraggia, nell'atto d'inventarle, d'un amore ch'è pietà e speranza e carità e giustizia, in una vigorosa unità e verità di poesia drammatica. C'è una purità e semplicità di cuore, in questo romanzo, che divien finezza e chiarezza d'intelletto. E non è forse questo un grande e fondamentale principio cristiano? Onde *Piccolo mondo antico* è propriamente e umiliatamente cristiano per verità d'intuito giusta insieme e caritatevole, per umanità, prendendosi questa nostra parola antica nei suoi vari e nobili significati intellettuali e morali: per umanità e ragion d'arte in giustezza di toni poetici.

Ed ecco che qui veramente, nel ritrarre attorno ai personaggi del dramma un «piccolo mondo», la ricca ed arguta e saporosa vena realistica si fa, meglio che satirica o acre o vendicativa, umoristica e comica, maliziosa, semmai, non maligna. E in questo lo scrittore trova e formola inventivamente quello stretto e vitale e naturale legame con la vicenda che altrove, dov'ha da essere figurato il mondo come avversario degli eroi e prova dei santi, si slenta o fallisce. Qui il «piccolo mondo» compendia il grande, il mondo senz'altro coi buoni, i men buoni, i cattivi, col gioco, col contrappunto di passioni e d'interessi e di caratteri e di giudizi i più diversi.

E i personaggi del dramma acquistano di forza vera quanto perdono d'ambizioni eroiche: il dramma stesso acquista di verità, quanto meno è impostato come dramma mistico e teologico e metafisico.

Ho parlato, innanzi, di discrezione, per dire come accadesse al nostro di perderla. Adesso, in *Piccolo mondo antico*, proprio la discrezione è impeccabile nella compiuta rappresentazione di quel tratto di mondo sulla breve costiera italiana del Lago di Lugano negli ultimi anni della dominazione austriaca in Lombardia. E discrezione è come dire buon senso e senso umano; ma cogliendola nel punto culminante del dramma, quando la bimba, su cui han pianto tante migliaia di lettori, affoga nella darsena, poco sarebbe bastato, e il Fogazzaro che altrove governa troppo a sua posta la Provvidenza v'era esposto; poco sarebbe bastato, un calcare della mano, una appoggiatura del tono, un inciso sentenzioso, a forzare il significato delle circostanze per il concorso delle quali, nella materialità di cotesta disgrazia, gravano, a farla augusta e più angosciosa insieme, e la divina predestinazione e la presunzione di colpa della madre, colpita nel mentre, invasata d'orgoglio e di rancore e di disprezzo, correva dietro alla sua infatuazione vendicativa e alla pretensione di farsi e di fare giustizia.

Poco sarebbe bastato, ma il poeta non ce l'ha messo; e questa, se vogliamo ancora chiamarla discrezione, è tale da meritare veramente il confronto col Manzoni, *magnus parens*; da meritare che in proposito si ripeta una gran parola di quel grande: «può esser gastigo, può esser misericordia».

E, se a far noi più pensosi e più pietosi, quella presunzione di colpa concorre, ma come deve e non più di quanto deve, a far più disperata la madre colpita. Il castigo è lasciato cui spetta: la madre accoglie quella presunzione nell'animo con un moto conveniente alla natura e al dolore che la dissenna; il padre, con una pietà straziata, che nella sua umile espressione e pur di giustizia e carità convenienti, salvatrici infine.

L'orgoglio intellettuale e l'accidia d'una sensibilità fantasiosa, son ben i peccati, l'uno di Luisa, l'altro di Franco, che insidiano già il loro idillio coniugale, e che inaspriscono il raziocinio della donna «testa forte» e il sentimento dell'uomo «anima bella»; il conflitto è quello solito, ma quanto lontano, nella fine, delicata, squisita individuazione dei sentimenti e dei caratteri e del conflitto tra Franco e Luisa, quanto lontano dall'insecchire nella programmatica e dimostrativa sterilità d'un luogo comune!

E guardate finezza d'arte e nobiltà di spirito nella umana severità pietosa con cui è rappresentato l'aberrare e l'insanire di Luisa nello spiritismo e in quella specie di feticismo per la materialità della tomba della sua creatura! Guardate finezza d'arte e morigeratezza d'intelletto nell'arguta modestia simpatica con cui è rappresentato l'esilio e il patriottismo di Franco, la sua vita a Torino, il suo farsi volontario nel 1859, sempre con quel tanto d'eccitabile sensibilità, con quel che d'amabilmente, signorilmente negletto e fantasioso, ch'è del suo carattere! Tanto lontano da darsi per un «animo forte» quanto illusa è Luisa nel credersi una «testa forte», egli finisce per operare con forza d'animo e lei con debolezza di testa, ma con perfetta obbedienza, ambedue, all'indole loro e alle conseguenze su di essa degli eventi, senza che né ve li spinga il poeta, né che ne tragga illazioni forzate o comunque non pertinenti naturalmente alla vicenda, alla esatta qualità delle persone, all'esigenza e al limite dell'arte: poeta veramente, questa volta che ha saputo restringersi e costringersi, e fortificare, castigandola, quell'intemperanza sentimentale e illusiva, che ricordiamo solo per ammirare, apprezzandola, la felicità del risultato, la sua vittoria di poeta.

Che se prendiamo un particolare, l'immagine dello spettro della bimba affogata, che vola verso la casa della nonna bacchettona e spietata, che le preghiere del rosario serale non possono respingere, che infine le apparisce nella notte angosciosa, è dell'autore di *Malombra* quest'immagine, ma quanto mai diversa e migliore che in quella letteratura. E se si ripensa all'onesta figura dello zio Piero, l'aggettivo prende quanto di nobile e di severo e di categorico comporta il concetto morale dell'onestà, ma incarnato in un individuo così e così conformato dall'indole e da un costume, da una famiglia umana e da una tradizione, dalle circostanze e dalla sua carne, così che la virtù sembra in lui fatto spontaneo, e tanto più persuasiva, governata com'è da quel suo fare il bene senza parlarne e quasi senza volerlo sapere, da quella saggezza sicura e soccorrevole e pronta all'aiuto e al consiglio quanto alla remissione e alla discretezza, da quell'amore e da quel rispetto del prossimo, due cose rare a trovarsi insieme che nel vecchio zio ingegnere s'incontrano così che anche la negletta e bonariamente scontrosa maniera della loro espressione è luce di delicato pudore umano e virile. E la virtù dell'indimenticabile «uomo giusto» risulta quasi motivo ispiratore e criterio di saggio, simbolo, quasi, della bontà e finezza d'arte che fanno di *Piccolo mondo antico* un'opera maestra. Che se le consideriamo, codeste qualità d'arte, nel punto per l'opposto verso altrettanto difficile e scabroso, nella vecchia e odiosa Maironi, anche riconosciamo giustizia e carità di poeta. Scabroso, dico, e difficile, perché il temperamento suo, nel ritrarre i cattivi lo inclinava a certa avversità persecutoria, e trasmoda nei significati che v'annette, e per castigo cade nel maligno. Odiosa, la vecchia Maironi, quanto si vuole, non è però, nella rappresentazione di quella sua miserabile odiosità, meno misera e miseranda, allo stesso modo e per virtù della stessa ragion d'arte che delinea con superiore giustezza di tono e Franco, coi suoi slanci di buon volere fantasioso, e Luisa, con le sue pretese ragionative, e l'ingegnere e tutti gli altri folti personaggi, tutti vivi, precisi, perfetti, come la vecchia sorda, come la bambina, che fra quante figure di bimbi, più che mai difficili a rendersi in età tanto puerile quando il carattere è ancora tutto germinale e appena distinguibile; come la povera bimbetta, che fra quante figure puerili ha la letteratura, non molte sono che la pareggino, non so quali la superino. O, meglio, v'è raggiunta quell'eccellenza d'arte, a sé sufficiente, che rende vani ed improprii i confronti.

Concludendo, il minuto naturalismo e moralismo del Fogazzaro, in questo libro che lo consegna a durabile fama conseguì il carattere di quella serenità, inseparabile dall'arte rappresentativa superiore, ch'è dello spirito dell'epica: lo conseguì perché non forzò i limiti suoi, tutt'altro che epici.

V'ebbe egli merito? Se n'accorse, lo seppe? Se vien fatto di porci di queste o di simili domande, che agitano eterne questioni, è in quanto e perché la singolarità di *Piccolo mondo antico* nell'opera e nel destino del poeta, esprime, aggiunge, si identifica coll'eccellenza che l'affida all'ammirazione di quanti leggono e leggeranno i casi di Franco e di Luisa Maironi, del savio e giusto vecchio e d'Ombretta, commossi e pensosi, e tanti, da adempiere oggi e nel futuro a ciò che chiamiamo la gloria di un poeta.

E l'ammirazione estetica attinge quella forma di persuasione morale, in cui l'arte adempie la pienezza del suo effetto e del suo valore, quando si riguardi come tutto, nella vicenda di Franco e di Luisa, s'inscriva necessario e naturale nel procedere dalla gentilezza amorosa dell'idillio valsoldese all'angoscia del dramma nella darsena, dal contrasto di idee e di caratteri fra i due sposi alla crisi e alla soluzione: bella, e veramente toccata e ispirata dall'ala della poesia e dalla religione, bella con quella carnalità pudica e vereconda del congiungimento dei due sposi, in cui si risolve il tormento, si riscatta il dolore, si rianima, si rinsensa la vita, rinascono, rivivono le anime e il sangue e la ragione e la fede:

in quel congiungimento santificato dalla presenza della morte, della morte che Franco andrà a sfidare, non più a cercare in guerra, della morte rifatta serena dalla fine dell'uomo giusto, della morte rifatta sacra dalla maternità presentita di Luisa, della morte restituita negli spiriti all'altezza del suo mistero.

Che se Antonio Fogazzaro conseguì in questa pagina unione di religione e poesia, una volta, ciò dice altezza dell'una e dell'altra in quella pagina del convegno all'Isola Bella, che nell'animo ci innalza, ci conforta, ci rafforza, e ci fa caro il poeta.